D0582153

Jouw verhaal

Van Julie Myerson verschenen
eerder bij Archipel:

Hier gebeurt nooit wat
Ik en de dikke man

Julie Myerson

Jouw verhaal

Vertaald door Nelly Bakhuizen

Amsterdam · Antwerpen

Omslagontwerp: Tinck Shangbo
Omslagfoto: Berry Stokvis/Hollandse Hoogte

ISBN 90 6305 224 3 / NUR 302
www.boekboek.nl

Voor Jono met alle liefde

Iemand zou dit meisje in zijn armen moeten nemen en haar stevig vasthouden, dacht ik. Waarschijnlijk iemand anders dan ik. Iemand die gerechtigd was haar iets te geven.

Haruki Murakami, *De opwindvogelkronieken*

Parijs

Het begint met sneeuw, het verhaal van jou. Ik heb zoveel andere openingszinnen uitgeprobeerd. Ik heb het verhaal laten beginnen met hitte, met licht, in een ander land – onontgonnen, vuiler, armer – in een ander bed, niet in dit bed. Maar iedere keer kom ik weer uit op dat huis in het meest vervallen deel van de stad en die pikdonkere vriesnacht toen we elkaar urenlang zoenden, jij en ik – een woest soort zoenen dat ons allebei verraste, omdat het zonder enige aanleiding begon en doorging tot de hemel licht werd en we beiden in slaap vielen.

Het begint met sneeuw, meteen midden in de gebeurtenissen – daar zitten we samen: lachend, ijskoud, rechtovereind, half uitgekleed met elkaar verstrengeld in de hoek van die studentenkamer van lang geleden. Ik ben net negentien, jij bijna twintig. Niet zo jong maar jong genoeg om ons in te beelden dat we al aardig oud zijn. De kamer is groot, met een hoog plafond en ruikt naar winterkou en vocht en het bed is een smoezelige, doorgezakte matras die tegen de muur is geschoven. Ernaast liggen een schotel boordevol as, een pakje Rizla's (de jouwe), een paar sportschoenen zonder veters, een roze binnenstebuiten gekeerde lurex sok (de mijne). Er bevindt zich niet veel meer in de kamer dan wij tweeën in bed, plotseling aan elkaar geplakt – tong vindt tong, lippen nat tegen lippen, de koele zoetheid van speeksel dat van mond tot mond glijdt.

Ze zeiden dat het te koud was voor sneeuw, maar er zijn de hele nacht vlokken naar beneden komen vallen – eerst zielig kleine, toen grotere, dikkere, die hard en snel door de donkere nachtlucht werden gejaagd. Een paar lange uren later zullen we in die kamer zonder gordijnen wakker worden in die volmaakte, heldere stilte die sneeuw met zich meebrengt.

Het begint met sneeuw – en met een parel. Geen echte, dommerd, een namaakparel van plastic. Een romig doorschijnend speelgoedjuweel, een plastic parel van een plastic snoer. Dat snoer kwam zeer waarschijnlijk uit een knalbonbon – want dat soort dingen droeg ik toen, net als glinsterende sokken, oude verbleekte vesten en verkreukelde satijnen bloemen in mijn haar.

Mijn tuinbroek is lichtgeel, slobberig rond de knieën, er ontbreekt altijd een gesp, ik draag oorbellen van paarse plastic margrieten. Ik ben een discomeisje, een *boogie queen*, een meisje zonder verleden of toekomst, dat nooit voldoende eet en haar was in de wasserette doet, en bijna alle zondagen huilt van pure, ongecompliceerde eenzaamheid.

Ik speel met mijn snoer – zenuwachtig terwijl ik daar in het duister tegen jou lig te fluisteren, niet zo heel dicht tegen je aan en je al helemaal niet aanrakend, zenuwachtig maar tegelijkertijd bijna barstend van geluk en dan opeens trek ik te hard aan de draad en, verdomme, het ding breekt.

De parels rollen alle kanten op.

Ze verspreiden zich over het oude bruine nylon vloerkleed vol kruimels. Je kijkt me recht in mijn gezicht aan en, leunend op je elleboog met je hoofd op je hand, tast je rond in de donkere kamer die alleen verlicht wordt door de blauwe vlam van de butagaskachel, pak je er eentje op en voor ik iets kan zeggen of doen stop jij hem in je mond.

Hé, zeg ik, geef terug.

Mijn gezicht staat verbaasd maar ik lach, denk ik.

Je doet je ogen dicht en schudt je hoofd. Je huid is bleek en droevig van te veel drugs en te weinig slaap. Je haar is hoogblond, het zit vol klitten en is lang genoeg om tot je schouder te komen. Je ziet eruit als een uitgeputte engel maar vanbinnen ben je absoluut een jongen. Je liet een keer een overhemd over de stoel in de woonkamer hangen; ik hield het tegen mijn gezicht en ademde jouw geur in en ik schaamde me dat ik dat zo lekker vond.

Geef terug, herhaal ik, hoewel ik er niet zeker van ben of ik dat wel meen. We hebben de kachel dichterbij getrokken, te dichtbij, en mijn linkerwang gloeit.

Kom hem maar halen.

Wat?

Kom hem maar halen, zeg je met je vreemde, lichte ogen strak op mij gericht. In die dagen word ik soms een beetje bang van je maar het is een lekkere zwoele manier van bangigheid die mijn hart doet overslaan tot ik helemaal week vanbinnen word.

Dus schuif ik naar je toe en – nou ja, het is nu lang geleden maar ik wil graag denken dat je me tegenhoudt, als ik mijn hand naar je uitsteek om je mond met de parel erin aan te raken. Dat jij in plaats daarvan je lange jongenshand uitstrekt en om mijn nek en haar legt en me zachtjes naar je toe trekt, om me zo te laten zien wat je wilt dat ik doe: hem met mijn mond en niet met mijn hand pakken.

Mijn hart slaat over, zoals dat ook hoort. Ik ben ademloos van spanning.

Of misschien ook niet. Misschien haal ik gewoon diep adem en buig me naar je toe, dapper geworden door jouw lef van zoeven. En misschien raak ik zachtjes en verlegen jouw lippen aan, met mijn mond halfopen en voor ik door kan gaan open jij met je lippen mijn mond helemaal en laat de parel van jouw mond de mijne binnenglijden. Nat en warm, de heftige schok van speeksel. En als de kleine parel eenmaal in mijn mond is – een harde, lichte kogel van plastic – duw je misschien jouw gezicht tegen het mijne en pak je hem weer terug uit mijn mond, terwijl je mijn hoofd almaar in jouw ruwe jongenshanden houdt en je tong daar een hele tijd laat liggen. Je handen duwen mijn haar tegen mijn oren waardoor ik eventjes onbereikbaar ben voor de wereld. Je tong glijdt naar binnen tegen de mijne aan – de belofte van een diepere aanraking. O, jongen toch.

Of misschien ook niet. Maakt het nu nog wat uit? Wat ik nog weet, is dat we de parel een paar tellen tussen ons heen en weer schuiven, voordat we hem in bed kwijtraken, een armzalig vergeten namaak voorwerp dat we niet meer nodig hebben – omdat het dan echt is geworden en niemand ons kan tegenhouden door te gaan met wat we begonnen zijn.

Ik ben net negentien en jij bijna twintig. Er zit maar een paar maanden verschil tussen ons maar die maanden betekenen in die tijd een heel stuk leven. Jij weet veel maar ik ken jou niet,

9

niet echt. Je bent Amerikaan. Je komt uit New Jersey. Je hebt een gitaar in een gebutste zwarte kist met stickers erop en je raakt hem de hele tijd aan, zelfs als je niet aan het spelen bent. Je slaapt nooit, je stort gewoon in en nu ik erover nadenk, past die uitdrukking volkomen bij je: de slaap kan jou overal, op elk moment, gewelddadig en nietsontziend overmannen.

En we maken elkaar aan het lachen. Jij bent grappig en ik ook, misschien niet zo grappig als we beiden graag denken dat we zijn. Maar soms ben ik bang van je. Soms weet ik niet wat ik moet denken van de dingen die je zegt en doet. Op een keer begin je op de overloop tegen me te schreeuwen over iets onbeduidends en een paar tellen lang kan ik mijn ogen niet van je gezicht afhouden. Ik ben niet tegen je bestand – dat was ik nooit – dat weet je nu wel. Als jij een kamer binnenkomt terwijl ik net van plan ben weg te gaan, moet ik mijn plan veranderen en blijven – altijd voor het geval jij iets interessants zegt of doet.

Ik vond het echt erg prettig, weet je, dat jij niet ondoorgrondelijk was, dat jouw gezicht zo open was dat ik er alles van af kon lezen.

Vond je dat leuk?

Ja, natuurlijk. Dat was prettig. Als je het echt wil weten: dat wond me op.

Dit zal je op een avond in de verre toekomst tegen me zeggen terwijl je dicht tegen me aan ligt en weer mijn gezicht in je beide handen neemt.

En ik zal glimlachen – van verbazing, maar ook omdat het allemaal zo grappig is.

Dat kan je nu gemakkelijk zeggen, zal ik antwoorden terwijl ik naar de lieve vertrouwde ronding van je bovenlip kijk. Maar je wilde me toen niet, je weet heel goed dat je me niet wilde. Wat je nu ook zegt, toen had je andere dingen aan je hoofd.

Wat voor andere dingen, dommerdje?

Ik weet het niet. Gewoon, dingen. En weet je? In die tijd wilde ik het liefst van al dat jij mij wilde hebben.

Je schiet vast in de lach.

Lach niet, zal ik zeggen.

O, zal je doorgaan, terwijl je nog lacht en je zal je hoofd schudden: o, dommerdje, het is gewoon dat je er toen helemaal niets van begreep, je wist niet half wat er speelde. Het ging er helemaal niet om of ik je wilde hebben. Die spelletjes die we deden, gingen om heel iets anders.

Maar – waar ging het dan over?

En ik zal je dit vragen, niet omdat ik het echt moet weten, maar omdat ik nu na al die tijd wil weten wat jouw antwoord zal zijn. En je zult me aankijken en mijn gezicht vluchtig aanraken maar je zult niets zeggen en ik zal me bedenken dat je al met al precies op die foto lijkt die ik nog steeds ergens van je heb – stiekem opgeborgen op de bodem van een doos, de hele tijd glimlachend onder een stapel andere foto's, onmogelijk om te vergeten, plat en glanzend en volmaakt, mijn oude geliefde. Je vertelt me niets, maar doet de hele tijd net of jij alle antwoorden kende, alsof jij alles wist, alsof jij alles weet.

Wat je me later ook zou proberen duidelijk te maken, het zoenen komt toch als een volslagen verrassing, iets wat voortkomt uit die onverwachte, koude, blauwe nacht, als iets extra's.

Je hebt een grijze trui aan, gerafeld aan de manchetten en met gaten in beide ellebogen. Je geeuwt vaak. Je gezicht is bleek. Het doet me pijn om het hart, je hemd door de wol heen te zien. Ik heb mijn tuinbroek aan. Je rookt en hoest te veel, zeg ik giechelend. Ik moet mijn oorbellen in de vorm van margrieten uitdoen omdat ze in mijn oorlellen prikken als jij me terugduwt op het kussen en je gezicht tegen het mijne laat rollen. Je ruikt precies zoals ik dacht dat je zou ruiken, naar jongen maar ook naar sigaretten – een zoete, rokerige, muskusachtige geur – en vaag naar de uien van gisteren.

Ik vind het niet erg. Ik zou elke geur van jou lekker vinden en dat is waar. Jouw grootvader kwam uit Dublin en hield van het gevoel van een piano onder zijn vingers. Toen je mij zijn naam noemde en zijn schoenmaat, schoten mijn ogen vol, alleen maar omdat hij bij jou hoorde, omdat hij zijn best deed voor zijn familie door piano's te verkopen en omdat jij een deel van hem was.

Je kijkt mij in de ogen en schiet dan in de lach.

Wat is er? zeg ik, hoewel ik weet dat je alleen maar denkt wat ik ook denk.

Lekker, zeg je, dit is lekker.

Je stem klinkt laag en gespannen.

Vind je ook niet, Rosy, zeg je, dat dit lekker is?

Mmm, zeg ik, inderdaad, dit is zeker lekker.

Geen van ons beiden heeft ooit iets echt gedaan, maar jij bent er een kei in te kijken alsof je het wel hebt gedaan. We houden de hele tijd onze kleren aan, hoewel ik graag denk dat je misschien een poging hebt gewaagd de mijne uit te trekken. Of misschien ook niet. In ieder geval kan ik je nu zeggen dat ik je dat nooit had laten doen. In die tijd ben ik in en in verlegen, een meisje aan de zijlijn. Al wat ik ooit heb gedaan, is gedichten schrijven en denken over de dingen die ik nooit zal durven doen. Dus zoenen we en we houden onze kleren aan, en dan kunnen we er niets aan doen, maar we vallen in slaap. Een grote stilte daalt neer terwijl het sneeuwt.

Ik kan alles zien, alles voelen, net alsof het nu, vandaag, vijf minuten geleden gebeurt. Je bleke gezicht dat naar me glimlacht, de verschrikkelijk bijtende kou in de lucht, de warme plek op de lakens waar je uiteindelijk boven op me kruipt en daar hijgend blijft liggen, en jezelf zachtjes op me laat zakken tot mijn dijen er niet meer zijn. Tot ik er niet meer ben – de rest van mij opgelost.

En achter ons al het andere – de kamer, het huis, het grote oude huis in een zijstraat van Whiteladies Road, waar eens een bom ontplofte, door stenen en mensen heen, zo is ons tenminste verteld. Nu verhuurd aan studenten die het kunnen stellen zonder koelkast – magnoliawit geverfd, in afwachting van projectontwikkelaars.

Hier is het, het huis. Het kraken van de ongeverfde traptreden, iemands filosofieboeken ondersteboven op een stapel op de derde tree. De poster van de *Average White Band* laat los van de muur van de overloop, de lelijke bruine vlek in het bad aan het eind van de gang waarvan de stop niet past en er is nooit voldoende warm water. De vieze houten vloer waarop je splinters oploopt, mijn voetzolen worden grijs van de vele keren dat ik eroverheen loop.

En dan het afwasrooster waar niemand zich wat van aantrekt. De joints en volle asbakken, de mokken met ronddrijvende peuken erin, groen geworden melk, vuile borden bedekt met ingedroogde oranje saus, opgestapeld op de platenspeler. De eeuwige geur van knoflook en bolognesesaus – het enige wat jullie jongens ooit konden koken – en de dealers, die schoften in zwart en bruin leer die aan onze keukentafel naar hun knieën zitten te staren en haast nooit iets zeggen.

Een stapeltje geld voor de telefoonautomaat. Sportschoenen op elkaar in het raamkozijn, naast een fles melk. Nachtenlang *Dark side of the moon*. De zurige en overvolle afvalbak die niemand ooit leegt. De jongens die Niall en Gerry heten en alle anderen van wie we de naam niet eens weten.

Mijn moeder maakt zich zorgen. Ze weet niet waarom ik een huis met zoveel jongens wil delen. Ik vertel haar dat we met z'n tweeën zijn. Twee meisjes en zes jongens. Ik vertel haar dat het veiliger is, met jongens erbij. Terwijl ik haar dit vertel, schiet me een beeld te binnen: de voordeur die iemand in het duister wijd open laat staan omdat hij te beroerd is hem dicht te doen. Dat vertel ik haar niet. Als ze dan zegt dat het goedkoper is in een studentenhuis en dat daar wasmachines zijn, zeg ik van de weeromstuit dat het hier veel leuker is en dat er een wasserette om de hoek is.

Wat niet helemaal waar is. En bovendien draagt geen van ons in die tijd schone kleren. We ruiken allemaal hetzelfde – naar tabak, naar warme huid en – soms, zoals in mijn geval – naar Charlie van Revlon, hoewel het meisje in de advertentie in het tijdschrift lang blond haar heeft en vol zelfvertrouwen een blauw broekpak draagt en dat heb ik allemaal niet.

Baby?

Ik weet niet of je wakker bent. Je doet je ogen open – nu van dezelfde kleur als de duisternis – en je kijkt me een ogenblik aan maar dan doe je ze weer dicht. Je hebt niet de behoefte iets te zien, iets te weten, voor nu is het zo goed. Ik weet hoe jij je voelt – dat heb ik ook, ik voel precies hetzelfde. Onze toekomst ligt daarginds ergens, voorbij het bed, de asbak en de glittersokken, maar het kan ons niets schelen, we glimlachen, jij glimlacht nog steeds, we voelen hetzelfde, dat weten we.

Dit is ons net overkomen en het zou alles kunnen zijn of niets, het zou beide kanten op kunnen gaan. Er gebeuren vreemde dingen. Ze zeiden dat het te koud was om te gaan sneeuwen maar een blik naar buiten zegt ons al dat ze het bij het verkeerde eind hebben.

Hier ben ik en ik schuif voorzichtig naar je toe. Je haar raakt mijn gezicht en ik voel je lippen op de rand van mijn oorschelp en ik huiver en ik voel de huivering overal, op plaatsen waar ik zoiets nog nooit heb gevoeld.

Ik houd niet van je, nog niet, toen niet. Dit is toen, weet je nog? Dit is net het begin. Ik denk dat ik alles weet, maar waar ik geen notie van kan hebben, is dit: dat je zodadelijk een merkteken op me achterlaat. Een sensueel, eeuwigdurend merkteken waarmee ik uiteindelijk al het andere zal vergelijken, mijn hele leven lang, altijd – elke man, elke aanraking, elke zoen, alles, zowat voor altijd.

Het begint met sneeuw. Dat doet het altijd.

Sneeuw viel uit de ijzige lucht op de ochtend meer dan twintig jaar later toen ik eindelijk Tom op zijn mobiel belde en hem vroeg naar huis te komen.

Nu? Zijn stem klonk bibberig en bang zoals ik al gedacht had. Waarom? Wat is er? Is alles goed met je?

Het spijt me, zei ik tegen hem, ik kan niet praten. Alsjeblieft. Kom nu maar gewoon.

Ik hoorde hem diep ademhalen. Hij zei niets maar ik kon horen dat hij zich afvroeg wat hij moest doen, wat hij me nu moest vragen.

Is er iets gebeurd? vroeg hij uiteindelijk.

Er was zeker iets gebeurd, maar ik kon hem geen antwoord geven, ik was niet in staat te praten. Ik had het gevoel dat als ik dat wel zou doen, er iets heel ergs, iets anders zou gebeuren. Ik had me nog nooit zo machteloos over mijn eigen lichaam gevoeld, alsof ik elk moment kon overstromen.

Ik kon de koele vochtigheid van mijn bloes, van een uur lang huilen, op mijn borst voelen. Ik had nog net Finlay en Jack naar school weten weg te werken voor de tranen begonnen te lopen, maar daarna was het snel gegaan. Ik was ingestort. Kroop volledig overstuur op handen en voeten de trap op. Ik ben slecht, zei een stem in mijn hoofd, en mijn leven was tot stilstand gekomen, was een halt toegeroepen, deze halt, deze verschrikkelijke halt en ik had het allemaal aan mezelf te danken.

Nicole? zei Tom en ik kon zoveel bezorgdheid in zijn stem horen dat mijn hart ineenkromp. Nicole, ben je er nog?

Ik ben er nog, fluisterde ik.

Buiten dwarrelden piepkleine vlokjes zijwaarts langs de lantarenpaal. Ze zouden niet blijven liggen, wist ik. Ieder vlokje loste, als het op de stoep terechtkwam, op in niets, een bevroren plekje onder de vaalblauwe hemel.

Het begint met sneeuw en met een vrouw die haar echtgenoot de waarheid moet vertellen voor ze in het niets oplost.

Ik doe dit niet luchtigjes. Zij doet dit niet luchtigjes. Het kostte me veel tijd om zijn nummer in te toetsen. Mobieltjes hebben tien cijfers. Er zijn veel kansen om van gedachten te veranderen, om op stop te drukken. Ik was een paar keer tot de laatste drie cijfers gekomen en was dan gestopt.

Waarom? Waarom zou ik het doen? Wacht. Wacht en denk na.

Ik had mijn knieën opgetrokken in ons bed en mijn hoofd in mijn handen gelegd en ik had zitten snikken. Omdat ik me ervan bewust was dat het intoetsen van de laatste drie cijfers ons hele gezin, de vorm en geschiedenis ervan voor altijd zou veranderen.

Een tijd lang kon ik me er niet toe zetten; toen knapte er iets en mijn vingers gingen sneller dan ik en ik herinnerde me de laatste paar weken en toen kon ik het doen, ik deed het en ik liet hem opnemen.

Ik ben het.

Nicole. Lieverd. (Een ademteug.) Is alles goed met je?

Er klonk angst in zijn stem. Hij wist het al, hoe kon hij het ook niet weten? Het goede van Tom is, dat hij altijd alles weet.

Nee, zei ik. Nee, Tom. Het spijt me, maar het is niet goed met me.

Een kwartier later zijn sleutel in het slot.

Nic?

Hij zette zijn fiets tegen de muur van de nauwe gang en riep naar me zoals ik wist dat hij zou doen. Hij noemde mij Nic. Nicole. Niet mijn echte naam, maar wel hoe hij me altijd genoemd had, sinds hij hem voor het eerst te weten kwam, terwijl hij boven op me lag en lachte en mijn ogen zoende, zijn ene hand vol met mijn haar, vol vragen – in die dagen dat hij nog dingen wilde weten.

Het is mijn tweede naam, zei ik, met verwonderde stem alsof ikzelf die naam ook voor het eerst hoorde.

Nicole? zei hij, echt? Dat vind ik een mooie naam. Betoverend.

Ik staarde hem met hoop in mijn ogen aan. Ik wilde betoverend zijn.

Hallo, Nicole, zei hij en hij noemde me nooit meer Rosy. Rosy werd iemand anders – Rosemary Nicole McArthur, een dichteres met publicaties op haar naam, nou ja, slechts een kleine bundel en dat nu drie jaar geleden, maar toch. Het eerste echte gedicht dat ik schreef – dat wil zeggen dat ik het een begin, midden en einde liet hebben – stuurde ik in voor een wedstrijd. Ik stuurde het in onder een pseudoniem – R. N. McArthur.

Maar het gaat over baby's, lachte Tom, denk je echt dat ze zullen denken dat het door een man is geschreven?

Het kon me niets schelen. Ik won ermee.

Nicole, Rosemary, Nic, Rosy. Soms kun je aan een naam ontsnappen. Een paar tellen kun je eraan ontsnappen en dan staat hier de naam en daar sta jij, vastgelopen en zonder aanwijzingen aan de buitenkant, en een paar zenuwslopende ogenblikken lang is het mogelijk te zien wat hij inhoudt. Een naam, een woord waarmee je iemand kunt benoemen – een korte smaak op je tong, sterker of zoeter afhankelijk van wat je denkt of weet

16

van de persoon in kwestie. Maar wat doet dat met jou, de persoon? Het maakt je naamloos en laat je vastlopen, denk ik.

Jij bent net een kameleon, placht Tom te zeggen, met een lichtelijk teleurgestelde stem, alsof daarmee alles kon worden verklaard. Of hij zei wel: je bent de opwindendste mens die ik ken, en dat kwam er dan ook droevig uit, alsof een deel van hem zich er al op voorbereidde dat hij mij zou verliezen.

Rosemary McArthur, mijn naam op de rug van een boek. Rosemary N. McArthur, maar we schrapten de N uit de drukproef. Zelfs Jack was onder de indruk.

Hé, je lijkt John Hegley wel, zei hij toen het pakje kwam en ik het bruine pakpapier eraf scheurde. Ik zette zestien exemplaren keurig netjes op de plank links van mijn bureau en ik keek er bijna elke dag naar en vroeg me dan af: wie denkt ze wel dat ze is, deze vrouw met haar vellen papier en haar woorden?

Nic?

Ik wist wat hij zou doen. Ik wist dat hij zijn fietshelm zou losklikken en ondertussen bezorgd langs de trap omhoog zou kijken. Ik wist dat hij zijn tas neer zou zetten, zijn handschoenen boven op elkaar op de tweede tree van de trap zou leggen en zijn jas zou los ritsen die, net als zijn helm, zou glinsteren van de snel in water veranderende sneeuwvlokken. Ik wist dat hij zijn jas over de knop van de leuning zou hangen, en dat deze later op een gegeven moment door een langskomend kind zou worden aangeraakt en op de grond zou vallen. Dan zou hij met twee treden tegelijk de trap op komen.

Het begint met sneeuw, altijd met sneeuw. Een ijskoude januarimaand, halverwege het trimester, een winter zoals we nog nooit hebben gehad: het licht knispert en knettert van de kou, waterleidingen bevriezen, de elektriciteitsrekening is nog steeds niet betaald.

Het huis ligt aan de rand van de stad, aan een zijstraat van de lange grijze hoofdstraat waar de bussen grommend op en neer naar de stad glijden. Geen centrale verwarming, in de winter dragen we allemaal binnenshuis onze jassen en hoeden. En we hebben alle gascilinders opgebruikt, die helderblauwe, zware dingen die je moet laten bezorgen. Of laten we het er maar op houden dat jij en de anderen dat hebben gedaan – door de hele nacht de verwarmingselementen aan te laten staan terwijl je ligt te roken tot het licht wordt.

Je kamergenoot studeert geologie en draagt zelfs in bed donkere vingerloze handschoenen. Hij heeft pukkels onder zijn baard en jij zegt dat hij een excentriekeling is maar hij is het niet in die mate als de jongen van boven die vuilniszakken tegen zijn ramen plakt, in het donker leeft en mij een keer op de trap bij de billen grijpt. Ik probeer nooit alleen met hem te zijn. Als ik hem een ketel water hoor opzetten, sla ik de koffie over en ga meteen door naar college.

Op een nacht zien we een spook op de overloop – een wazige vorm, die een tel doodstil staat in het halfduister.

Dat is de jongen die bij een bombardement omkwam, plagen jullie me allemaal, en die is teruggekomen om wraak te nemen. Jij lacht en maakt spookgeluiden en iedereen vindt het reuze grappig. Behalve ik, ik niet, ik ben bang en kan een week lang de slaap niet vatten.

Op een andere nacht komt er een stuk van het plafond in jouw kamer naar beneden zetten – pleisterstof stuift over je bed. De volgende dag is het gat groter geworden. Je vraagt of je voor een nacht bij mij op de kamer mag komen slapen, in het andere bed?

Waarom?

We zitten met onze mokken koffie die snel afkoelt aan de grote houten tafel in de woonkamer. Er zijn ook anderen. Je kijkt me niet aan. Je concentreert je op je Bic-aansteker, die je almaar aanklikt, in een poging een sigaret aan te steken. De tafel ligt bezaaid met losse tabak en Rizla-vloeitjes en tussen al die rotzooi ligt een viezige wollen sjaal die iemand heeft achtergelaten.

Omdat jij nog wat gas overhebt en omdat mijn bed onder het pleister zit, zeg jij met een graag-of-niet-stem en je ogen strak op de aansteker gericht.

Ik aarzel. Het meisje met wie ik de kamer deel, is voor drie dagen naar huis in Sussex gegaan.

Toe nou, zeg je als er een vlammetje naar boven komt, alleen maar voor vannacht, Rosy, alsjeblieft. Je hebt er geen idee van hoe koud ik het heb.

Je fronst tegen de vlam en de sigaret vat vuur. Ik kijk je aan. Ik kan aan je gezicht en lichaam zien hoe koud je het hebt. Maar je hebt het altijd koud. Je kleren zijn dun en versleten, je hebt helemaal geen warme kleren, niet eens een jas. In de winter draag je nog steeds een dun jasje met grijze krijtstrepen, versleten aan de ellebogen, en de zoom eruit. We weten niet of je rijk of arm bent, we weten alleen dat je vader een knappe man was die is overleden en dat je een student in een vreemd land bent en dat je het je niet kunt veroorloven vaak naar huis te gaan. Als wij met Kerstmis naar onze families teruggaan, blijf jij alleen in huis achter en ga je in een bar werken.

Alleen in huis. Het duurt nog eens twintig jaar voordat dat mijn hart breekt.

Vooruit dan maar, zeg ik, ik weet zeker dat ze het niet erg vindt.

Je kijkt me even aan. Ondanks alles kijk je verbaasd.

Weet je het zeker? Er komt rook uit je neus en je plukt een draadje tabak van je lip.

Ik glimlach.

En dus glijd je onder de deken van haar bed dat vlak naast het mijne staat, ik doe het licht uit en jij draait je om, weg van mij. Ik kijk lange tijd naar je kruin. Het is heel stil maar ik weet dat je niet slaapt. De kamer is rustig. Ik kan je adem niet horen. Ik kan helemaal niets horen.

Hé, Rosy, zeg je na een poosje, wil je met me praten?

Het was die eerste ochtend in het hotel erg koud, zelfs kouder dan de dag ervoor. Een enkel vlokje kwam uit de duisternis dwarrelen. Ik wist dat, ook al zou de sneeuw blijven liggen, alles pap zou zijn geworden tegen de tijd dat we zouden gaan ontbijten.

Het was allemaal Toms idee – hij regelde alles, twee nachten in Parijs, eersteklas met de Eurostar. Het was bedoeld als verrassing maar hij moest het me uiteindelijk wel vertellen omdat we iets voor de jongens moesten regelen. We brachten Finlay bij

Toms moeder en Jack ging naar een vriendje, een regeling die hem goed beviel. Vanaf zijn geboorte was Jack overal elders liever dan thuis. Een stretcher in een vreemd huis met onbekende mensen was voor hem het toppunt van opwinding.

Fin was volkomen het tegenovergestelde. De laatste keer dat we een lang weekend waren weggegaan, was hij gaan logeren bij een vriendje van school, maar had te veel heimwee om het er leuk te hebben. Hij zei er niets over toen ik hem opbelde maar ik kon het uit de lange pauzes en de strakheid in zijn stem opmaken. Ze doen alles helemaal anders dan wij, vertelde hij me toen ik hem eindelijk kwam ophalen. Twee uur huiswerk maken en geen tv op schooldagen. Ik wil niet rot doen of zo, maar het zijn echt vreselijke mensen.

Het hotel was heel raar ingericht – helemaal wit, alles wit. Witte banken, witte muren, witte bedden, witte gangen. Het deed denken aan een gekkenhuis, vond ik, maar dat zou ik nooit tegen Tom zeggen. Groot, maar intiem en chic had hij gezegd toen hij uit de brochure voorlas – en verdomde duur, voegde hij eraan toe en liet zijn handen in mijn spijkerbroek glijden.

Er was een volkomen witte foyer met roze en groene stroboscooplampen. Een lange, witleren sofa, van het soort waar een tiental mensen op kan zitten, en een enorme gashaard van kiezels die geen warmte afgaven als je je hand ernaar uitstak.

Van de barbedienden straalde ook geen warmte uit. Het meisje in een wit overhemd stond Tom nog geen glimpje van een glimlach toe terwijl ze ijs in een grote metalen kan schoof. We kwamen om drie uur 's middags aan en omdat ze onze kamer nog aan het klaarmaken waren, kregen we een gratis *Grey Goose* wodka aangeboden op de sofa en Tom zoende mijn nek tot ik sidderde.

Mijn Nic, zei hij, mijn mooie Nic.

Ik glimlachte. Het was een gekke gewaarwording om 's middags om drie uur wodka te drinken, maar dit was onze jaardag en we waren zonder kinderen. Ik had het gevoel dat mijn dijbenen aan het leer plakten ook al had ik een panty aan.

Ik hoop dat het goed gaat met Fin, zei ik.

We gaan het niet over de kinderen hebben, zei hij streng tegen me, en ook al wist ik wat hij bedoelde, mijn hart kromp ineen zoals het altijd deed als ik aan Mary moest denken.

Het hotel was zo chic dat de kamers niet met een sleutel of een kaart werden geopend, maar met een vingersensor. Dit betekende dat je je vinger in het gaatje moest stoppen, dan kwam er een klik en kon je de deur openduwen.

Bij mij werkte het de eerste keer niet, dus werd ik buitengesloten en moest ik aan Tom vragen de deur voor me open te maken. Toen moest Tom de man bellen om te vragen mijn vinger opnieuw te registreren. Niet echt een man, maar een jongen – ongeveer achttien jaar oud en met een prachtig openhartig gezicht en zo tweetalig dat je zou denken dat hij Engels was, maar dat was hij niet. Het hotel was nog nieuw en hij zei dat hij er trots op was dat hij er sinds de opening werkte. Hij had ervoor bij de *Ritz* gewerkt.

Er zijn daar zoveel oude mensen, zei hij fronsend, daar had ik echt tabak van, moet u weten. Het leek wel een lijkenhuis.

De jongen raakte de sensor aan om te zien wat er mis was. Bij hem leek hij te reageren.

Dat is gek, zei hij.

De gang waar we met ons drieën in stonden was donker en warm en het tapijt onder onze voeten voelde zo dik aan, dat je erover kon struikelen. Ik had zo'n gek gevoel – ik wilde almaar achterom kijken en ik wist niet waarom.

Bij ons thuis, vertelde Tom de jongen, kan deze vrouw lampen laten doorbranden door ze alleen maar aan te raken. En ik maak geen grapje.

De jongen pakte voorzichtig mijn pols vast en legde mijn vinger weer in het slot.

U moet uw ogen sluiten en u heel hard concentreren, zei hij, anders doet hij het niet.

Ik deed mijn ogen dicht en Tom schoot in de lach.

Je kunt haar van alles wijsmaken, zei hij en de jongen glimlachte, maar hij lachte niet.

Probeert u het nog eens, alstublieft, zei hij. Ik stak mijn vinger erin en het slot klikte.

Tada! zei hij.

Bedankt, zei Tom en terwijl de jongen de gang af liep, bekroop me een angstig gevoel.

Zodra we de kamer binnen waren, wilde Tom vrijen.

Kom hier, zei hij en hij trok me op het witte bed dat werd overspoeld door bleek roze licht, net als beneden. Evenals de gang was de kamer te heet – het soort zware hitte dat je in hotels hebt waardoor je er alleen nog maar de brui aan wilt geven en gaan liggen. Naast het bed stond een paneel. Dat zou Fin prachtig hebben gevonden.

Kijk, zei ik en ik probeerde opgewekt te klinken, knoppen! Ik drukte op eentje en het bed werd appelgroen. Toen op een andere en de kamer werd zo donker alsof we onder water zaten. Toen weer een andere: de gordijnen schoven met een elektronisch geluid uiteen en de tv begon te sputteren. Ik keek naar buiten en zag een binnenplaats, grote luiken, zwarte ijzeren spijlen, dat alles zo volmaakt buitenlands dat het eruitzag als een achtergrond in een film of zoiets. Het was gaan sneeuwen.

Kijk, zei ik, sneeuw.

Ik voelde me ver van alles vandaan, alsof ikzelf in een film zat. Het verdrietige en angstige gevoel zat nog steeds in me, maar het nam wel af. Tom lachte.

Druk op nog eentje en de hele boel kan exploderen.

Als we boffen, zei ik.

Sexy, zei hij. Mmm. Liefde tussen de ruïnes.

Hij zou niet ophouden het over seks te hebben. Op de tv speelde een aflevering van *Friends* met ondertiteling. Monica zat naast Phoebe op de bank. Tom zette hem af, trok me op hem en kreeg op de een of andere manier mijn rok omhoog en mijn onderbroek uit.

Ik houd zo van je, zei hij, ik houd van je als je gelukkig bent.

's Nachts werd ik plotseling wakker en hoorde het gezoem van de ventilator in de badkamer, net alsof iemand het licht aan had gedaan. Ik kon echter zien dat dat niet zo was omdat er geen licht te bespeuren viel, alleen de maan die koel tussen de gordijnen door scheen.

Ik luisterde weer.

Heel zachtjes, onder het geluid van de ventilator, meende ik een stem te horen. Het was een soort gemompel – het gemompel van een jongensstem of die van een jonge man – er werd niets gezegd wat ik kon verstaan maar er werd toch de hele tijd zachtjes gepreveld, een beetje als wanneer iemand iets laat vallen, het dan oppakt, weer laat vallen en zachtjes in zichzelf vloekt.

Ik zat meteen met bonzend hart rechtop in bed, maar zodra ik dat deed, hield de stem op – ja, natuurlijk, dacht ik, omdat het een droom is, dat moet haast wel. Tom was het zeker niet – ik keek naar hem om dit te controleren en ik zag dat hij naast me lag te slapen met zijn mond wijdopen en een been en zijn billen onder de lakens vandaan; hij was er op de een of andere manier als altijd in geslaagd om alle dekens aan zijn kant te houden.

De jongensstem klonk weer en deze keer kon ik woorden onderscheiden – o, verdomme, meende ik te horen en: o, god. Gottogottogot. Toen was er een licht scheurend geluid, een kort geknisper dat het midden hield tussen papier en stof en dat mijn botten deed verstijven.

Ik had mijn ogen nu wijdopen en ik kon mijn bloed een beetje voelen vertragen en het was vreemd, maar ik herinner me dat ik bedacht dat ik niet echt bang was, hoewel ik behoorlijk gespannen was. Toen kwam er een diepe zucht – een lange, droevige zucht, toen even niets en toen nog een zucht.

Wie is daar? riep ik zachtjes maar er kwam geen antwoord.

Ik vroeg me eventjes af wat ik moest doen maar uiteindelijk deed ik niets. Ik maakte Tom niet wakker. In plaats daarvan ging ik gewoon weer liggen, haalde een paar keer diep adem en voelde mezelf vervuld raken van een soort intens geluk, alsof iemand een geheime lege plek in mij had gevonden en daar iets warms in goot.

Ik voelde een vreemde klik in mijn hoofd, zoals een klik van herkenning en toen besefte ik dat ik me voor mijn gevoel voor het eerst in tijden ontspande. Het leek alsof mijn hart uit de knoop was gehaald. En terwijl ik me liet gaan, hield ik mijn ogen op het raam gericht waar een klein gedeelte van het gordijn open was gelaten en ik was helemaal niet verbaasd buiten niet alleen de helderwitte maan te zien, maar ook een hemel beladen met sneeuw, die dik en snel naar beneden kwam.

Toen viel ik gemakkelijk in slaap. En voor het eerst in bijna twintig jaar droomde ik van jou.

Als ik de volgende ochtend wakker word, voelt het laat aan. De kamer is al licht en Tom is op. Ik kan hem in de badkamer horen. De gordijnen zijn half opengetrokken, de zon stroomt naar binnen en de tv staat aan met het geluid laag. Het nieuws van CNN. Tom is dol op CNN in hotelslaapkamers. Hij kijkt er niet naar maar hij staat erop het aan te hebben.

Achtergrondgeluid, zegt hij altijd, dat geeft me een vakantiegevoel.

Nu komt hij naakt de kamer in gelopen, krabt zijn buik en kijkt me aan.

Hallo stuk, zegt hij en ik realiseer me dat hij me in lange tijd niet zo heeft genoemd.

Ik voel me raar, vertel ik hem.

Je ziet er raar uit.

Nee, ik meen het.

Ik niet dan?

Hoe laat is het? Ik moet Fin bellen.

Nog niet, zegt hij, gaat op het bed zitten, legt zijn hand op mijn buik en zijn stem wordt laag. Zo meteen.

Ik kan de hotelzeep ruiken. Ik zucht en draai me om, trek zijn hand onder mijn arm en zoen zijn vingers, voel de bobbel van zijn knokkels, de trouwring die ik hem gegeven heb ook al zijn we niet getrouwd. We zijn niet getrouwd en deze jaardag, de enige die we ooit vieren, is de jaardag van de dag dat we bewust besloten een baby te krijgen. Hij stelde het voor en ik zei ja. Het was een goed moment, het meest romantische wat we ooit gedaan hebben.

Het is een prachtige dag. De lucht buiten het raam is van het heldere soort blauw dat nooit eindigt.

Is de sneeuw blijven liggen? vraag ik hem. Zie je veel sneeuw?

Tom trekt zijn hand onder mijn arm vandaan en zoent mijn schouder.

Welke sneeuw?

Van vannacht. Het sneeuwde volop.

Hij fronst. Ik denk niet dat het gesneeuwd heeft, zegt hij.

Ja, wel, zeg ik tegen hem. Vannacht. Ik werd van iets wakker en ik keek naar buiten en zag sneeuw. Het kwam in volle lagen naar beneden.

Hij haalt zijn schouders op, gaat naar het raam en tilt de vitrage op.

Nou, er ligt nu geen sneeuw, Nic, geen vlok te bekennen.

Hij laat de vitrage vallen. De stof heeft een paar tellen nodig om terug te vallen, alsof ik het in slow motion zie.

Vooruit, vrouw, zegt hij, ik wil hier weg. Ik moet koffie of seks hebben en wel meteen. Dus of je laat me weer bij je in bed komen of ik laat het bad voor je vollopen en dan gaan we daarna op zoek naar een café.

Het tweede, zeg ik hem, alsjeblieft.

En ik laat me op het kussen in de zonneschijn terugzakken en in mijn hoofd hoor ik het bad vollopen en het water uit de pijpen storten. Ik voel mezelf weer in slaap vallen en ik hoop dat Tom me wakker zal maken, me zal roepen als het bad klaar is. Ik denk aan het café waar we zullen ontbijten. Maar het volgende moment als ik mijn ogen opendoe, ligt Tom naast me te slapen, is de zon helemaal verdwenen, weggezogen uit de kamer; in feite is het nog niet eens licht, het is nog steeds het donkerste deel van de nacht en er valt nog steeds sneeuw.

Je staat daar in je trui en je haveloze bruine corduroy broek die je de hele nacht hebt aangehouden en het gas is nu echt op, onze nacht van het parelsnoer is voorbij en nu kan ik jou in het daglicht precies zien zoals je altijd bent – de waarheid is dat er pukkels op je huid zitten en aan het waterig blauw van je ogen kun je zien hoe moe je bent. Moe. Je gaapt en je krabt je nek.

Ik denk dat je nu mijn kamer uit wilt maar dat je te beleefd bent dat te zeggen. Ik denk dat je me nooit meer zult willen zoenen, dat je me voortaan niet zult aankijken als we elkaar tegenkomen en dat deze nacht zal vervagen zodat zelfs ik niet meer denk dat dit ooit echt is gebeurd.

Hé, zeg jij, waar denk je aan?

Niets, zeg ik iets te vlug.

Wel. Ik kan het aan je zien, er gaat zo veel in dat gekke koppie van je om, gekke meid.

Ik glimlach en kijk toe hoe je in je zak zoekt naar een zelfgedraaide sigaret of een halve of wat je nog overhebt.

Houd op, zeg je gebiedend.

Waarmee moet ik ophouden?

Houd op met denken.

Waarom?

Waarom? Omdat ik dat niet prettig vind; ik kan er zo vroeg op de ochtend niet tegen, ik kan wat er in dat hoofd van jou omgaat, niet aan.

Het is elf uur, zeg ik ten overvloede.

Je kijkt naar de tafel, dan: Wat is dat?

Niets.

Ik gooi een vochtige handdoek over mijn typmachine waar een vel papier uit steekt.

Ben je iets aan het schrijven?

Nee.

Wil je er met mij niet over praten?

Nee, zeg ik en ik zie dat er nog parels op de vloer liggen en plotseling voel ik me verdrietig. Je hebt je sportschoenen aangetrokken maar de veters zijn niet vastgemaakt.

Wat is er aan de hand? vraag je en ik kan geen antwoord geven omdat ik moe ben en zo verschrikkelijk bang dat je op het punt staat weg te gaan, dat een deel van mij al is begonnen afscheid te nemen.

Je haalt je schouders op, loopt naar het raam en kijkt naar de sneeuw. Je ziet er droevig en gekwetst of koel en ongeïnteresseerd uit, ik weet niet wat van de twee. Misschien weet jij het ook niet. De kamer is verblindend wit maar de lucht is nog vrij grijs, doordrongen van kou.

Verdomme, zeg jij, moet je nou eens zien. Er rijden vast de hele klotedag geen bussen.

Al een tijd word ik een paar keer per nacht wakker, elke nacht weer. Ik ben er zelfs voor naar de dokter gegaan. Ze had haar zachte blonde haar achter haar oren gestopt, haar pen op het bureau neergelegd en me aangekeken. Het was duidelijk dat ze mijn dossier had gelezen vanwege alle vragen die ze niet stelde.

Eet u wel gezond?

Altijd, loog ik met mijn opgewektste stem.

Ze zweeg een ogenblik en zei toen dat ze open kaart met me zou spelen. Dat ze alles wat ik wilde, kon voorschrijven – antidepressiva, slaaptabletten – maar dat ze sterk het gevoel had dat ik zo iemand was die ze maar beter niet kon gebruiken. Ze zei dat ze wat haar betrof vond dat ik het goed deed, dat ik eigenlijk alleen maar tijd nodig had.

Tom had twee theorieën. Hij zei dat ik meer zou moeten bewegen – zwemmen of lopen. Iets voor je hart, zei hij. Ik schoot bijna in de lach. Hij liep graag – hij was altijd aan het hardlopen. Soms leek het wel of hij dezer dagen nooit stilstond, nooit echt, niet als hij het kon voorkomen. Hij vroeg of ik samen met hem wilde lopen en ik zei dat ik erover na zou denken. Maar ik loog, ik wist dat ik dat niet zou doen. Je kon rond het huizenblok lopen wat je maar wilde, maar als je hart aan het breken was, wat maakte het dan uit hoe hard je het liet werken?

De andere theorie was dat ik moest doorgaan met schrijven.

Misschien moet je weer een boekje met gedichten publiceren, zei hij en omdat hij Tom was, bedoelde hij dat vriendelijk, vanuit de gulheid des hartens. Dat zou echt helpen, Nic. Dat zal je wel merken, ik meen het, lieveling. Ik weet dat je van schrijven gelukkig wordt en ik zeg het niet zomaar. Denk er alsjeblieft over na.

Ik probeerde te begrijpen wat hij zei maar vanbinnen wilde ik lachen. Hij klonk vol vertrouwen als hij zo sprak, maar ik had hem gezien, met al zijn gepraat over inspanning en poëzie: hij was er net zo slecht aan toe als ik, hij lag op een zondagmiddag in zijn sportkleren in elkaar gerold op de vloer te snikken tot het snot in stralen op het vloerkleed droop. Na een tijdje brandt verlies een gat in je. En dat is blijvend. Hoe goed je ook je best doet je normaal te gedragen, ergens binnen in je zal altijd dat gat zitten.

Om hem een plezier te doen en ook om alleen te kunnen zijn, bracht ik een paar uur door in mijn werkkamer en deed alsof. Maar twee regels, dat was alles wat ik tot dan toe in mijn hoofd had zitten. Of, om er andersom naar te kijken, die twee verdomde regels schenen het enige te zijn wat ik nog had, niet meer dan dat, er viel niets meer te zeggen. Misschien de vage hint van een derde, als ik er niet te hard aan dacht. Maar als ik die probeerde op te schrijven, glipte hij weg. En daar zat ik dan, weer terug bij twee regels.

Het andere wat ik Tom niet durfde te vertellen, was dat ik niet echt beter wilde worden – waarom zou ik? Waarom zou ik wensen om voorbij die moeilijke plek te geraken waar ik me nu bevond? Ik wist dat het de bedoeling was dat je doorging als zoiets als dit was gebeurd, maar dat leek mij onzinnig. Al wat ik wilde was te blijven waar ik was, dicht bij haar. Zonder die mogelijkheid was het leven zinloos.

Ik was al zo vaak in het donker rechtovereind geschoten, terwijl datzelfde hart tranen oppompte zonder dat ik er iets aan kon doen. Tom zei dan dat ik er een gewoonte van had gemaakt, wat heel goed mogelijk kan zijn geweest maar sinds wanneer heeft het besef dat het zo is, iemand genezen?

Maar het is ook weer zo, wat ik uiteindelijk toegaf aan de dokter, dat ik nooit een geweldige slaper ben geweest, als kind al niet. Zodra ik kon lopen en niet langer vastzat in een ledikantje, stond ik vaak 's nachts op en haalde idiote dingen uit – het was niet zozeer slaapwandelen, maar gewoon terwijl je half wakker bent gekke dingen doen die voor anderen geen bepaalde betekenis hebben.

Ik ging op zoek naar spullen – kwijtgeraakte porseleinen beeldjes, een oude sok, een sticker van de benzinepomp met een tijger erop. Ik ging zitten praten met mijn speelgoed. Ik draaide de kranen open en spoelde het toilet door ook al was ik er niet op geweest, gewoon om iets te doen te hebben. Mijn ouders werden er wakker en gek van. Maar ik wilde geen kattenkwaad uithalen. Ik denk dat ik gewoon genoot van het geluid van al dat water dat door het stille huis stroomde.

Dageraad in Parijs – of het vage beige licht vlak voor zonsopgang. Ik stond bij het raam te kijken hoe de lucht van kleur veranderde en zo nu en dan draaide ik me om, om te kijken of Tom nog sliep. Ik had alleen een oude sweater van hem aan, verder niets en mijn blote billen waren ijskoud, koud en vol kippenvel. Ik wist dat Tom tegen me zou zeggen dat ik iets aan moest trekken. Hij had de verwarming helemaal uitgezet voor we gingen slapen omdat hij er absoluut niet tegen kon in een verwarmde kamer te slapen. In tegenstelling tot mij voelde hij de kou nooit. Trek iets aan, zei hij altijd als ik probeerde te klagen.

Omdat het hotel zo chic was, stond het bed op een soort podium, een platform, en daarop lag Tom zachtjes te ademen. Ik ging dichter tegen het raam aan staan, keek een ogenblik naar mijn adem op de ruit en trok toen de twee gordijnen – een overgordijn van linnen en het andere van een soort chiffon – uit elkaar en ging zo staan dat ik ertussenin stond. Daar was het aangenaam – het deed me denken aan spelletjes die de jongens er een paar jaar geleden mee zouden hebben gespeeld, zoals 'verstoppertje', en aan de veiligheid van als je klein bent.

Ik bedacht dat het 's nachts behoorlijk hard gesneeuwd moest hebben omdat er op alle vensterbanken en op het balkon tegenover ons een dikke ronde laag lag. Ik vroeg me af of dat aan de overkant appartementen waren – ze hoorden volgens mij niet bij het hotel. In de kamer met het balkon was het licht nog (of al) aan, nu om vijf uur ' morgens, en ik kon net de ronding van een vrouwenschouder in een vest zien. Zo nu en dan bewoog hij zich, snel en doelbewust, een beweging van iemand die klaarwakker is. Ik vroeg me af of de bezitster van de schouder vroeg was opgestaan of misschien helemaal niet naar bed was geweest.

Als ik mijn gezicht dicht tegen het raam hield en recht naar beneden keek, kon ik precies door het glazen dak de kamer met de grote witleren bank zien. Daar hadden we gistermiddag onze wodka gedronken, hoewel het aanvoelde alsof dat meer dan een week geleden was. De tijd was op de een of andere manier door de war en had er een janboel van gemaakt. De kamer beneden me zag er even droevig en leeg uit als ik me op dit moment voelde. Er viel beneden geen enkel mens te bespeuren.

Toms reiswekker op de tafel gaf 5.03 aan. Terwijl ik ernaar stond te kijken, klikte de rode oplichtende 3 en werd zomaar een 4.

Ik drukte mijn handen tegen mijn gezicht. Ik had een stapeltje tissues van het hotel in mijn hand, maar ze waren van zo'n slechte kwaliteit, zo klein en dun, dat ze te snel oplosten onder de druk van mijn tranenvloed. Ik huilde zo zachtjes mogelijk. Ik deed altijd verschrikkelijk mijn best om Tom niet wakker te maken.

Een van de eerste dingen waardoor ik verliefd werd op Tom, was dat er vanaf het begin geen enkel gedonder was over hoe vaak we bij elkaar zouden zijn. Al dat voorzichtige om elkaar heen draaien dat andere mensen doen in het begin van een relatie, de wanhopige pogingen niet zielig te lijken, nou, daar deed Tom niet aan.

Ik speel geen spelletjes, zei hij op een ochtend toen ik opstond en naakt gehurkt op de slaapkamervloer weer eens probeerde mijn armzalige boeltje in een tas te proppen met de bedoeling terug te keren naar mijn kamer. Ik weet wat ik wil en ik wil gewoon bij jou zijn, Nicole.

Ik keek naar hem hoe hij naakt in bed de boter van zijn ontbijtmes lag te likken en ik was geroerd. Maar niet geroerd genoeg. Misschien had ik me moeten realiseren dat dit Toms manier was romantisch te doen, dat hij zich gemakkelijk met anderen verbond, dat hij daar nooit bang voor was. Misschien had ik dat beter op waarde moeten schatten. Hij was op zeer jonge leeftijd zeer kort getrouwd geweest, met een vriendin van de universiteit, een vrouw die drie jaar jonger dan hij was. Het was ogenschijnlijk haar idee geweest om te gaan trouwen, maar ik denk dat hij intens van haar hield. Tom deed nooit dingen die hij niet meende.

Op de trouwfoto's ziet hij er zo ongelofelijk jong uit, geschrokken, bijna verbouwereerd. Tamelijk lang haar, een rond gezicht, een dun, hoekig en slungelig lichaam. Je kon je voorstellen dat zijn moeder zijn das recht trok en op een zakdoek spuugde om zijn gezicht schoon te vegen. De bruid zag er stralend uit, met de blonde zelfverzekerdheid en de donkere ogen als in een sprook-je, veel zekerder van zichzelf. Iets in haar houding straalde uit: ja, hier ben ik, dit is het, dit is wat ik wil. Het was een grote trouwe-rij in het wit, vol draperieën en ruches.

Volgens Tom viel het huwelijk plotseling uiteen, rustig, snel, vlotjes, om een reden die hij nooit heeft kunnen begrijpen.

Ze gooide me eruit, vertelde hij me later met een openhartig-heid die me ontroerde. Ik wilde proberen er wat van te maken, maar zij niet, dus wat kon ik eraan doen?

Na de scheiding had hij er ongeveer drie maanden over ge-daan om eroverheen te komen. Hij sliep bij anderen op de vloer en huurde toen een flat van een vriend. Uiteindelijk hielpen zijn ouders hem een klein verwaarloosd huisje te kopen aan de rand van een goed door de gemeente onderhouden stadswijk vlak bij het centrum. Twee kleine slaapkamers, een toilet buiten en een achtertuin. Het kostte hem zes maanden om muren omver te halen, te pleisteren en te verven en er iets beeldigs van te maken. Hij deed veel zelf, 's avonds en in de weekenden. Toen ik er voor de eerste keer kwam, brandde er een haardvuur en lag een poesje op een plank te slapen. Tom heeft er slag van een plek huiselijk te maken.

Daarna had hij, bijna alsof hij het huiselijke gevoel wilde overschreeuwen, achterelkaar een rits gekke vriendinnen – elk een beetje vreemder dan de vorige. De Carolines, noemde ik hen omdat op zijn minst een van hen Caroline heette en ik niet de moeite nam de naam van de rest te onthouden. Bovendien kwa-men ze in mijn hoofd allemaal samen in één brok ongemak-kelijk gevoel. Ook al waren al deze relaties van korte duur, om maar niet te zeggen vluchtig geweest, ik was nog steeds bang dat er op elk moment een van hen op de deur kon kloppen en eisen toegelaten te worden tot Toms schone nieuwe leven. Hallo, ik ben Caroline en ik ben terug. Zijn huis was per slot van rekening zo rustig en geordend, zo duidelijk een goede plek om te vertoe-ven. Dat was in de eerste tijd, toen ik Tom nog maar nauwelijks kende, en totaal niet zeker was van mijn plek in zijn leven.

In die tijd wachtte hij nog steeds op het uitspreken van zijn scheiding of hoe je dat ook noemde, en ik vroeg me af of hij me ten huwelijk zou vragen als het zover was. Ik vroeg me af hoe lang het zou duren voordat hij me zou vertellen dat hij van me hield.

Jij vraagt me jaren later of ik uit liefde was getrouwd. Zeg me dat je dat deed, Rosy. Ik heb het gewoon nodig om dat te horen, dat je dat tenminste deed, wat er ook verder is gebeurd.

En ik ben sprakeloos. Ik weet niet wat je van me verwacht. Trouwen en liefde – de woorden bezorgen me een geweldige schok. Dus vertel ik je de waarheid – dat ik feitelijk nooit getrouwd ben, dat Tom me nooit gevraagd heeft, dat hij dat nooit wilde, zelfs niet toen zijn echtscheiding erdoor was, zelfs niet toen we kinderen hadden.

En jij wilde ook niet?

Ik denk hierover na. Wanneer ik aan die eerste dagen met Tom denk, zie ik zonneschijn, lichtheid, zomerochtenden vervuld van hoop.

Ik wilde het wel, ja.

Waarom is hij dan verdomme niet met je getrouwd? wil je per se weten en een paar tellen houd ik van je omdat je zo geschokt klinkt.

Ik leg je uit wat ik weet: dat hij dacht dat hij de eerste keer tekort was geschoten en dit allemaal niet nog eens wilde doormaken. In ieder geval niet ten overstaan van al die mensen. Dat hij het als een farce gevoeld zou hebben.

Oké, maar jullie hadden het stilletjes kunnen doen, gewoon jullie twee alleen.

Ik aarzel.

Toch, zeg ik, denk ik dat hij zich dan nog op de een of andere manier gecompromitteerd zou hebben gevoeld. Dat kon ik ook wel begrijpen. Hij is daarin erg oprecht.

Je maakt een wrevelig geluid en plant een kus op mijn voorhoofd.

Geweldig. Maar – en jij dan?

Ik denk niet dat hij veel aan me dacht, zeg ik, omdat dat voorzover ik weet de waarheid is.

Daarna zijn we heel stil, jij en ik. Je hebt een oud, grijs t-shirt aan, je houdt je armen heel stevig om me heen en ik heb mijn hand op je piemel die zacht is, omdat je zo hard aan het denken bent. Ik vraag me af waarom ik nooit op deze manier ben vastgehouden, nog nooit, niet zo stevig dat ik het gevoel heb dat ik met geen mogelijkheid kan wegglijden en vallen, nu niet en nooit niet.

Ik kan je hart voelen kloppen en het gaat merkwaardig snel, als dat van een baby.

Ik veegde mijn ogen af, gooide de tissues in de afvalbak en ging plassen. Ik zat in de donkere badkamer met mijn hoofd in mijn handen op de wc en er kwam maar een klein beetje. Er stond een orchidee in een smalle vaas op de rand van het bad en ik kon zijn schaduw in het eerste morgenrood ruiken – een vleugje geur, duur en wit.

Ik kon ook mijn eigen knieën ruiken en ze roken naar seks en naar Tom en naar het zaad dat uit hem kwam. We hadden twee keer gevreeën die nacht omdat het onze jaardag was, hoewel ik er de meeste tijd niet bij was. Dat wist hij en dat kon hem niet erg schelen. Tom had altijd al een bepaalde grootsheid bezeten, een bereidheid verder te kijken dan het moment zelf en daar was ik hem dankbaar voor. Hoewel ik er soms niet zo zeker van was of het nu wel zo goed was, dat hij zich altijd zo gemakkelijk bij mijn afwezigheid neerlegde.

Ik veegde me af en rook aan het papier. Tom moest altijd lachen om de manier waarop ik alles, hoe klein ook, wat uit mij kwam, inspecteerde. Dat deed ik bij de kinderen ook, toen ze klein waren. Maar ik kende Toms zaad beter dan wat dan ook – de witte vochtigheid, de manier waarop het hard en doorschijnend opdroogde, de manier waarop het onder de douche op een onprettige manier glibberig op je vingers voelde. Het was al jarenlang in mijn leven – zo veel ervan, het spul waarvan onze baby's waren gemaakt, levensspul.

Vrij snel na de geboorte van Mary liet Tom zich steriliseren. Hij zei dat hij het voor mij en voor ons seksleven deed – en dat geloofde ik echt van hem – maar ook omdat hijzelf genoeg van baby's had. Ik was verbaasd. Ik vroeg hem hoe hij in vredesnaam zo zeker kon zijn, zo definitief, en hij glimlachte naar me.

Toe nou, Nic, zei hij, we kunnen ons niet nog meer kinderen veroorloven. We kunnen nu al nauwelijks het huiswerk van de jongens aan.

Ik keek naar het meisje aan mijn borst. Haar ogen waren gesloten en op haar hoofd stond een witte toef haar rechtovereind. Er zat een vreemde mengeling van paarse aderen aan de zijkant van haar hoofd. Ik had het ongerust aan de vroedvrouw laten zien, maar zij stelde me gerust dat het heel normaal was bij een baby met zo'n blanke huid.

Je hebt daar een engeltje, zei ze, een echte schoonheid. Wedden dat ze je nog heel wat hoofdbrekens zal kosten als ze ouder is?

Nu was ze puur, onaangeraakt door de eisen van de wereld. Maar Tom had natuurlijk gelijk – op een dag zouden we haar door de rekenrijtjes heen moeten helpen. Ze zou een tas moeten hebben, er zouden naamlabels op genaaid moeten worden. Formulieren zouden moeten worden ingevuld voor haar, boterhammen klaargemaakt, logeerpartijtjes georganiseerd. Het ging er niet om dat ik drie kinderen niet genoeg vond, ik vond het alleen zo afschuwelijk definitief klinken.

Ik spoelde niet door omdat ik hem niet wakker wilde maken. Ik trok een sweater en een spijkerbroek aan, maar geen ondergoed, stopte mijn voeten in mijn warme laarzen, pakte mijn jas en das en verliet de kamer zo zachtjes mogelijk. Ik moest er maar op hopen dat mijn vinger zich bij terugkomst zou herinneren hoe de deur geopend moest worden.

De foyer beneden was leeg, hoewel het koude kiezelvuur nog nagloeide. Er hing een lucht van schoonmaakspul. Een man met donkere huidskleur in een wit jasje droeg een stofzuiger naar het bargedeelte. Hij droeg hem zeer zorgvuldig alsof het een kleine baby was of anders iets kostbaars van glas en hij boog zijn hoofd naar me toen ik zachtjes over de witte marmeren vloer langsliep, alsof het volstrekt normaal was gasten om deze tijd op hun tenen de deur uit te zien sluipen.

Toen ik bij de grote glazen deuren was aangekomen – in de hoop dat ze automatisch open zouden glijden zodat ik niet op zoek hoefde naar iemand om me te helpen – glipte een in het zwart geklede vrouw van achter de balie van de receptie vandaan.

Madame?

Ja?

Alstublieft – dit is voor u.

Met een strak gezicht reikte ze naar de postvakjes achter zich en zonder me echt aan te kijken, overhandigde ze me een briefje. Ik zag dat haar wimpers opvallend dik en zwart waren en haar gezicht zo glad van de poeder dat het er in het halogeenlicht stoffig uitzag. Er stond een vaas met lelies op de balie en de geur hing ziekelijk in de lucht tussen ons, hij overstemde bijna de geur van het schoonmaakspul.

Ik bleef staan en staarde naar het briefje. Het was op een klein stukje papier geschreven en niet eens opgevouwen. Ik wist dat de vrouw moest hebben gezien wat erin stond en ik voelde mezelf blozen.

Alstublieft, vroeg ik haar, weet u – wanneer dit gekomen is?

Ze kneep haar lippen samen en schudde haar hoofd.

Ik ben hier nog maar net. Ergens in de nacht, vermoed ik?

Weet u wie het hier heeft achtergelaten?

Ze deed een stap van me vandaan.

Het spijt me, madame.

Buiten op straat overviel de kou me. Ik deed drie of vier stappen op het ijzige trottoir zodat ik uit het zicht van het hotel was voor ik stilstond om het stukje papier in mijn hand eens goed te bekijken. Ik voelde mijn gemoed vollopen alsof me de adem benomen werd. Het was een stuk vaag blauw ruitjespapier, van het soort dat schoolkinderen gebruiken. Er stond in schuinschrift met een blauwe ballpoint op geschreven in een handschrift dat ik me meende te herinneren uit een andere wereld, niet uit deze:

Ik zit op je te wachten. X

Haar naam was Mary maar vrijwel vanaf de eerste dag noemde we haar allemaal Baby.

De eerste nacht dat we thuis waren uit het ziekenhuis, was Fin zo opgewonden bij de gedachte alleen al dat hij een babyzusje had, dat hij 's nachts helemaal overstuur wakker werd. Hoewel hij nog half leek te slapen, wilde hij niet meer gaan liggen, niets kon hem kalmeren.

Baby, bleef hij maar zeggen, baby, baby.

Ik zat op de rand van zijn bed en streek over zijn haar. Mijn lichaam, dat zich zo pas geleden had geopend, voelde zo breekbaar als een eierschaal. Het kon me niet schelen. Ik was zo allemachtig gelukkig. Ik boog me naar hem toe en zoende hem op zijn neus. Hij strekte zijn armen uit, omarmde mij en klopte op mijn schouder, kleine, wrijvende, ronddraaiende klopjes, iets wat hij al van klein kind af aan had gedaan. Maar hij was nu niet meer klein, hij was nu negen. Negen jaar en in groep zes – iets wat ik tot nu toe met moeite kon onthouden, maar nu niet, niet meer, omdat een baby in huis hem er plotseling reusachtig en robuust uit deed zien, en zo gaat het leven nu eenmaal. Dingen worden pas groter als er kleinere dingen langskomen.

Ik moet alsmaar aan Baby denken, zei hij met een zucht.

Baby maakt het goed, vertelde ik hem, ze is diep in slaap, lief en vredig.

Waarom slaapt ze?

Nou, geboren worden is hard werken. Ze is moe. Bovendien is het midden in de nacht, lieve Fin, en jij zou ook moeten slapen.

Hij zuchtte weer en keek mij recht in de ogen. Dat deed hij vaak. Soms dacht ik dat hij dwars door mij heen kon kijken.

Maar waar is ze, mama? Waar?

In ons bed. Bij papa. Wil je haar zien?

Hij werd voor het eerst rustig en keek me aan. Zijn ogen waren nat van niet gehuilde tranen. Hij knikte en wreef over zijn neus. Dus bracht ik hem naar ons bed en liet hem zien hoe ze precies in het midden op haar schapenvachtje lag te slapen, met al haar zesenhalf pond, een onmogelijk klein mensje naast de overweldigende grootte van Tom. Ze haalden allebei geluidloos adem. Je kon hun borst op en neer zien gaan, haar kleine en zijn enorme. Met haar ogen gesloten zag ze er volmaakt uit. Allebei haar knuisten waren stevig samengeknepen.

Wat houdt ze vast? fluisterde Fin, terwijl hij aan mijn ochtendjas trok.

Niets. Zo zijn de handen van een baby nu eenmaal als ze naar buiten komen, net zo samengebald.

Fin glimlachte.

Zie je wel, zei ik tegen hem, Baby maakt het goed. Ga je nu slapen?

Ik bracht hem weer naar bed en dat was dat.

Dat was een andere koude januari net als deze en miljoenen andere. Zelfs op die nacht, Baby's eerste nacht in ons huis, stond de sneeuw op het punt uit de kille zwarte hemel te vallen. Terug in onze kamer voelde ik een vlaag koude lucht over het bed komen en ik zette het elektrische kacheltje hoger.

Het voelde goed om koud en alleen buiten op straat te zijn, uit het oververhitte hotel in de schemerige, ruige kou. Het was nog niet echt licht, maar er komt een randje bevroren rood achter de hoge gebouwen vandaan, niet echt licht, en zeker geen zonneschijn, maar niettemin het begin van een nieuwe dag.

De sneeuw was blijven liggen, niet veel, maar toch – een plezierig geknerp onder mijn schoenen. Het is net of ik over suiker loop, bedacht ik me en ik realiseerde me dat ik het leuk vond en dat ik me in geen tijden zo optimistisch had gevoeld. Alles zag er in dit licht helder, aangenaam en schoon uit; ik heb geen plattegrond bij me en geen idee waar ik ben, maar dat geeft niet, vond ik. Zolang ik de weg terug naar het hotel weet, is alles goed. Ik ben niet zoals Tom. Ik hoef niet altijd precies te weten waar ik ben geweest.

Mijn handen zaten diep in mijn zakken gestoken maar ze voelden nog steeds koud aan. In mijn linkerzak zit het briefje tussen mijn vingers. Daar is het, denk ik, het zit daar veilig en ik heb het nog, het is echt en het zit in mijn zak.

Ik nam de eerste weg rechts die ik tegenkwam, om van de grote boulevard af te komen en zag een vrouw met twee manden snel langs lopen. Het leek wel iets uit een sprookje – de vrouw met de manden, het raar vroege tijdstip op de ochtend en het feit dat ik er geen notie van had welke kant ik op ging, geen idee van wat voor soort tocht ik aan het ondernemen was.

Ze knikt naar me, de vrouw, en ik knik terug. Achter haar

bukt een kleine gezette man zich puffend van inspanning om het veiligheidshek van zijn winkel met een haak open te maken. Hij keek niet naar me, maar dat gaf niet. Het metalen hek maakte een hard rollend geluid en ik zag dat boven zijn hoofd in de deuropening een bolronde, glimlachende zon was uitgesneden.

Een andere man maakte met een schop het trottoir ter hoogte van zijn winkel sneeuwvrij. Het geschraap klinkt door de vrieslucht. Er lag wat kiezel op de hoofdweg langs het hotel, maar hier ziet de weg er ijziger uit. Er was geen verkeer en voor me bevond zich een vreemd op zichzelf staande lantarenpaal, weer iets net als in een sprookje – magisch, nog brandend, zijn licht werd zwakker terwijl de lucht stilletjes door de dageraad wordt overgenomen.

Achter de schoorstenen gaat de maan onder, hij glijdt weg terwijl het ronde rode licht van de zon opkomt en hij verdwijnt als ik doorloop. Rood danst mijn gezichtsveld binnen en er dan weer uit. Ik passeerde een paar mensen die allen in fluweel gekleed waren alsof ze thuiskwamen van een feest dat de hele nacht had geduurd. Ik moest inwendig lachen omdat het allemaal net een spelletje leek, ook al was het bijna ochtend; mijn wangen zijn gevoelloos van de kou en ik realiseer me dat het me niets kan schelen wat er nu gaat gebeuren.

Ik glimlach en mijn adem walmt voor me uit de blauwe vrieslucht in. Ik ben voor het eerst in tijden gelukkig maar mijn handen zijn nu zo koud dat ik ze nog maar nauwelijks voel. Aan de rand van de straat sta ik stil op een plek waar ze met graafwerk aan de weg bezig zijn, en rommel in mijn tas op zoek naar mijn lippenbalsem. Iemand heeft een bosje bloemen aan een lantarenpaal gebonden, maar ze zijn al zielig en dood. Ik smeer met de top van mijn vinger wat balsem op mijn lippen en trek dan mijn handschoenen aan.

Ik weet dat je me het café ziet binnenkomen. Ik weet het en ik ben erop voorbereid. Maar bedenk wel dat jij in het voordeel bent. Jij bent er al en zit er al dus nu is het gemakkelijk voor jou. Je hoeft alleen maar achterover te leunen en te wachten en te kijken. Dat is het gemakkelijke werk, het wachten op wat er gebeuren gaat. Voor mij is het veel moeilijker omdat ik helemaal naar binnen moet lopen en ieder mens afzonderlijk in me op moet nemen en me afvragen wie van hen jij bent en als dat zo is, hoe dat aan zal voelen – dat eerste vlugge ogenblik dat mijn gezicht het jouwe ontmoet.

Het is meer dan twintig jaar geleden. Dan moet het toch wel een schok zijn?

Nu, het is zo vroeg dat er her en der verspreid maar ongeveer vier mensen in het café zijn, allemaal mannen, naar het blijkt. Rook rijst in rechte lijnen van de tafels omhoog. Vlug, denk ik, welke man ziet er niet Frans uit? Is er eentje met blond haar?

Ik ben bang dat jij er niet zal zijn, nee nietwaar, daar zit je, helemaal in de verste hoek. Een rokerige hoek, ik word naar die hoek getrokken. Die hoek heeft jou in zich. Die hoek, dat ben jij. Je beweegt je niet – dat hoef je niet – maar ik denk dat je je hand optilt. Ik heb de indruk – omdat ik niet goed durf te kijken – van een man, een solide, blonde persoonlijkheid in bruin of grijs en ik kan zien dat hij op mij heeft zitten wachten. Ik loop recht naar je toe, alsof je me net hebt geroepen, en sta daar voor je stil.

Ik sta daar en ik heb geen flauw idee hoe dit moment verder zal aflopen. Je zit knipperend over je bril naar me te kijken. Kleine glazen zonder montuur. Je droeg vroeger nooit een bril. Je glimlacht erachter vandaan en het is de oude glimlach, beslist, en hij breekt mijn hart open. Ik kijk vluchtig naar je en dan weer naar de vloer. Ik kan het niet helpen dat ik je niet aan kan kijken.

Je haar is nog bleek blond maar doortrokken van grijs. Kort en achterovergekamd waar het eerst lang was. Je bent niet mager meer, niemand kan je nu mager noemen. Ook niet haveloos. Je kleren zien er duur uit, van goede snit op de Amerikaanse manier. Geen rafelranden, geen plooien. Als jij het niet was, als ik niet wist dat jij deze persoon was, dan vrees ik dat ik wellicht deze kleren een beetje zou verafschuwen omdat je er eerlijk gezegd uitziet als alle solide, bleke mannen van middelbare leeftijd. Een tikje onaantrekkelijk. Een zakenman. Je ziet eruit alsof jij je plaats in de wereld kent en dat is de reden dat ik er niet zeker van ben dat ik de goede voor me heb. Zo was je helemaal niet. Je was nooit een man met een bril op in goedzittende kleren.

Maar toch. Als ik dichterbij kom, zie ik hoe blauw je ogen nog zijn. En dat je nog steeds glimlacht, zo erg glimlacht, veel te veel.

Zo.

Dat alleen, dat is wat je zegt na al die jaren, alleen dat kleine nietszeggende woord. Zo.

Zo?

Ik doe mijn ogen dicht en probeer naar je stem te luisteren – je stem die zeer zeker precies hetzelfde is gebleven. Dat ene woord.

Zo, je hebt me gevonden, zeg je.

Ik sta daar en ik weet het niet maar ik heb het gevoel met een mond vol tanden te staan.

Nee, zeg ik, je vergist je. Jij was het die mij vond.

Je glimlacht.

Hé, zeg je, en je glimlach wordt dieper.

Maar hoe? vraag ik.

Hoe wat?

Hoe heb je dat voor elkaar gekregen? Ik weet niet hoe je mij gevonden hebt. Vanmorgen, bedoel ik, ben je toen naar het hotel toe gekomen? Ik begrijp niet wat er gebeurd is. Ik heb er geen idee van waarom ik zelfs maar naar deze plek gekomen ben.

Ik zeg dit tegen je en het is waar. Ik liep mijn hotel uit en ik kreeg een briefje toegestopt maar daar stond niet op wat ik moest doen of waar ik heen moest gaan, maar ik kwam hier en hier was jij en dat is alles wat ik weet. Ik ken de weg niet eens in Parijs. Het is net of ik hierheen geslaapwandeld ben, elke stap volmaakt en doelbewust, met mijn ogen stijf gesloten, over ijs en sneeuw op weg naar jou terwijl ik helemaal niet wist wat ik deed of hoe ik het deed.

Wat gebeurt er? vraag ik.

Je gaat op het puntje van je stoel zitten en kijkt een beetje bezorgd. De frons die je trekt laat rimpels op je gezicht zien en ruwe plekjes op je slapen.

Mijn briefje. Heb je mijn briefje gekregen?

Ja, zeg ik tegen je, ja ik heb het gekregen – maar ik begrijp er niets van.

Stil maar, dommerdje, zeg jij, rustig maar. Kom zitten.

Ben jij het echt? zeg ik en je begint weer te lachen.

Ja, ik ben het echt. Kijk, helemaal. Veel te veel van mij, moet ik helaas zeggen.

Je zegt dit en je maakt een gebaar dat verwijst naar je omvang. Je bent niet dik maar je bent stevig. Je ziet er niet naar uit dat je nog honger lijdt. Je ziet eruit alsof je tegenwoordig je maaltijden in restaurants gebruikt.

Ik denk dit alles maar ik zeg niets. In plaats daarvan blijf ik staan waar ik sta en omarm mezelf.

Hé, zeg je zachtjes, je denkt te veel. Houd daarmee op. Ga zitten. Vooruit, ik meen het, jas uit.

Ik wil op de stoel naast je gaan zitten, maar je strekt een arm uit en houdt me tegen. Een korte vierkante hand, schone nagels. Met een schok realiseer ik me dat ik me je handen herinner.

Nee, zeg je, nee. Hier, tegenover me, ik moet naar je kunnen kijken. Het is zo lang geleden. Doe dat voor mij, alsjeblieft?

We zijn een ogenblik stil, terwijl we elkaar opnemen.

Rosy, zeg je, alsof dat het antwoord is, alsof dat alles is wat nodig is om alle stukken op hun plaats te laten vallen. Ik slik en dan lach ik. Het is lang geleden dat iemand mij Rosy noemde.

Ja, antwoord ik, ik ben het, nog steeds dezelfde oude Rosy.

Je manier van lopen is nog precies hetzelfde.

Ik bloos. Nee!

Ja. Zeker, o, ja.

Hoe loop ik dan?

Een beetje verend. Ik zou het je kunnen laten zien maar ik denk dat ik dat hier maar beter niet kan doen. De andere klanten storen zich er misschien aan.

Ik trek een gezicht en jij buigt je voorover en raakt mijn gehandschoende hand aan met de jouwe, gewoon op een vriendelijke manier.

Hé, hij is leuk, zeg je, dat meen ik. Aantrekkelijk.

Ik schud mijn hoofd.

Je hebt een bril, zeg ik nogal dommig.

Je zucht.

O, Rosy, ik ben zo verdomde blind tegenwoordig. Dat wil je niet weten.

Nou, je ziet er nog precies hetzelfde uit, zeg ik tegen je, maar het is duidelijk dat je dat niet echt van me aanneemt en je lacht tegen me.

Lieverd, dankjewel. Maar nee, je moet niet tegen me liegen, het is niet zo. Ik zie er niet goed uit. Ik ben dik en oud. Ik rook en drink te veel.

Ik ook, zeg ik tegen je, ik heb drie kinderen gehad. Ik, wij zijn allebei van middelbare leeftijd.

Nooit, zeg jij, jij niet, jij bent niet van middelbare leeftijd. Je ziet er, nou, volmaakt uit.

Ik weet niets te zeggen dus trek ik mijn handschoenen uit en laat mijn jas over de rug van mijn stoel glijden. Een oude man zit te roken en ons te bestuderen. Hij doet net of hij zijn krant leest maar hij blijft steeds naar me kijken.

Wil je koffie?

Mijn hart maakt een sprongetje als je dat zegt. Ik hield van de manier waarop jij dat uitsprak – 'kaffie'. Indertijd liet ik je dat alsmaar herhalen zodat ik erom kon glimlachen.

Ja graag, zeg ik. Het valt me op dat je er al eentje ophebt, dat over de hele tafel opengescheurde suikerzakjes liggen. Maar alleen als jij tijd voor nog een kopje hebt.

Je kijkt me ernstig aan.

Ik heb de tijd, zeg je. Ik heb zeer zeker de tijd.

Ik zeg niets. Ik weet niet wat je hiermee bedoelt.

Het is zo verdomde vroeg, voeg je eraan toe. Ik heb op z'n minst nog drie van deze koppen nodig voor ik zelfs maar kan beginnen te denken.

Je roept de ober en je doet een bestelling. Je doet geen poging Frans te spreken of zelfs maar langzaam te spreken. De ober negeert jou daarom en richt zich tot mij, zodat ik de bestelling opnieuw moet doen, in het Frans.

Je lacht.

Ze kijken recht door je heen als je een stompzinnige yankee bent, zeg je.

Ik kijk je aan en bijt op mijn lip.

Kun je helemaal geen Frans spreken?

Geen woord. Typisch dom Amerikaans.

Hé, begin ik, maar je snoert me de mond.

Stop, nu doe je het weer.

Wat doe ik?

Denken. Je denkt te veel. Bewaar dat maar voor later.

Ik lach hardop omdat je gelijk hebt. Ik was aan het denken. Je steekt je hand uit en raakt heel voorzichtig de huid naast mijn ogen aan.

Je bent ouder geworden, zeg je een paar tellen later, maar je ziet er verdomd aanbiddelijk uit.

Minuten gaan voorbij. Of ik denk dat het minuten zijn. Het zouden hele uren of dagen kunnen zijn. De tijd is weer in elkaar gekreukeld en dolgedraaid. De ober brengt onze koffie. Met twee halfgevulde glazen water. Hij heeft een pen in zijn mond, een zilveren dienblad op zijn andere arm. Hij zet alles een beetje te hard op tafel, en schuift het witte papiertje dat de rekening is, onder mijn schoteltje. Er liggen drie kruimels bij het schoteltje. Ze vallen me op.

Ik leg mijn koude vingers op de cafétafel. Ik moet hem voelen, zien of hij echt is. Jij kijkt naar me. Je weet wat ik aan het doen ben. Hij voelt echt genoeg aan – rood formica, op de hoeken afgebrokkeld, hier en daar een brandplek, gemorste suiker. In de metalen asbak ligt een sigarettenpeuk – eigenlijk twee, allebei van jou. Je steekt er weer een op. Ik kijk toe hoe jij inhaleert met je hoofd een beetje schuin naar één kant terwijl je de lucifer dooft, en in die tel herinner ik me dat je dat al die jaren geleden op precies dezelfde manier deed. Die handeling van je zuigt me regelrecht het verleden in en ik huiver tegen wil en dank.

Ik moet eigenlijk niet roken, zeg je, ook al heb ik er geen opmerking over gemaakt. Heb er gisteren de hele dag maar één gerookt. Ik probeer te stoppen. Geloof je me niet?

Ik kijk je aan en jij kijkt zonder te knipperen terug. Het lijkt bijna of je tegen jezelf zit te praten. Het schijnt je in ieder geval niet te deren dat ik geen antwoord heb gegeven. Je gaat gewoon door met praten.

Sneeuw, zeg je, heb je het gezien? Dat het vannacht sneeuwde?

Ja, fluister ik; ik staar je aan en vraag me af of jij denkt wat ik denk.

Wat? Rosy? Wat is er?

Ik haal diep adem en zonder te weten waarom voel ik hoe mijn ogen zich vullen met tranen.

Dit alles hier – jij, dat ik je hier zo vind. Zeg alsjeblieft niet tegen me dat ik moet ophouden met denken want dat is onmogelijk, mijn hoofd is zo vol, ik ben zo –

Je schudt je hoofd en glimlacht naar me alsof het allemaal volstrekt duidelijk zou moeten zijn. Ik leg mijn hand achter mijn nek en knijp. Ik vraag me af of dat me wakker zal maken. Ik kijk naar je ogen. Hun grijze en blauwe kleur, er zitten zoveel kleuren in.

Zo wat? fluister je.

Je bent niet echt, zeg ik uiteindelijk.

Je kijkt me nu met een bedroefde blik aan, alsof je weet wat er staat te gebeuren – even ben je weer de jongen van vroeger. Mijn maag doet al pijn, deels omdat ik weet wat je gaat zeggen.

Nee. Nee, baby, inderdaad niet.

Baby. Ik voel me zo koud vanbinnen als je dit zegt, als je me baby noemt.

Ik voel weer tranen opkomen.

Wat ben je dan wel?

Je drukt je sigaret uit ook al is hij pas half opgerookt. Je ziet er nu minder gelukkig uit, alsof jij met niets van dit al van doen had en je me niet wilt kwetsen maar dat dat onvermijdelijk is.

Ik ben wat jij wilt dat ik ben.

Ik heb –

Stil.

Jij wilt me nu niet aankijken. Je kijkt naar de tafel.

Ik heb het nodig dat je echt bent, hoor ik mezelf tot mijn verbazing zeggen.

En op de een of andere manier geeft het feit dat ik dit toegeef, dat ik die acht woordjes uitspreek, de doorslag. Die woorden maken dat de hele ruimte, het café, de tafels, de stoelen, op me af vliegen en ik kan het niet meer tegenhouden. Ik leg mijn hoofd in mijn handen terwijl de tranen komen. Ik schaam me dat ik nu al huil, zo vroeg in de ochtend en voordat er ook maar iets is gebeurd.

Ik voel je warme hand op mijn pols.

Stil maar, zeg je weer. Stil maar, schatje, baby. Het is al goed.

We blijven zo een ogenblik zitten, mijn hoofd in de zoutige duisternis van mijn mouw, jouw hand op mij. Er vloeit dan iets warms van jou naar mij en terwijl die verbintenis zich voltrekt – een gevoel dat ik me zo intens herinner van vroeger – was het alsof al het andere verdween en ik voelde me vrij kalm, volkomen kalm en raar rustig.

Toen ik opkeek, was de hand weg en jij ook. Er stond maar één koffiekopje op de tafel. De drie kruimels waren verdwenen. De asbak was schoon, de suiker onaangeraakt en niet gemorst. Een paar seconden lang was ik totaal niet verbaasd. Toen sloeg mijn hart over.

Ik moet naar lucht hebben gehapt of zo, omdat de ober naar me toe kwam terwijl het geld in zijn grote schort rinkelde.

Madame?

Ik kon niets uitbrengen. Trillend haalde ik wat kleingeld uit mijn portemonnee en legde het op het zilveren dienblad in de hoop dat het genoeg was. Ik rende de straat op, ondertussen links en rechts kijkend, op zoek naar jou. Maar de straat was leeg. Het sneeuwde niet meer maar buiten het café lag er een dikke laag op de grond, glad en onaangeroerd, geen enkele voetstap. Hier was met zekerheid de afgelopen tien minuten niemand overheen gelopen, in ieder geval niet aan deze kant van het trottoir.

Ik rende terug het café in en probeerde in het Frans te vragen of ze de man gezien hadden.

L'homme?

De ober keek verward naar zijn vriend die op een hoge kruk aan de bar een krant zat te lezen.

L'homme qui était avec moi. De man met wie ik hier was. *L'Americain.* Heeft u gezien waar hij heen ging? Welke kant ging hij op? Alstublieft?

De ober zei toen iets, sprak snel tegen zijn vriend, ik verstond er geen enkel woord van. Toen legde de vriend zijn krant neer, vouwde hem zorgvuldig op en keek me met een meelevende blik aan. Hij gebaarde naar de tafel, waarop nog steeds de ene koffie-kop stond.

Het spijt me heel erg, madame, zei hij. We horen wat u zegt. Maar ik denk dat u alleen was – ik denk dat er vandaag geen man bij u was.

Toen ik het café uitliep, sneeuwde het weer hard en snel. Tranen stroomden over mijn gezicht. Ik tastte in mijn zak naar het stukje papier, naar jouw briefje, maar er was niets, alleen mijn handschoenen en een verkreukeld bonnetje van een krant die we op station Waterloo hadden gekocht voordat we in de Eurostar stapten.

Geen van onze twee jongens was gepland – hoewel ze ook niet precies een ongelukje waren. Tom en ik wisten dat we samen ons leven zouden doorbrengen, dus we besloten gewoon maar te doen en te zien wat er zou gebeuren. En wat er gebeurde was eerst – bijna ogenblikkelijk – Jack en drie jaar later, Finlay.

Jack was altijd de sociale. Van kindsbeen af wilde hij nooit lang slapen – hij maakte ons gek door almaar wakker te worden en te huilen. Als Tom duizelig van de slaap om drie of vier uur 's morgens rechtop in bed ging zitten en hem op zijn knieën zette, vasthield en naar hem keek, dan was hij gelukkig. Maar als Toms oogleden begonnen te zakken en dicht te vallen, als hij maar een tel zijn greep verslapte, dan gaf Jack een brul die verschrikkelijk was om aan te horen. Hij kon het niet helpen. Hij had mensen om zich heen nodig, hij lachte graag. Hij glimlachte lang voor de tijd die boeken voorschrijven voor het glimlachen van baby's.

Fin was van het begin af aan heel anders. Op het moment dat hij uit mij kwam, keek hij me lang aan, geeuwde, beoordeelde me en kroop tegen me aan. Mijn Fin. Een bedaarde, gemakkelijke baby die sliep als het donker was en at als hij honger had. Ik dacht dat we het nu met onze tweede allemaal op een rijtje hadden. Daar ging het natuurlijk helemaal niet om. Het was gewoon hoe hij was, hoe Fin was. Als ik iets geleerd heb in al de tijd dat ik moeder ben, is het dat baby's precies zo naar buiten komen als de mensen die ze waren, die ze altijd zullen zijn, pasklaar en volledig gevormd. Je kan wat dingetjes hier en daar aanpakken om ze wat te veranderen en bij te sturen, maar dat is alles. De uitwerking die ze in hun eerste uren – nee, secondes – hebben op de wereld is om en nabij de uitwerking die ze hun hele verdere leven zullen blijven hebben.

Toen Fin ongeveer drie, vier jaar oud was, deed hij dat al. Hij zat dan tevreden met blokken of een vrachtwagen of zoiets te spelen, aan het bouwen of laden – en dan hield hij op, pauzeerde, leek naar iets te luisteren en zuchtte dan lang en diep. We moesten erom lachen en noemden het zijn wereld-moede zucht. Maar het werd minder leuk toen hij ouder werd. Soms krulden zijn mondhoeken naar omlaag en rolde er een grote stille traan langs zijn wang. Nergens om, voorzover wij konden uitmaken. Hij zei tenminste niets als je naar hem toe ging om hem te troosten en te vragen wat er aan de hand was. Hij legde alleen maar zijn hoofd op je schouder en zoog heftig op zijn duim of op het stukje blauwe deken dat hij overal mee naar toe nam.

Toen op een dag, toen hij ongeveer zeven of acht jaar oud was, kwam hij naar me toe en zei: Mama, ik kan er niet meer tegen.

Ik trok hem naar me toe en keek hem aan. Ik kon zien dat hij trilde en op het punt stond te gaan huilen.

Lieverd, waar kun je niet meer tegen? vroeg ik.

Zijn mond ging trekkerig naar beneden terwijl hij probeerde niet te huilen. Hij bewoog zijn kleine handen heen en weer alsof hij worstelde om me iets onverklaarbaars, iets onbeschrijflijks te laten zien.

Alles, zei hij.

Wat alles?

De wereld, zei hij. Het is net – er klonk een kleine snik in zijn keel – het is net of ik gewoon zit te wachten tot alles ophoudt.

Ik staarde hem aan. Ik wist niet wat te doen of te zeggen.

Maakt iets je verdrietig? vroeg ik hem nu heel ernstig, omdat ik zijn moeder was en ik het moest weten.

Hij leek hierover na te denken.

Ik ben niet meer verdrietig geweest sinds Lex is doodgegaan, zei hij. Lex was onze cyperse kat die dood was gegaan omdat zijn nieren het begaven. Op een ochtend was ze net opgestaan en

47

toen weer omgevallen en dat was dat, die middag moesten we haar laten inslapen. Ik had toentertijd het gevoel dat het voor de jongens een harde, of op zijn minst dramatische kennismaking met de dood was. Anderzijds, ze was oud en ze had niet echt geleden en dat moest wel iets goeds zijn.

Maar ik herinner me die dood en de snikken die de hele middag van Fin kwamen – in tegenstelling tot Jack die onder de indruk was en ook lichtelijk opgewonden alleen maar wilde weten hoe snel we een nieuw poesje konden krijgen.

Wat is het dan, lieverd? Ik moet weten waardoor je zo van streek bent. Wat gaat ophouden? Niets gaat ophouden.

Hij keek me toen een hele tijd aan – alsof hij, niet ik, de volwassene was en probeerde in te schatten hoeveel van de waarheid ik zou kunnen verdragen. Ik pakte zijn handje en zoende hem een heleboel keer om hem in een andere stemming te brengen, hem aan het lachen te maken, net zoals ik onder het verschonen van zijn luier luchtzoenen op zijn blote buikje blies, gewoon om hem te horen giechelen. Hij liet me begaan maar hij lachte niet.

Niets houdt op, zei ik weer.

Hij zuchtte.

Het gaat goed met de wereld, het gaat goed met ons allemaal, vertelde ik hem.

Goed, zei hij. Maar de evenwichtige en berustende manier waarop hij dit zei, gaf me het gevoel dat ik op de een of andere manier tekortschoot, dat hij had besloten de verantwoordelijkheid voor mijn stemming op zich te nemen, in plaats van andersom en er was niets wat ik als zijn moeder kon doen om de rollen om te draaien.

Maanden later nam ik dit gesprek in gedachten nog eens door en plaatste het tegen het licht van iets wat me lang geleden was overkomen. Ik was achttien, had besloten een jaar niets te doen en bevond me op een hete dag in juni in de Boboli-tuinen in Florence. Het was mijn vrije middag als au pair. Ik had brood en kaas, kersen, water en een roman om te lezen bij me. Het was bloedheet en de lucht rook naar rode jasmijn en mimosa. Ik kon het geruis van de fonteinen, bijen, gelach in de verte horen. Dit was naar ieders maatstaven hemels. Ik lag op mijn rug en ademde diep en tevreden in – toen gebeurde het.

De wereld werd donker. Het geluid van lachende, langslopende mensen, vallend water en bijengezoem viel weg en het werd doodstil. Ik schoot overeind. Ik had het gevoel dat alle licht en leven, elk spoor van goedheid uit de plek waar ik zat, werd weggezogen. De wereld werd plat en dik en zwart, leek een kwartslag te draaien en een paar seconden lang keek ik in de afgrond. Dit gevoel duurde niet lang, maar het liet me wel trillend achter. Ik vertelde het destijds aan niemand omdat ik wist hoe absurd het zou klinken.

Dat moment is nooit weergekeerd, niet in die vorm, maar ik droeg de zwarte herinnering aan het gebeurde van toen af aan met me mee. Hij was altijd bij me, ergens onder elk goed iets wat ik dacht of voelde of deed en hij ging nooit echt weg, maar bleef genesteld in de kern van alles wat ik voelde en onderging. Ik was altijd bang dat de wereld nog eens een kwartslag zou draaien, dat ik nog eens een glimp van de afgrond zou opvangen.

Je had een paniekaanval, vertelde Tom me eenvoudigweg toen ik hem, aan het begin van onze relatie, probeerde te vertellen over het moment in de Boboli-tuinen. Ik dacht er niet vaak aan, maar deed ik dat wel, dan besefte ik, dat het cruciaal voor me was geweest. Die paar tellen hadden alles veranderd.

Nee, zei ik tegen hem, hoewel ik kon begrijpen waarom hij het zei, nee, dat was het niet. Ik weet gewoon dat het dat niet was. Dit was anders.

Maar niemand om je heen had er last van? Het leven ging gewoon door?

Ja, ik neem aan van wel.

En het duurde niet lang?

Nee, goddank niet.

Tom keek me hoofdschuddend aan.

Ik staak de bewijsvoering. Het zat allemaal in je hoofd, schattebout. Ik ben me ervan bewust dat dit het niet minder echt voor je maakt, maar neem nu maar van me aan, lieveling, het was een paniekaanval.

Ik probeerde hem niet langer te overtuigen. Dat had geen zin.

Dit was, dacht ik, nog een reden waarom ik van Tom hield: hij had de afgrond nooit gekend. In tegenstelling tot Fin. In tegenstelling tot jou.

Ik kwam terug en zag dat Tom op bed met wel acht kussens achter zich gepropt naar CNN lag te kijken. Hij zag er helemaal niet gelukkig uit. Met zijn ogen op het scherm gericht vroeg hij mij met de neutrale stem die hij gebruikte als hij gekwetst was, waar ik was geweest.

Ik ging zonder mijn jas uit te doen op de rand van het grote tweepersoonsbed zitten. Ik vouwde mijn handen in mijn schoot en probeerde hard na te denken. Ik had niets voorbereid, waarom, weet ik niet. Zelfs toen ik terugliep door de straten – een tocht die ik me nauwelijks voor de geest kon halen – zelfs toen ik naar boven kwam in de vreemd snelle lift, waren er geen gemakkelijke verklaringen of zelfs leugens in me opgekomen. Ik wist dat mijn wangen roze van de kou waren. De kamer was ongelofelijk heet en rook naar een onbekend, zwaar parfum en de gordijnen waren halfopen. Dat was alles wat ik leek te weten.

Buiten ligt er sneeuw, vertelde ik hem, dat zou je moeten zien. Het is prachtig – alles is echt besneeuwd.

Tom draaide zijn hoofd om me aan te kijken en keek toen weer naar het scherm. Op de tv stapten ergens soldaten in een jeep. Het scherm stond bol van het legergroen.

Ik vroeg je iets, zei hij.

Ik ben naar buiten gegaan, zei ik tegen hem en ik ontdekte met een golf van ontzetting dat het me geen zier kon schelen of hij me geloofde of niet.

Naar buiten?

Ja, even wandelen.

Neem me niet kwalijk dat ik je vraag waarom? vroeg hij me op ijzige toon.

Ik aarzelde even en probeerde zijn hand te pakken maar hij gaf hem niet.

O, Tom, zei ik.

Wat? Hij klonk nu iets zachter. Wat is er, Nic?

Ik bleef zwijgen.

Zeg het me maar, zei hij.

Ik haalde diep adem en probeerde te bedenken wat ik kon zeggen.

Hoe kan ik je helpen als je me het niet vertelt? zei hij toen.

Ik weet het niet, zei ik tegen hem, maar er is niets aan de hand met me, echt niet. En ik heb jouw hulp niet nodig.

Terwijl ik het zei, realiseerde ik me dat het er gemener uitkwam dan ik bedoelde. Tom likte zijn lippen en sloot een paar tellen zijn ogen.

Je wordt bedankt, zei hij.

Het spijt me. Ik bedoelde het niet zo.

Hoe dan? Hoe bedoelde je het dan?

Ik weet het niet, zei ik. Alleen niet zo.

Ik vroeg me in een flits af of ik hem de waarheid zou vertellen. Ik wilde niet echt iets voor hem verborgen houden. Ik had in de hele tijd dat we samen waren nog nooit bewust iets voor Tom achtergehouden – behalve misschien de echte prijs van een nieuw paar schoenen of een jurk. Maar ik wist totaal niet wat me zo-even overkomen was, dus wat kon ik hem in vredesnaam vertellen? Of misschien wist ik dat het daar niet om ging. Ik had ook vanaf het begin het gevoel dat ik dit geheim moest houden. Ik moest iets over jou en mij geheimhouden.

Tom zette de tv uit en keerde zich naar me toe.

Ik raakte in paniek, zei hij met een klein stemmetje. Ik wist niet waar je was. Toen ik zag dat je jas weg was – nou, er had van alles kunnen zijn gebeurd. Waarom heb je me godverdomme niet gezegd dat je naar buiten ging, Nicole?

Ik wilde je niet wakker maken. Ik kon niet meer slapen. Ik heb de hele nacht bijna niet geslapen. Het was bovendien geen vooropgezet plan, echt niet. Ik wist niet dat ik naar buiten ging tot ik ging.

Dit was allemaal waar, helemaal, maar het hielp niet veel. Ik zag Toms gezicht verstrakken en terwijl ik dit zag, realiseerde ik me dat ik dit gezicht honderden keren had gezien. En ik besefte dof dat ik nu alles verpest had – onze jaardag, deze leuke, zorgeloze en romantische tijd die we verondersteld werden te hebben samen.

Voel jij je wel goed? vroeg ik hem en hij staarde mij aan.

Natuurlijk voel ik me niet goed. Ik ben bezorgd over jou. Waarom kon je niet slapen? Ik slaap wel.

Het was ondankbaar van me, dat zat hij te denken. Hij had me meegenomen naar dit dure en idioot luxe hotel met het laser slotensysteem en het bed op een verhoging en desondanks kon ik nog niet slapen. Ik trok mijn jas uit en pakte van het nachtkastje een papieren zakdoekje om mijn neus te snuiten.

Ik werd midden in de nacht wakker en toen, de sneeuw – begon ik en hield onzeker op. De hemel buiten ons raam was nu helderblauw maar ik voelde me verward. Mijn maag draaide zich om. Lag er nu sneeuw op de grond of niet?

Ik voelde me rot vannacht, vertelde ik hem terwijl ik het zakdoekje in mijn hand samenkneep. Het spijt me Tom, maar zo voelde ik me.

Tom zweeg weer en ik wist waarom. Als ik zei dat ik me rot voelde, dan nam ik ons terug naar een gebied waar hij liever niet heen wilde.

Luister eens, Nicole, zei hij in plaats daarvan, doe wat je wilt, dat kan me niets schelen, maar loop niet meer bij me weg zonder iets te zeggen.

Goed, zei ik tegen hem en ik voelde me opgelucht omdat ik dacht hier oprecht mee in te kunnen stemmen. Toen zat ik daar maar; na een poosje pakte ik zijn hand en deze keer liet hij het toe.

Ik liep een oude kennis tegen het lijf, vertelde ik hem zonder te beseffen dat ik het zei. Meteen bloosde ik en ik wist dat hij dat registreerde, want hij draaide zich weer naar me toe en staarde me aan.

Wat? Wie?

Gewoon, iemand die ik van vroeger ken. Jaren geleden.

Maar waar, wie? Wat bedoel je met tegen het lijf lopen? Bedoel je zonet?

Ik probeerde hem in de ogen te kijken.

In een café, moet je je voorstellen! zei ik en ik probeerde te lachen. Ik bedoel, ik liep er gewoon naar binnen en daar zat hij, zomaar, ik kon mijn ogen niet geloven.

Ik lachte weer, om het gewoner te doen klinken, maar Tom fronste zijn wenkbrauwen.

Even alles op een rijtje zetten. Je ging in je eentje een café binnen?

Wat is daar mis mee?

En wie is die persoon? Man of vrouw?

Gewoon – een oude vriend. Een man.

Natuurlijk, zei Tom.

Wat bedoel je met natuurlijk?

Hij negeerde me.

En – toen maakten jullie een praatje.

Natuurlijk maakten we een praatje.

Maar om wie gaat het? vroeg hij weer, alsof hij op zoek was naar de juiste vraag. Welke oude vriend?

Gewoon een jongen die ik jaren geleden van de universiteit kende.

Tom sloeg zijn armen over elkaar en keek uit het raam.

Gewoon een jongen die je kende. Nu een man, neem ik aan?

Ja, zei ik, terwijl ik je degelijke kleren, je onmogelijk solide persoonlijkheid, je bril voor me zag, een man.

En je was zo-even bij hem.

Nou, het was zo gek. Hij verdween opeens.

Hij wat?

Hij ging gewoon weg zonder afscheid te nemen.

Deze keer probeerde Tom te lachen.

Wat? Heb je hem van streek gemaakt of zo?

Ik denk het niet, nee.

Wist hij dat je hier met mij was?

Natuurlijk wist hij dat, antwoordde ik, maar zelfs terwijl ik dit zei, realiseerde ik me dat ik er geen flauw idee van had of dit waar was.

Ik kon zien dat Tom hierover zat na te denken. Aan de andere kant van onze deur ratelde iemand langs met een trolley of een dienblad. Ik hoorde het gezoem van de lift die werd opgeroepen en de ting! toen hij op onze verdieping was aangekomen.

Tom gooide de dekens van zich af, stapte uit bed en ging naar de badkamer. Ik hoorde de wc-bril omhooggaan, ik hoorde hem een paar seconden wachten en toen kwam het bekende gedruppel van zijn plas.

Maar – wie was het dan? Hij ging vanuit de badkamer door met praten, heb je me wel eens iets over hem verteld? Ik bedoel, weet ik van deze man af? Was hij een vriendje van je?

Ik hoorde de bril weer omlaaggaan en ik glimlachte.

Nee, dat was hij niet echt.

Tom kwam weer de kamer in, nam mijn koude hand in zijn warme en om mijn gêne te maskeren, zoende ik hem op zijn buik, een lekkere platte buik met een haarlijn die plukkerig begon en naar onderen toe steeds dikker werd. Hij week achteruit, legde zijn twee handen op mijn schouders en ik lachte zachtjes.

Nicole, zei hij met een zucht, die leek te betekenen dat hij me had vergeven, soms weet ik niet wat ik tegen je moet zeggen.

Ik weet het. Ik weet dat je dat niet weet.

Je bent er heel zeker van dat je dit niet hebt gedroomd?

Nee. Ja. Ik was daar, Tom. Het was echt, voegde ik eraan toe, maar zelfs terwijl ik het uitsprak, bezorgden de woorden me een koud gevoel in mijn mond.

Maar moet je horen, schatje, je moet toch toegeven dat het een verdomd groot toeval is.

Dat weet ik.

Toen ik dat zei, herinnerde ik me het vreemde feit van jouw briefje en dat ik hem dat niet had verteld. Het is nu toch verdwenen, dacht ik, ik heb het verloren. Ik vroeg me af of de vrouw beneden er iets over zou zeggen en ik dacht dat zoiets niet erg waarschijnlijk was, omdat ze in hotels toch discreet moesten zijn? Maar goed dat ik het niet langer heb, dacht ik, want anders had ik het moeten verstoppen of weggooien. Om de een of andere reden vervulde de gedachte dat ik dat zou moeten doen, me met een gevoel van eenzaamheid.

Wat is er? vroeg Tom. Wat is er aan de hand?

Ik voelde een onverwachte, gemene woedebui tegen hem opborrelen.

Je weet heel goed wat er aan de hand is, zei ik tegen hem en ik vroeg me af of dat zo was.

Hij keerde zich zuchtend van me af en ik voelde dat een deel van hem dichtklapte. Hij liep naar de stoel en begon zijn ondergoed en broek aan te trekken. Hij pakte zijn horloge en liet het over zijn pols glijden.

Dit is het reisje om onze jaardag te vieren, zei hij uiteindelijk. Kunnen we op z'n minst niet even vrijaf nemen?

Ik keek hem aan.

Nou, kan dat?

Jij neemt altijd vrijaf, zei ik uiteindelijk tegen hem.

Wat bedoel je daar nu weer mee?

Dat weet je heel goed.

Hij bleef even stil.

Ik probeer, zei hij langzaam en verdrietig, alles goed te doen. Ik geef zoveel liefde als ik kan. Ik ben – nou ja – ongelofelijk geduldig. Ieder normaal mens zou het met me eens zijn dat ik verdomme een heilige ben.

Geweldig, zei ik en ik deed geen moeite mijn stem niet bitter te laten klinken.

Maar – ik schijn jou gewoon niet te kunnen geven wat jij wenst.

Al wat ik wens, fluisterde ik toen tegen hem met een klein en zo boos stemmetje dat ik er zelf van schrok, is dat we over haar kunnen praten.

Ik keek naar Tom, hoofd gebogen, met zijn lange handen op zijn knieën, en ik wachtte op wat hij te zeggen had.

We hebben over haar gepraat, zei hij. Zij is al zo lang het enige waarover we praten, Nicole.

Ik zei niets.

Lieveling, we hebben gepraat. Wat is dat alles geweest als het geen praten was?

Ik moet in staat zijn haar te noemen, zei ik tegen hem.

Dat doe je. Je hebt het over haar.

Ik bedoel elke dag, gewoon, zonder gedoe, zonder gevoeligheden, zonder...

Ja?

Zonder dat jij dat gezicht trekt.

Welk gezicht?

Dat gesloten gezicht dat je trekt wanneer – nou, het is zo koud, dat gezicht van jou.

Hij maakte een ongeduldig geluid en ging op het bed zitten, zo in elkaar gezakt dat er vleesplooien boven zijn buik te zien waren. Ik vond dat hij er opeens oud uitzag, verpletterd. Ik bedacht me dat je nu de oude man kon zien die hij zou worden – de dunne, slappe armen, de ineengeschrompelde borst.

Ik meen het, Tom, zei ik tegen hem en plotseling kon het me niets schelen wat hij van me dacht. Je kunt verdomme haar naam niet eens over je lippen krijgen.

Hij schudde zijn hoofd en haalde diep adem.

Dat was onder de gordel, zei hij.

Nou, je kunt het niet.

Dat weet ik. Ik kan het niet. Daarmee wijs ik haar niet af. Of jou. Ik kan het gewoon niet.

We bleven toen een poosje zitten kijken naar het dode zwart van het tv-scherm. Al het andere was vergeten, mijn ontmoeting met jou, de ochtend, de sneeuw, dat was allemaal weg, was misschien wel nooit gebeurd. In plaats daarvan gebeurde er iets vreemds. Zij was bij ons in de kamer.

Tom sprak langzaam.

De enige manier waarop ik mezelf staande kan houden, zei hij, is door dingen op te delen. Letterlijk. Ik maak een onderverdeling en pak ze aan als ik ertoe in staat ben. Ik kan dat niet rechtvaardigen, ik kan het niet uitleggen, het is wat ik doe. Kun je dat ook maar enigszins begrijpen?

Ik haalde mijn schouders op maar eigenlijk alleen om hem van me af te houden. De waarheid is dat ik niet meer over hem kon nadenken omdat ik nu bedacht was op wat er in de kamer gebeurde, bedacht op haar.

Soms, zei hij nog langzamer, alsof hij zijn gedachten onder het praten vormgaf, soms is er rouw in stilte. Hij hoeft niet altijd geuit te worden door te praten, Nic, door uiting te geven aan elk klein ding.

Ik zei niets.

Het kan echt, zei hij, ik meen het. Je kunt in stilte rouwen. We hoeven niet altijd te praten. We moeten doorgaan met ons leven, met het gezin dat we hebben. Soms moet gewoon bij elkaar zijn al genoeg kunnen zijn.

Dat zou het moeten zijn, hoorde ik mezelf instemmend zeggen, terwijl zij haar armen om me heen sloeg.

Maar dat is het niet?

Ik kan nauwelijks een woord tegen hem uitbrengen omdat ik me zo hard concentreer op mijn kleine meisje. De vorm van de kamer is gedurende de laatste paar minuten veranderd, de lucht is van grote helderheid en liefde vervuld en plotseling voelt ze een paar tellen zo nabij dat ik mijn adem inhoud. Mijn dochtertje. Ik durf niet eens aan iets anders te denken of mijn gedachten ook maar enigszins te laten afdwalen, voor het geval dat –

Baby?

Ze is heengegaan, zei Tom alsof hij mijn gevoelens kan raden.

Nee, fluister ik, alsjeblieft niet.

Ja, zei hij.

We lunchten in een restaurant aan een achterafstraatje achter de Notre Dame. Het was het derde restaurant dat we ingingen maar het eerste waar ik wilde eten. Deze kieskeurigheid van mij was een oud grapje tussen ons. Het had niet zozeer met het eten te maken als wel met de omgeving. Die moest goed voelen. Tom was ongelofelijk geduldig. Deze plek voelt echt aan, zei ik tegen hem en toen hij me vroeg waarom, biechtte ik op dat het vooral was omdat ik mooi vond hoe de oude klimplant zich fijn vertakt tegen de zijkant omhoogwerkte en hoe hij eruitzag als een sepiaprent van zichzelf.

Gekkerd, zei hij. Het is niet zo swingend als de vorige.

Inderdaad, stemde ik met hem in, terwijl ik me realiseerde dat hij de plank volledig missloeg.

Het is eigenlijk nogal sjofel.

Maar op de goede manier, zei ik tegen hem; hij lachte en zoende de zijkant van mijn gezicht.

Binnen stond een zwarte gietijzeren wenteltrap die midden in de ruimte recht omhoogdraaide. Eerst dachten we dat het misschien leuk zou zijn om boven te eten, maar toen we ons eenmaal naar boven hadden geperst, ontdekten we een ruimte vol rook en oude mannen met baretten op die biefstuk zaten te eten met een servet om hun hals geknoopt alsof ze zo uit een tekenfilm waren weggelopen. Plat op de vloer lag een grote oude collie die volledig blind aan beide ogen was.

Arm beest, zei Tom toen ze haar kop op tilde en ons met melkwitte ogen aanstaarde. Hij boog zich om over haar kop te aaien en dat maakte dat ik een paar tellen van hem hield.

We gingen weer terug naar beneden waar het bijna even druk was en we kozen een tafel helemaal achterin, waar ze ons plastic menu's, een kan water en wat brood kwamen brengen.

Het zit vol Fransen, merkte Tom op terwijl hij zijn overjas en jasje uittrok en met genoegen om zich heen keek. Altijd een goed teken.

En hij reikte naar mijn hand en raakte hem aan – ik denk deels omdat hij ons laatste gesprek wilde goedmaken en deels omdat hij honger had en zich plotseling gelukkig voelde door het nabije vooruitzicht op wijn en eten. Hij glimlachte naar me en het was bijna een echte glimlach.

Geen kinderen en geen auto, zei hij. Volmaakt. We kunnen ons laten vollopen.

Ik hoop dat Fin goed op school is gekomen, zei ik voor ik mezelf kon inhouden, maar voordat Tom me boos kon aankijken, bood ik mijn verontschuldigingen aan en deze keer meende ik het.

Hij glimlachte en haalde adem alsof hij op het punt stond iets te zeggen, maar hij bleef stil. Hij keek naar me en schoof het broodmandje opzij zodat hij mijn hand weer kon pakken.

Hij is elf jaar, zei hij teder maar ook alsof hij hier vaak over had nagedacht en het gesprek ernaartoe leidde. En het is goed voor hem om zelf eens iets te regelen. Ik denk dat hij dat ook leuk vindt en hij gedraagt zich er beter door. Hij moet er eens mee ophouden altijd de baby te zijn, Nic.

Toen hij zich scheen te realiseren wat hij net gezegd had, zag ik hem ineenkrimpen en ik had met hem te doen. Deze keer was ik het die mijn hand naar hem uitstrekte en met mijn vingertoppen over zijn knokkels streek.

Je hebt gelijk, zei ik tegen hem, ik moet ophouden me zorgen te maken. Eigenlijk ben ik ook niet zo bezorgd, weet je. Jouw moeder is zo lief en – nou ja, ik denk dat ik het uit gewoonte zei.

Tom glimlachte. Hij moet wat afstand van je nemen. Dat doen jongens nu eenmaal.

Dat weet ik, zei ik tegen hem.

Je bent een goede moeder, een goede vrouw en – hij liet zijn stem dalen – goed in bed. Waar blijft die ober toch? Ik wil wat drinken en dat wil ik nu.

Ik pakte mijn tas en ging naar het toilet. Het was er een voor zowel mannen als vrouwen, een bruin kamertje achter een gammele deur. Een luchtverfrisser met een plaatje van lelietjes-van-dalen erop, een heilige of een Maagd aan de muur. Ik hurkte om te plassen, want het was er niet bepaald brandschoon, toen waste ik mijn handen onder de enige koude kraan en deed lipstick op. In de aangetaste oude spiegel vond ik mijn wangen er glad en roze uitzien – misschien van de frisse koude lucht – en mensen die mij niet kenden zouden zeggen dat ik er goed uitzag.

Ik stak een vinger op en raakte de kleine lachrimpels rond mijn ogen aan – die jij nog deze ochtend had aangeraakt, ook al leek dat een flits uit het leven van iemand anders – en ik vroeg me vluchtig af wat er met me aan het gebeuren was. Toen raapte ik mijn gedachten bij elkaar, weg van dit onderwerp en liep terug naar de tafel, het echte leven en naar Tom die het midden uit een stuk baguette pulkte en in zijn mond propte.

Ik zat laatst te luisteren naar een wonderbaarlijk programma op de radio, vertelde ik hem. Het ging over een vrouw en ze was ongeveer vijfenzestig – ja, dat was het – het was haar vijfenzestigste verjaardag, of zo. Toen ze vijftien jaar was, had ze zichzelf een brief geschreven en verzegeld en hij mocht niet worden opengemaakt voor ze vijfenzestig was. Vijftig jaar, kun je je dat voorstellen?

De ober zette een karaf wijn op de tafel en Tom schonk wat voor me in.

En had ze hem nog steeds?

Ja. Dat niet alleen, maar ze maakte hem tijdens de uitzending open en las hem voor, met al die luisteraars erbij.

Hm. Misschien een tikje riskant? zei Tom terwijl hij wijn in zijn eigen glas schonk. Ik nam een slokje en hij was volmaakt, ruw en rood en hij streek precies goed langs mijn tong en lippen. Ik besloot niet langer aan de kinderen te denken of aan wat dan ook en ik lachte.

Goede wijn, zei ik tegen Tom.

Vind je hem lekker?

O, zeker, ja. Ik denk dat ik niet had kunnen doen wat die vrouw deed. Maar weet je – het was zo vreemd – ze herkende er geen woord van, ze kon zich ook niet meer herinneren dat ze hem geschreven had. Geen enkel woord ervan. Ze stond er zelf van te kijken. Ze zei dat het net was of een onbekende dit aan haar schreef – en dan ook nog een nogal bazige onbekende – die haar vertelde wat ze nu misschien zou denken en voelen en die haar vertelde wat haar hoop en vrees en zorgen toentertijd waren –

Welke zouden dat zijn, zei Tom die dit onmiddellijk in een breder gezichtsveld trok. Eens zien – de jaren vijftig? Angst voor de Russen? De vernietiging van de wereld?

Ik knikte, ook al dacht ik helemaal niet aan die dingen.

Maar wat echt vreemd was, zei ik tegen hem, was dat op een bepaalde manier de vijftienjarige volwassener en zelfverzekerder leek dan haar oudere ik. Het was grappig maar maakte me ook wat van streek –

O ja? zei Tom en keek meteen zenuwachtig.

Ik was – ik weet niet – er een beetje door geschokt.

Echt? zei hij. Maar schat, waarom?

Ik weet het niet. Het was gewoon – het leek ongelofelijk zielig en ik weet niet waarom – dat dringende stemmetje uit het verleden, weet je, de manier waarop ze het wel en tegelijkertijd niet was. Het was net zoiets als dat je een bericht van een geest krijgt.

Maar toch niet een geest. Want die oudere ik was zij toch zelf?

Het was een ik dat allang verdwenen was, zei ik tegen hem, en terwijl ik dit zei, wist ik dat mijn stem een beetje trilde, ook al wilde ik dat niet. Dus het voelde aan als een geest, het had net zo goed er wel een kunnen zijn.

Schattebout, zei Tom en hij legde zijn hand weer op de mijne terwijl hij het menu bestudeerde, jij stelt altijd alles in een somber daglicht. Niet alles is zielig, weet je. Mij klinkt het eigenlijk verbazingwekkend in de oren, fantastisch dat iemand die moeite heeft gedaan – zelfs romantisch. Om maar niet te zeggen dapper, om de brief voor de radio open te maken.

Ik keek naar hem en gedachten begonnen zich op te stapelen – gedachten langs de lijn van ja, hij is een doodgewone, goede en aardige man, die met zijn vrouw in een restaurant in het buitenland zit en erop gespitst is iets lekkers uit te kiezen om te eten. En hoewel hij eraan gewend is dat zijn vrouw zo is – zo raar en verward – toch vraagt hij zich af waarom ze gewoon niet mee kan gaan in zijn goede stemming en normale gedachten en waarom ze, terwijl hij alleen maar probeert een gesprek met haar te voeren, erop staat zich te voelen alsof – maar ik maak die gedachte niet af omdat ik onderbroken word door de herinnering aan jouw gezicht in het café, de schok jouw solide omvang te zien, de bril, het achterovergekamde haar, jouw mond die eens, lang geleden, een parel bevatte. Jouw hand op mijn pols. Baby? Je bent niet echt, is het wel?

Ik was geschokt, zei ik weer tegen Tom. Ik was helemaal van mijn stuk gebracht, als je het echt wilt weten.

Waar het om gaat, begon Tom te zeggen, maar ik luisterde al niet meer.

Twee tafels verderop was een baby van ongeveer tien maanden oud, met zwart krullend haar en gouden oorringetjes, bezig een blauwe plastic muis op de grond te gooien. Elke keer als ze hem weggooide, lachte ze onbedaarlijk en telkens raapte haar moeder hem weer op. Na zo'n vier of vijf keer had de vader er genoeg van, raapte hem op en stopte hem achter zich weg. Toen de baby naar de muis reikte, maakte hij een gebaar als om te zeggen dat hij niet wist waar hij was, dat hij weg was. De baby opende haar mond in een grote O en zette het op een krijsen.

Ben ik je kwijtgeraakt? vroeg Tom.

We waren de hemel te rijk met onze jongens, Tom en ik. Ze leken alles zin te geven, het leven, onze liefde, ons. We konden ons niet voorstellen wat we allemaal gedaan hadden voordat ze kwamen

– hoe we onze tijd, energie en zelfs ons geld besteedden. We konden ons niet herinneren wat ons ervoor aan het lachen had gemaakt, of waar we ons zorgen over hadden gemaakt.

Ik was niet zo'n moeder die naar een meisje verlangt, alleen maar om de mooie kleertjes en die dingen. Ik zou nooit absoluut nee zeggen tegen de gedachte aan nog een baby – welke moeder zegt ooit nee tegen die mogelijkheid? – maar ik was heel tevreden met mijn jongens. Als dit het was, dan was ik gelukkig. Toentertijd geloofde ik echt dat ons gezin compleet aanvoelde. Dus was de manier waarop Mary bij ons kwam angstwekkend volmaakt – alsof iemand ergens andere plannen met ons voor had.

Op een ochtend werd ik precies om zes uur wakker en viel weer in slaap – ik schoot zo een droom in, zoals dat soms kan gebeuren. Wij – Tom, de jongens en ik – bevonden ons ergens in een merkwaardig hotel. Een donkere tuin, witte marmeren traptreden, een glitterbar, mensen in feestkleding. Misschien was het 's nachts, dat was moeilijk te zeggen. Ik had een mobiel bij me en ik was onze vrienden in New York aan het bellen om een afspraak te maken omdat ze over een paar weken naar ons toe zouden komen.

Een klein blond meisje liep me overal achterna, een meisje dat ik nooit eerder had gezien. Ik keek haar niet rechtstreeks aan, om de een of andere reden kon ik dat niet. Maar langzamerhand werd ik me bewust van haar aanwezigheid. Blauwe ogen, een bleek gezicht, stug witblond haar. Een kwetsbaar meisje. Om de een of andere reden gaf ik haar mijn mobiel en vroeg haar het nummer in te tikken. Ik weet niet waarom, het sloeg nergens op, ze was pas om en nabij de vier jaar. Echt iets voor in een droom.

Toen ze dat had gedaan, gaf ze de mobiel terug, maar in plaats van onze New Yorkse vrienden, nam iemand op van wie ik min of meer de stem herkende, een vrouw, geen vriendin, in feite iemand die ik nauwelijks kende – iemand die ik in het verleden een paar keer was tegengekomen en van wie ik onlangs had gehoord dat ze ernstig ziek was.

Deze vrouw had kanker en ze was in de terminale fase. Dat wist ik. Ze was stervende. Dat was alles wat ik wist. Ik was zo onthutst dat ik opeens met haar aan het praten was – ze heette

Rachel of Rebecca of zoiets en ik wist dat ik haar naam wist, maar net nu ik hem nodig had, kon ik hem nergens in mijn hoofd te pakken krijgen – ik was een paar tellen de kluts kwijt. Ik was van mijn stuk gebracht, ja, maar ook verward. Het leek verschrikkelijk onbeleefd haar naam niet meer te weten – alsof het feit dat ze stervende was, haar al uit mijn herinnering had gewist – maar ik had toch de flat van onze vrienden gebeld? Was het mogelijk dat ze waren verhuisd zonder ons iets te zeggen? Of hadden ze het appartement misschien aan deze vrouw geleend? Maar dan nog, zou ik dat nu dan langzamerhand niet weten?

In de droom voelde ik dat ik haar die vragen scheen te stellen en dat zij ze scheen te beantwoorden zonder enige substantiële informatie te geven. Het enige wat ik eruit op kon maken was, dat zij helemaal alleen in bed lag in dat appartement en dat ze niemand had om mee te praten en dat ze er al een tijdje was. Al heel lang. Wachtend tot er iemand zou bellen.

Ik wist niet wat ik moest doen. Ik wist dat ik me kon verontschuldigen voor mijn vergissing en gewoon ophangen. Hoewel ik haar nauwelijks kende en haar niets te zeggen had, leek dat onder deze omstandigheden wel heel erg kil en onvriendelijk.

Dus liep ik door het hotel tot ik een rustige trap met vloerbedekking vond, weg van de massa. Ik ging op de onderste tree zitten, haalde een paar keer diep adem om kalm te worden en ik probeerde met haar te praten. Maar dat lukte me totaal niet. Ik wist niet wat ik moest zeggen. Ik was geblokkeerd, wist geen woorden te vinden. Ik kon horen hoe hopeloos ik was. Wat kon ik ook zeggen? En het ging me ook niets aan. Bovendien was ik geen echte vriendin van haar, slechts een vage kennis, dus het leek me niet op zijn plaats te proberen een diepgaand gesprek op gang te brengen.

Ik wist ook dat dit stom toeval was. Als het blonde meisje (ze was me het hele hotel door gevolgd en stond daar nog steeds naast mijn elleboog) niet op de een of andere manier haar nummer had ingetikt, zou ik slechts en passant van de dood van deze arme vrouw hebben gehoord – op een feestje, achter in de krant. Om eerlijk te zijn: hoewel ik het ongetwijfeld betreurd zou hebben, zou ik er toch niet veel aandacht aan hebben besteed. Ik kende haar of haar familie niet. Dus voelde ik me in een dubbel zo moeilijke positie. Ik voelde me afschuwelijk – tegenover haar en mezelf.

Maar ik had me geen zorgen hoeven maken. Het scheen dat we niet zo veel met elkaar hoefden te praten. Het scheen voor haar goed genoeg te zijn dat ik aan de andere kant van de telefoon was, ook al zweeg ik. Er gingen minuten voorbij zonder dat we iets tegen elkaar zeiden en ze leek het niet erg te vinden dat ik me hulpeloos en nutteloos voelde, ze leek al heel blij dat ze iemand aan de lijn had.

Zo nu en dan meende ik boosheid en bitterheid in haar stem te horen, maar dat begreep ik heel goed. Ze gaf niet veel om me, maar waarom zou ze ook? Als ik haar deze ene kleine dienst kon bewijzen, door er te zijn, was dat niet genoeg voor ieder van ons? Dit was een droom, moet je je bedenken. Op de een of andere manier leek het in de droom ook genoeg – en heel logisch – dat ik dat kon doen.

Hoewel ik haar niet kon zien, wist ik precies hoe zij eruitzag, alleen in haar bed in dat appartement. Ik wist dat ze mager was en dat haar huid verstrakt en geel was en dat ze er slecht uitzag. Ik wist dat ze op de dood lag te wachten en ik wist dat ze afschuwelijk eenzaam was en – ik kan me niet herinneren wat er toen gebeurde. Misschien hing ze op, of deed ik dat, omdat ik me alleen nog herinner dat het blonde meisje haar hand in de mijne liet glijden, ik haar in de ogen keek – heel heldere ogen vol vertrouwen – en plotseling daagde het mij dat ik haar ergens van kende.

Mary? zei ik, ben jij dat?

Ze bleef me aankijken terwijl de droom even snel eindigde als hij begonnen was en ik werd wakker naast Tom in het vroege licht in de slaapkamer en ik huilde. Ik huilde hartverscheurend.

Het was 6.03. De droom had voor mij meer dan een uur geduurd maar in feite had hij maar drie minuten in beslag genomen.

Ik voelde me zo hulpeloos. Ik trilde terwijl ik de droom aan Tom probeerde uit te leggen. Ik probeerde hem te vertellen hoe zielig het was voor die wanhopige vrouw, hoe verbazingwekkend en onverdraaglijk, ook al kende ik haar niet eens.

64

Hij wreef me over mijn schouders. Het was maar een droom, zei hij en ik kon uit zijn stem opmaken dat hij heel graag weer wilde gaan slapen. Maar toen probeerde ik hem ook te vertellen dat ik op de een of andere manier dat meisje Mary kende, dat de schok der herkenning zo sterk en overdonderend was geweest, dat ik een groot verlies voelde toen de droom was afgelopen. Ik was die arme vrouw allang vergeten. Ik had het gevoel dat ik weer terug wilde duiken om mijn kleine blonde meisje te zoeken en haar mee terug te nemen.

Arme lieverd, mompelde Tom, maar zelfs terwijl hij sprak, zakte zijn ademhaling terug naar het ritme van de slaap.

Ik ging rechtop zitten en bleef maar huilen met afschuwelijke, huiveringwekkende snikken die van een zo diepe en onbekende plek in me naar boven kwamen dat ik me net zo goed weer in de droom had kunnen bevinden. Hoewel Tom half in slaap was, bleef hij mij over mijn rug wrijven, zijn handen bewogen in steeds doelbewustere rondjes, toen bewogen zijn vingers zich naar mijn bilspleet, boog hij zich ernaartoe en begon me daar onder aan mijn ruggengraat te zoenen. Ik keerde me naar hem toe en liet me door hem vasthouden. Hij zoende en zoende me en trok me achterover op het bed en toen zei hij tegen me dat ik hem, droom of geen droom, nu had wakker gemaakt en dat hij zin in me had.

We vreeën die ochtend zonder dat ik mijn pessarium in deed. Tom wist dat, in feite lag het aan hem. Ik maakte aanstalten het bed uit te gaan om het te halen, maar hij greep mijn hand beet en trok me terug. Laat maar, fluisterde hij terwijl zijn handen me dichter naar hem toe trokken en zijn been over me heen kwam, dat meen ik. Het geeft niet.

Het is de groene periode, waarschuwde ik hem, omdat ik in die ingewikkelde tijd een soort vruchtbaarheidsmeter gebruikte om te bepalen op welke dagen ik een voorbehoedsmiddel moest gebruiken.

Hij legde zijn vingers op mijn mond terwijl hij bij me naar binnen gleed.

Stil. Laten we een baby maken. Laten we dat kleine meisje maken – laten we Mary maken.

Drie weken later deed ik een zwangerschapstest en hij was positief. Zesendertig weken daarna hield ik haar in mijn armen. Mijn blonde meisje. Ik had haar zo gemist.

Dag Mary, zei ik.

Na de lunch liepen Tom en ik om de Notre Dame heen. Dat was wel iets echt toeristisch om te doen, maar we voelden dat we dat wel moesten doen omdat hij zo dichtbij was. De sneeuw was tegen die tijd vergaan tot bruine, teleurstellende pap die om de banden van alle voertuigen sopte. Langzamerhand schoven deze aaneen tot verkeersslingers, de voorbode van het trage, onverbiddelijke spitsuur van Parijs.

We gingen de kathedraal in. Binnen galmde het er als in een station en overal werden camera's gericht op het roze, blauw, paars en zwart van de ramen. Ze waren overweldigend om te zien, juwelen die in brand stonden nu de bleke middagzon door de kleuren heen naar binnen stroomde. Maar niemand keek ernaar, behalve door een lens.

Ik trok Tom aan zijn mouw.

Maar – mogen ze wel foto's nemen?

Hij haalde zijn schouders op en trok me tegen zich aan. Ik zie niemand die hen tegenhoudt, zei hij.

Ja, maar in een kerk?

Hij sloeg zijn arm om me heen en omknelde me stevig. Kom mee, zei hij, ik heb genoeg van deze plek. Ik voel dat het tijd is voor een siësta.

We liepen naar buiten langs een zee van kaarsjes en langs een helemaal in het zwart geklede vrouw die zich vasthield aan de rugleuning van een houten stoel en huilend kruisjes sloeg. Ik wist wat Tom dacht en ik meende te voelen dat hij me er snel langs trok.

Buiten was het bitter koud en de wind trof je achter in je nek. Er vlogen duiven over het plein en om ons heen klonk het getoeter van auto's. We stonden op de Pont Saint Louis waar het grijze water onder ons door stroomde. Tom huiverde en liet zijn hand in mijn jas glijden, op zoek naar mijn borst.

Zeg, die vent die je tegen het lijf liep, wat doet hij tegenwoordig en wat heeft hij hier te zoeken?

Ik weet het echt niet, zei ik naar waarheid.

Heb je hem dat niet gevraagd?

Kijk, zei ik, en ik realiseerde me dat de vroege ochtend nu zo was weggezakt dat hij niet langer als waar gebeurd aanvoelde, zo was het helemaal niet. We zagen elkaar maar een paar minuten. We hebben nauwelijks iets tegen elkaar gezegd. Het was echt raar.

Tom stopte zijn handen in zijn zakken en keek me nauwlettend aan. Ik realiseerde me dat ik geen flauw idee had wat hij dacht.

Weet je, hoe meer ik erover nadenk, hoe meer ik begin te denken dat het net zo goed een droom kan zijn geweest, zei ik tegen hem.

Tom zei niets en keek op zijn horloge.

Het is nu halfvijf in Londen. Wil je nu proberen Fin te bellen? Hij zou nu toch weer bij mijn moeder thuis moeten zijn – net aan.

Ik wist dat hij zijn best deed om aardig te zijn. Dus ik nam zijn mobiel, tikte het nummer in, drukte hem stevig tegen mijn ene oor, legde mijn andere hand tegen het andere oor en draaide me van de wind af. Er ging een boot onder de brug door en een eend zat ijverig te pikken aan iets wat onder water dreef. De eerste keer dat ik belde gebeurde er niets en ik moest opnieuw beginnen. De tweede keer kreeg ik de haperende stem van Toms moeder op het antwoordapparaat.

Hij is er niet, zei ik. Hij kan nog niet terug zijn. Dat geeft niet. We kunnen het in het hotel nog eens proberen.

Tom sloeg een arm om me heen en gaf me een zoen op mijn hoofd en ik omhelsde hem ook alsof ik het meende.

Je denkt dat niet echt, toch?

Wat denk ik niet?

Dat je je het hele voorval ingebeeld hebt.

Ik lachte en drukte mijn gezicht tegen zijn schouder, ging toen op mijn tenen staan om zijn nek te kussen. Daar rook het lekker, de peper- en zeepgeur van thuis. Maakt het wat uit? vroeg ik hem en ik hoorde mijn stem precies zo ontspannen klinken als ik had gehoopt.

Tom hield me op een afstandje en keek me nog eens aan. Ik wist niet wat hij hoopte te vinden. Ik probeerde standvastig terug te kijken.

Dat moet jij uitmaken, zei hij na een paar tellen. Ik bedacht me dat hij af en toe een taaie rakker kon zijn.

De hotelkamer was weer veel te warm. Er lag een chocolaatje op onze kussens, alle gordijnen waren opengetrokken en in de badkamer waren al mijn potjes en flesjes in een beklemmende halve kring opgesteld. Tom stopte allebei de chocolaatjes in zijn mond en frunnikte aan de airconditioner terwijl ik mijn schoenen uitschopte en op het harde en idioot strak opgemaakte bed ging liggen dat nu in appelgroen licht baadde. Ik draaide weer het nummer van Toms moeder en deze keer nam Fin op.

Voor ik nog maar een woord had kunnen zeggen, vroeg hij me of hij naar de wedstrijd van vanavond mocht kijken.

Welke wedstrijd?

Tegen Azerbeidzjan. Hij is om kwart voor tien afgelopen. Ik zal zorgen dat ik zo mijn bed in kan.

Wat zegt oma ervan?

Oma zegt – oma zegt dat ik het aan jou moet vragen.

Je bedoelt dat oma nee heeft gezegd?

Ik hoorde dat Fin zijn adem inzoog.

Ze is echt gemeen.

Ik rolde op mijn buik en stopte mijn vingers in het onmogelijk dikke witte tapijt.

Lieverd, zei ik, lieve Fin, dit is niet eerlijk. Dat weet jij ook wel. Je mag ons niet tegen elkaar uitspelen. Het is nu aan oma om hierover te beslissen.

Tom keek me geërgerd aan en ik schudde mijn hoofd tegen hem om te laten zien dat ik heus niet toe zou geven. Fin snoof.

Maar ze zei dat jij maar moest beslissen! zei hij.

Is oma er?

Nee.

Waar is ze?

Kweenie.

Maar, schatje, dat moet je toch weten. Is ze weggegaan? Ze zou nooit weggaan zonder je dat te zeggen. Ze heeft je vast wel gezegd waar ze heen ging.

Ik weet het niet meer.

Fin – nou goed nadenken. Wat zei ze?

Geen idee. Naar de winkel? Ja, ik denk dat ze zei dat ze naar de winkel ging.

Ik zuchtte omdat ik wilde dat Fin wat meer aandacht voor zijn omgeving had.

Moet je horen, zei ik, ik zou hier later met oma over kunnen praten, dat kan ik natuurlijk doen, ik kan haar opbellen – ik keek naar Tom die zijn hoofd schudde en 'nee' gebaarde – maar het is de bedoeling dat papa en ik hier met vakantie zijn, er even uit zijn. We proberen wat uit te rusten.

Ik hoorde Fin zuchten aan de andere kant van de telefoon.

Dat weet jij ook wel, zei ik, en het was eventjes stil aan zijn kant. Ja toch? zei ik.

Goed dan, zei hij met een stem die meestal duidde op het begin van een boze bui.

Tom ging op het andere bed zitten en liet zijn handen over mijn benen omhoogglijden. Toen ik afscheid had genomen van Fin en de hoorn had neergelegd, zoende hij me en zijn adem rook naar chocolade. Ik keek hem aan.

Wilde jij niet even met hem praten? zei ik, ook al kende ik het antwoord al. Hij glimlachte lui en haalde zijn schouders op.

Ik ben met vakantie, zei hij.

Je moeder was weggegaan, vertelde ik hem, en Fin heeft geen idee waar ze is. Hij luistert gewoon niet. Hij is hopeloos. Het is net of een deel van hem altijd ergens anders is.

Dat heeft hij van niemand vreemd, zei Tom.

Wat bedoel je daar nou weer mee?

Kom hier, zei hij en deze keer proefde ik nog meer chocolade op zijn tong.

We vreeën snel en gedachteloos, op de manier die we bewaarden voor de vakantie of late nachten als we thuiskwamen van een feestje of een restaurant of gedronken hadden of zoiets.

Eerst voelde ik me lui en ik had er niet erg zin in, maar tegen de tijd dat hij helemaal op me was gaan liggen, me ruw betastte, in me kwam en iets in mijn oor fluisterde, was ik verbaasd hoezeer ik behoefte had om klaar te komen. Misschien had het iets te maken met de lunch en de wijn of misschien met het harde hotelbed en de absurde belichting. Het was een snel, keurig orgasme en zodra ik klaar was met het mijne, kreeg hij het zijne – hij kreunde, hield mijn heupen met zijn handen vast, terwijl hij zijn hoofd omdraaide en op de een of andere manier vertrok naar een andere plek. Ik voelde me droevig toen ik hem zag weggaan.

Een paar secondes zwaar ademen en wegzinken en toen schoven we uit elkaar – het was ook zo heet in de kamer – en hij nam gedachteloos mijn hand in de zijne, drukte hem even en liet hem weer los.

Meisjelief, mompelde hij en ik wist dat hij binnen tien tellen in slaap zou zijn.

Ik heb een periode gehad, nadat we de kinderen hadden gekregen, dat ik niet meer wist waar seks voor diende. Het was niet dat ik ooit had gedacht dat de daad er alleen voor was om baby's te maken – bovendien hadden Tom en ik onze lekkerste seks gehad voor we zelfs nog maar dachten aan het maken van Jack.

Maar nu leek het zinloos, bijna egoïstisch geworden – alleen maar een zoektocht naar individueel genot, een genot dat op de een of andere manier was verminderd door de wetenschap dat we het altijd gemakkelijk konden krijgen en geven, zonder enig probleem. Tom en ik waren altijd in staat geweest elkaar te laten klaarkomen. En wat dan? dacht ik. Wat nu, verdomme?

Ik wou dat je met me praatte, zei ik vaak tegen hem.

Wat? Ervoor of erna?

Allebei?

Waar moeten we het dan over hebben? zei hij, half voor de grap en hij bedoelde dat echt niet onvriendelijk, maar het was alsof hij echt niet verder kon kijken dan het gemakkelijke feit van onze twee lichamen op bed.

Een keer barstte ik meteen erna in tranen uit.

Tom schrok zich een hoedje en ik ook.

Wat is er? Nic, wat is er?

Wat is dit? vroeg ik hem door mijn tranen heen. Wat zijn we aan het doen? Wat is dit nu precies?

Hij lachte, ging achterover liggen en raakte mijn dijbeen aan, gewoon een korte aanraking die geruststellend was bedoeld.

Het is geweldig, dat is het, zei hij. Het is geweldig.

Ik weet wat jij zou moeten doen, zei Tom, toen ik van de wc terugkwam. Hij was op zoek naar de afstandsbediening om de tv aan te kunnen zetten.

Wat dan!

Ik was nog helemaal bloot en plakkerig tussen mijn benen, maar ik trok toch de gordijnen opzij en keek uit het raam. Het was buiten net aan het schemeren; de lucht was paars maar zou al gauw van kleur veranderen en de wereld zou er scherper en zwarter uitzien. Ik zag dat er in de kamer tegenover ons een licht aan was – het raam waar ik afgelopen nacht of vanochtend vroeg de vrouw had gezien.

Jij moest maar eens een stapeltje papiergeld uit mijn portefeuille pakken, je warm aankleden en naar de dichtstbijzijnde patisserie gaan om er een stuk of zes chocoladegebakjes met room te halen.

Ik draaide me naar hem toe en glimlachte. Dat was echt iets voor Tom om te bedenken.

En ook iets voor jezelf, zei hij en ik begon te lachen.

Hebbes, zei hij toen hij de afstandsbediening onder het bed zag liggen. Bloemen, parfum, wat dan ook. En een fles champagne als je die kunt vinden. Ik denk dat ik in dat ene straatje, dat je inloopt voor je linksaf slaat om hier te komen, een winkeltje zag.

Les veilles en nog wat?

Die bedoel ik.

Ik liet het gordijn terugvallen en draaide me naar hem om.

We kunnen nu geen champagne drinken, zei ik.

O nee? Waarom niet?

Dan worden we veel te dronken. Of ik tenminste. We gaan later toch nog wat eten?

Tom zette de tv aan, vond het blauwe menu met de kanalen en tuurde ernaar.

Spreek voor jezelf. Ik ben met vakantie. Ik heb er totaal geen moeite mee champagne voor het diner te drinken.

O, zei ik en misschien werd mijn geheugen opgeschrikt door het woord vakantie. We hebben Jack niet gebeld.

Dat probeer ik wel als jij weg bent. Hij zal toch wel niet willen praten.

Goed, zei ik, omdat ik wist dat het klopte wat Tom zei en ook omdat het me een raar gevoel van blijdschap gaf als hij met de jongens wilde praten. Ik trok mijn onderbroek aan.

Ga je je niet wassen? zei hij.

Later.

Viezerikje. Ongewassen op jacht naar gebak. Schiet nu maar op, ik kan er niet eeuwig op wachten.

Ik nam de lift die al klaarstond en ik zoefde in één keer door naar de foyer waar de open haard met de witte kiezels stond te flakkeren; eromheen zaten mensen met cocktails in de hand. Ze zagen eruit alsof ze van buiten waren gekomen of anders op weg naar buiten waren, met hun jasjes en jassen over de arm, en een feestelijke uitdrukking op hun gezichten. Ik kon vagelijk een elektronische jazzfunk beat horen en het geruis van vloeistof en ijs die aan de bar door elkaar werden geschud en een paar tellen bleef ik daar gefascineerd staan. Een deel van me had zo Tom en zijn gebakjes kunnen vergeten en had, ook al was ik nog plakkerig van de seks, stilletjes naar de bar kunnen lopen, op een hoge kruk gaan zitten, mijn voeten onder de stang laten glijden en een drankje bestellen dat ik op de cocktaillijst kon herkennen.

Maar dat deed ik niet. In plaats daarvan draaide ik me om en liep het hotel uit.

Het meisje aan de balie – een andere dan die van de ochtend – glimlachte naar me, net als de jonge tweetalige man die daar in zijn schone witte jasje met haar stond te praten. Ze hadden een lome, tevreden uitdrukking op hun gezicht, alsof ze hun werk niet onprettig vonden maar ook alsof er aan het eind van hun dag een bijzonder en interessant pleziertje op hen wachtte.

Er stonden koffers in de hal opgestapeld, alsof er iemand was aangekomen of op het punt stond te vertrekken. Er was iemand aangekomen, concludeerde ik. Toen de glazen deuren uiteenweken, trof de kou me met zo'n kracht dat hij de witte wolk van mijn adem weer mijn keel in sloeg.

Jij en ik gingen een keer wandelen. Het was toen helemaal niet koud, niet zoals nu. Het was nu, in feite een broeierige zomernacht, zo'n windstille nacht waarop het om middernacht nog heet is in de stad. Zo was het vrijwel het hele zomertrimester geweest – dag na dag, nacht na nacht – het soort eindeloos heet weer dat maakt dat de lucht korrelig aanvoelt, dat jongens er toe zet overdag bier te drinken en dat het iedereen onmogelijk maakt 's nachts de slaap te vatten, zelfs zozeer dat uiteindelijk niemand meer de moeite doet dat nog te proberen.

Het huis heeft een plat dak met een laag betonnen muurtje eromheen. Het is moeilijk om erop te klimmen, maar als je eenmaal boven bent, is het de moeite waard. Je ziet er alleen maar de lucht en tv-antennes, je hoort er alleen het geluid van verkeer in de verte en zo nu en dan het trieste geluid van een radio.

Op een uitzonderlijk hete nacht nemen we met negen of tien man bier en dekens mee naar boven. Simon en ik zijn er, jullie jongens met z'n zessen uit het huis en nog een paar andere mensen van wie ik de naam niet weet. Er wordt een joint doorgegeven en we liggen daar boven tussen de schoorstenen met uitzicht over de stad tot de *Downs* en lachen, praten, roken en drinken en een paar van jullie worden beroerd.

Jij bent bij mij in de buurt, dat weet ik, dat weet ik altijd, maar je zegt niets tegen me. Dat is heel gewoon. Het is een tijdje na onze nacht met het parelsnoer – op z'n minst zes maanden – en er is daarna nooit meer iets tussen ons gebeurd en ik denk dat het ook niet meer zal gebeuren. Ik zeg tegen mezelf dat het me niet kan schelen en de meeste tijd slaag ik er bijna in ook te geloven dat dit klopt en in feite lijkt die nacht nu even onwaarschijnlijk als dat het vanmorgen gesneeuwd had.

Nu is het heet, een heel ander seizoen; ik ben net twintig geworden en ik heb sindsdien met een paar andere jongens gezoend, hoewel geen van hen nog maar voor de helft zo speciaal of goed was. De hele tijd is het net of ik op de een of andere manier probeer mezelf immuun voor jou te maken – alsof jij een ding bent waar iemand echt voorzorgsmaatregelen tegen kan treffen. Je had erom gelachen als je dit wist.

Maar nu vannacht ben je vlak bij me, op het dak. Ik kan voelen dat je kijkt, of ik kan tenminste voelen waar je blik op zou kunnen vallen. Keek je maar. Iedere keer dat jij je beweegt, voel ik dat, ik voel de mogelijkheden van wat je nu zou kunnen gaan doen. Uiteindelijk draai ik me echter van je weg, misselijk van het gespannen gevoel dat ik hiervan krijg. Ik schuif zo ver mogelijk weg van jou.

Hoewel het nacht is, is de lucht licht, verlicht door iets wat we niet kunnen zien. Het zachte mysterieuze licht van de stad. Iemand heeft een gitaar meegenomen en telkens als er een vliegtuig overkomt, worden de muziek en het gepraat overstemd. Feitelijk gaat het gesprek nergens heen en hoewel ik dat in het begin leuk vond – de pure romantiek van wij met ons allen daarboven in een hete nacht en het luie gevoel dat je niet zo erg je best hoeft te doen als je mensen goed kent – word ik op het laatst rusteloos en dwalen mijn gedachten af. Ondanks of dankzij het feit dat jij ook daarboven bent, besluit ik dat ik er genoeg van heb. Ik weet dat het niet lang zal duren of iedereen is stoned en dan zal het gepraat wegsterven en zal niets meer zin hebben.

Hé, waar ga jij naartoe? vraagt iemand me als ik onvast opsta en mijn roodbonte kaasdoeken rok langs mijn benen naar beneden trek.

Wandelen, zeg ik zonder achterom te kijken. De lucht is zo heet, ik word er duizelig van. Ik friemel aan het luik om weer naar beneden het huis in te klimmen.

Ik ga met je mee, zegt een stem die ik herken; ik kijk om en ik realiseer me met een golf van verbazing dat jij het bent.

We lopen en lopen maar door die hete harde nacht. We zeggen weinig tegen elkaar. Dat kan me niet schelen. Ik voel me in staat te wachten tot jij wat zegt, toenadering zoekt, ook al heb je je handen in je zakken, en is je gezicht een bleek masker, waar onmogelijk iets van af te lezen valt. Misschien komt het omdat in die tijd het leven een steeds groter wordend raadsel voor me is, of omdat we niet verder af konden staan van de mensen die we waren in de nacht van het parelsnoer, maar op de een of andere manier is het heel bijzonder voor me dat je hier naast me loopt.

We lopen door de lelijke Victoriaanse straten het *Georgian* deel van de stad in, langs huizen die zo dik bedekt zijn met blauwe regen dat de geur ervan je doet bezwijmen als je erlangs loopt. Zelfs weg van het huis, hier in de straten, heeft de nacht een paarse tint – alsof ergens vandaan een vreemd licht over ons wordt uitgegoten.

We lopen midden over de hoofdstraat waar de pubs nog steeds leeglopen, mensen elkaar beetpakken en tegen elkaar schreeuwen en een man staat te kotsen in de goot bij de *Lloyds*-bank. Ik realiseer me dat ik blij ben met je gezelschap omdat ik in mijn eentje echt niet zo ver had durven lopen – ik zou waarschijnlijk na een paar straten zijn omgekeerd. Maar dat zou ik natuurlijk nooit tegen je zeggen.

We lopen langs de rand van het plein en uiteindelijk, nog steeds zwijgzaam, over de brug en ik meen dat we daar stilstaan, met onze blote armen op de reling leunen en naar beneden kijken – liever overal elders heen dan naar elkaar – en je vertelt me over je broertjes en hoe jij je zorgen over hen en je moeder maakte toen je vader was overleden. Ik weet niet waarom je mij deze dingen vertelt, maar je doet het. Ik kijk naar je gezicht en kan er zoals gewoonlijk niets van aflezen, maar de woorden blijven maar komen. Ik ben duizelig, bedroefd, blij. Op de een of andere manier weet ik dat je dit nooit aan iemand anders hebt verteld.

Ik denk dat ik je toen waarschijnlijk heb verteld over die middag in Italië en het ogenblik dat ik de afgrond leerde kennen – omdat ik me herinner dat je me verbaasd en met een blik van herkenning aankijkt en dat je zegt dat het ongelofelijk is, omdat jij dat ook hebt meegemaakt. Je kent dat gevoel van wanhoop, dat de wereld zwart wordt en kantelt. En ik kan opmaken uit de manier waarop je het zegt – hortend en stotend – dat je dit niet verzint om met me mee te kunnen doen of om mij jou aardig te laten vinden of zoiets. Ik geloof je volkomen – ik geloof dat je weet hebt van het gevoel dat de wereld zozeer uit zijn baan zwaait en kantelt dat je eraf kunt worden gegooid. En ook al zeg

je niets om me gerust te stellen, ik voel me getroost. Jij hebt er
ook weet van.

We staan daar een poosje langer in stilte.

Het is zo allemachtig heet en mensen in auto's schreeuwen en
toeteren als ze over de brug heen racen. Eerder deze maand is er
een student afgesprongen en overleden. Een eerstejaars. Ik ken
de getallen niet van hoeveel mensen er per jaar afspringen, maar
het zijn er veel, meer dan je denkt. Jij hebt alleen een dun, gescheurd T-shirt aan. Ik heb een oude katoenen trui, bij een lief-
dadigheidswinkel gekocht, om mijn schouders gegooid. Mijn
vieze voeten steken in slippers. Ik wacht tot je me kust of tot je
nog iets zegt, maar dat doe je niet. In plaats daarvan staan we
daar nog een paar tellen zwijgend naast elkaar en dan glimlach
je alleen tegen me en zonder iets te zeggen draaien we ons om en
lopen het hele eind terug naar het huis.

Voor de eerste patisserie die ik tegenkwam in de *Rue vieille du
Temple,* stond een lange rij mensen tot buiten aan toe en het was
veel te koud om daar te gaan staan wachten. De tweede zag er
min of meer gesloten uit en er lag een armzalige selectie gebakjes in de stoffige etalage. Ik keek rond naar een winkel die mogelijk champagne zou verkopen, maar kon er geen ontdekken dus
ik besloot om dan maar in de andere winkels rond te kijken – er
waren er die tassen, antiquiteiten en kaarsen verkochten en er
was een helemaal wit geschilderde winkel die allerhande soor-
ten thee verkocht.

Ik tuurde door de etalage en zag een vrouw met zwart haar
in de telefoon praten en lachen. Ze zag me kijken en draaide
haar rug naar me toe. De deur ernaast was een winkel die er wat
vriendelijker uitzag met Nijntje Pluis, figuurtjes uit Kuifje strip-
boeken en gelakte houten marionetten in de etalage, maar zelfs
Fin was tegenwoordig te oud voor dat soort speelgoed. Ik moest
een winkel zien te vinden die spullen verkocht die met voetbal of basketbal te maken hadden. Een Frans voetbalshirt zou
een geweldig idee zijn, maar dit zag er niet uit als een straat vol
sportwinkels. Wat Jack betreft, het was nu helemaal ondoenlijk
geworden voor hem iets geschikts te kopen. Ik besloot dat zijn

cadeau dan maar de chocolade moest zijn die wij op het *Gare du Nord* hadden gekocht.

Sommige winkels leken gesloten, andere deden duidelijk de deuren weer open voor de avondverkoop. Het was nu helemaal donker en er viel sneeuw uit de marineblauwe lucht, maar deze was zo fijn dat hij in het romige licht van de lantarens meer op stof of poeder leek. Ik koos mijn weg zorgvuldig over het trottoir waarop de meeste sneeuw van vanmorgen samengebald was en verhard tot ijs. Ik deed mijn best niet uit te glijden en tegelijkertijd vroeg ik me af waarom mijn hart zo bonkte, echt tegen mijn ribben sloeg. En toen wist ik het.

Toen ik de hoek omsloeg naar de *Rue de la perle*, stond je daar. Jij stond daar gewoon in de vallende sneeuw – recht voor je uit starend, je ogen gericht op de koude lucht, alsof je op mij stond te wachten. Wachtend op mij, maar toch – je kon toch onmogelijk weten dat ik die hoek zou omslaan?

Deze keer ben ik zo geschrokken dat mijn knieën het bijna begeven. Een hete pijn schiet van mijn buik naar mijn borst. Niets ter wereld had me hierop kunnen voorbereiden: de tweede keer op een dag. Jij. Ik maak een geluidje maar ik weet niet hoe het klinkt.

Hé, schatje, zeg jij en je kijkt me recht in het gezicht aan, tenminste dat denk ik.

Je lijkt niet verrast om me te zien. Deze keer draag je een lange leren jas en je hebt je handen diep in de zakken gestoken. Overal in je blonde, maar grijzende haar zit sneeuw en ook een beetje op je bril en de sneeuw smelt waar hij op het leer van je jas terechtkomt. Je hebt geen das om en je ziet er ondanks je jas een beetje koud uit, hoewel het niets is vergeleken met hoe koud je eruit kon zien in de tijd dat je geen jas had.

Ik staar je aan en deze keer voel ik me bijna bang. Alsof je dit beseft en begrijpt, doe je snel een stap naar voren en je heft je hand op naar me.

Niet doen. Niet weglopen, zeg je zachtjes.

Ik had graag iets terug willen zeggen. Ik had graag mijn stem voldoende terug gehad om je eraan te herinneren dat ik niet degene ben die de gewoonte heeft weg te lopen, maar de woorden willen niet komen. Ik voel hoe ik mijn hand op mijn mond leg. Een vrouw in een oranje jas loopt haastig langs me heen, slaat met haar tas tegen me aan, mompelt wat en ik doe een stap achteruit, van het trottoir af. Als ik er weer op stap, vloekt iemand anders en rinkelt een fietsbel.

Je doet een stap dichter naar me toe.

Het spijt me, zeg je, en je stem is zacht en warm. Echt, het was niet mijn bedoeling je angst aan te jagen.

Ik zeg niets, maar ik kan niet weglopen en ik kan nog steeds geen woord uitbrengen. Het begint nu harder te sneeuwen met grotere vlokken, die bruinzwart langs de gebouwen zweven. Ze komen in je gezicht. Als ik me van je af zou draaien, zouden ze mijn gezicht bedekken zodat ik niets meer zou kunnen zien.

Kom – je steekt een hand uit, pakt de mijne en jouw aanraking en rukje zijn zo licht maar zo onmogelijk om te weerstaan – laten we hier naar binnen gaan waar het warmer is.

Je legt je ene hand op mijn arm en in een paar tellen ben ik me ervan bewust dat je me op de een of andere manier een bar in hebt geloodst, een kleine donkerbruine bar helemaal volgestouwd met mannen, er speelt muziek en er staan drie of vier snorren achter de toog.

Je brengt je mond vlak bij mijn oor. Ik kan niet horen wat je zegt, dus zeg je het nog eens en ik kan je nog steeds niet verstaan. Ik ben zo geschokt het geluid van je stem te horen en je hete adem tegen mijn oor te voelen dat ik van top tot teen begin te rillen. Je pakt nogmaals mijn hand en leidt me naar boven, langs een trappetje naar een plek met twee stoelen, waar de muziek niet zo hard klinkt en vanwaar je naar beneden kunt kijken naar wat daar gebeurt.

Ga zitten, zeg je, maar als jij je omdraait om weer naar beneden te gaan, kan ik het niet laten om te zeggen: alsjeblieft, ga niet weg!

Je glimlacht. En je trekt dan als antwoord gewoon je jas uit en legt hem op mijn schoot, waar hij zwaar en vochtig warm en echt blijft liggen. Dan ga je de trap af. Ik zie de achterkant van je hoofd verdwijnen en dan raak ik de jas aan – ik voel het gewicht ervan, het gevoel van leer. Ik aai het zijden label. De naam die erop staat is onbekend en ouderwets en is mogelijkerwijs Amerikaans.

Seconden tikken voorbij, misschien wel een minuut, maar voor ik me ongerust kan maken, ben je terug en zet je een helder koud drankje voor me neer.

Wodka, zeg je en ik voel hoe je tegen me glimlacht. Drink op.

Ik staar naar het glas maar doe niets dus pak jij mijn handen, trekt mijn handschoenen uit en legt ze naast het glas op de tafel. Dan leg je mijn beide handen om het glas.

Ik schiet ondanks alles in de lach, ik kan er niets aan doen. Hoewel je me aanraakt, voel ik niets.

Het is koud.

Sorry.

Ik vind het lekker, zeg ik.

Ja?

Ja, echt, ik vind wodka lekker – maar hoe wist je dat?

Weer glimlach jij.

Wat gebeurt er allemaal? vraag ik aan jou.

Dat zijn de eerste echte woorden die ik tegen je kan uitbrengen.

Waarom ben ik hier?

Ik ben degene die dit zegt maar we hadden het allebei kunnen zeggen. Jij had het kunnen zeggen. Want wat zijn we hier beiden aan het doen in deze bar na meer dan twintig jaar? Jij zegt niets, je houdt je ogen op me gericht en neemt een grote teug van jouw drankje, zet het dan terug op de tafel en houdt je beide handen eromheen, en nog steeds zijn je ogen op mij gericht alsof ze mij niet los kunnen laten.

Ben je mij gevolgd? vraag ik je dan, hoewel die mogelijkheid nu pas bij me opkomt. Je kijkt me aan en je schudt je hoofd.

Dommerdje, natuurlijk niet. Hoe kun je je dat nu in je hoofd halen?

Maar –

Ik moest je zien. Het spijt me, maar zo ligt het nu eenmaal. Ik moest je per se zien.

Waarom?

Omdat – ik weet niet waarom. Of, dat weet ik wel, maar –

Maar – vanochtend?

Vanochtend?

Toen verdween je opeens. Je liet me zitten.

Je kijkt verbaasd.

Ja? Nou, oké, het spijt me. Ik draaide door, zeg jij, en je glimlacht een beetje tegen me, alsof daar alles mee gezegd is.

Ik was zo bang, fluister ik tegen je over de tafel heen.

Ik kijk naar je gezicht en het is zo vreselijk bleek. Je ziet eruit alsof je duizend jaar in een grot hebt doorgebracht. En misschien heb je dat ook wel. Net op dat ogenblik zet jij je bril af, wrijft door je ogen en opeens zie je er bijna precies uit zoals je was. Ik vind je haar te gladjes, te veel naar achteren geborsteld. Ik wil het door de war halen – dan versleten kleren eraan toevoegen en het beeld zou compleet zijn. Jij zou weer jij zijn.

Bang? Je spreekt het woord uit alsof dit je verbaast.

Je hebt er geen idee van hoe bang ik was, zeg ik weer.

Ik weet het wel. Baby, het spijt me, het was gewoon – ik wist niet meer wat ik moest doen.

Baby. Mijn hart springt weer op.

Ik wil je helemaal niet bang maken, integendeel, zeg je tegen me, en opeens zie je er oud en vermoeid uit. Ik meen het, Rosy. Als ik je bang maak, ben ik verloren. Jou bang maken is wel het laatste wat ik zou willen doen.

Wat dan? zeg ik, waar ben je mee bezig? Hoe heb je me hier gevonden? Wat gebeurt er? Probeer nu niet net te doen alsof dit uit mijn koker komt, want dat is niet zo, ik heb hier absoluut geen hand in gehad – en dit is allemaal niet normaal. Ik snap niet –

Maar je geeft geen antwoord op mijn vragen. Je kijkt naar de mensen beneden in de bar en dan weer naar mij.

Het is allemaal niet zo eenvoudig, zeg jij uiteindelijk.

Vertel mij wat, antwoord ik en je lacht.

Je bent geen spat veranderd, Rosy.

En, zeg ik, dit negerend, woon jij hier?

Je lacht.

Ben je gek? Natuurlijk niet. Dat heb ik je toch gezegd. Ik spreek geen woord van dat kloteFrans. Daarom hebben ze hier zo'n hekel aan ons.

Dus –

Ik heb het je toch gezegd. Ik kwam voor jou.

Ik zet mijn glas neer en leun achterover in mijn stoel. Je ogen zijn op me gericht. Je blauwe ogen.

Kwam jij – voor mij?

Twee mannen in lange leren jassen en dikke wollen sjaals vragen in het Engels of ze aan de tafel achter ons kunnen gaan zitten; jij zegt 'Natuurlijk' en reikt ogenblikkelijk naar achteren om onze jassen van de stoel af te halen. De mannen steken meteen een sigaret op en op de kruk tussen ons in zakken onze twee jassen, de jouwe en de mijne, van wol en van leer, over elkaar heen. Ze doen denken aan twee mensen die amechtig en doelloos tegen elkaar aan zijn gevallen. Ik vraag me af of later de mijne naar de jouwe zal ruiken, of dat er geen spoor op achter zal blijven. Geen spoor, besluit ik – en realiseer me met een schok van verbazing dat ik geen spat vertrouwen heb in de echtheid van deze ontmoeting, in feite nog minder dan in onze vorige ontmoeting. Ik heb bijna mijn glas leeg.

Je hebt me niets verteld, zeg ik, en je kijkt effen en je zegt tegen me dat je dat weet.

Ik moet er straks vandoor, naar mijn hotel.

Echt?

Deze keer kijk je wel enigszins verbaasd – alsof je denkt dat ik iets ben wat jij hebt opgeroepen, in plaats van andersom.

Natuurlijk moet ik terug. Mijn – iemand zit op me te wachten.

Je man?

Zoiets.

Je haalt diep adem en kijkt naar je vingers. Je hebt stevige handen, sterke handen, niet zo heel groot. Ik weet zonder er maar over na te hoeven denken dat ze merkwaardig ruw zullen aanvoelen. Ik weet nu al dat je als we hier samen zouden weggaan en ik je het zou toestaan, je vingers met de mijne zou verstrengelen, vlees vermengd met vlees – en dat we op die manier samen de straat uit zouden lopen.

Ik heb hier nog een van nodig, zeg je en je pakt je glas op. Dat geldt ook voor jou.

81

Ik zeg niets maar ik spartel niet tegen. In een normale situatie zou ik uit beleefdheid aangeboden hebben het volgende rondje te halen, maar hier gaat het niet om beleefd zijn of normaal en bovendien ga ik voor geen goud naar beneden de bar in. Ik maak aanstalten om op mijn horloge te kijken maar dat doe ik niet, omdat ik er een paar seconden geleden al op gekeken heb en ik precies weet hoe laat het is. Ik denk dat Tom naar CNN zit te kijken. Of misschien slaapt hij wel, met zijn mond een beetje open en zijn armen wijd uitgespreid. Hij zal zich nog geen zorgen maken. Hij weet dat ik van winkelen houd. Ik weet dat hij na het vrijen graag slaapt.

Een andere reden om te besluiten te blijven – als je andere redenen nodig hebt – is dat ik weet dat je gauw weer bij me weg zult gaan. Er zal geen sprake van zijn dat we deze bar samen zullen uitlopen – zoveel is me al wel duidelijk geworden. Ik kan het ogenblik al voelen waarop ik zal moeten opstaan en mijn tas en jas pakken en mijn weg naar buiten zal moeten zoeken, terwijl ze me allemaal aan zullen staren met die openlijke Franse nieuwsgierigheid: een vrouw alleen in een vertrek vol mannen. Ik weet dat wat ik ook doe, wat er ook tussen ons of om ons heen zal gebeuren, je toch binnenkort zal vertrekken. En omdat ik dit weet, ben ik bijna verbaasd dat je terugkomt met twee wodka's.

Maar het is ook weer zo dat je jas nog hier ligt.

Dank je, zeg ik en vraag me af hoe ik in godsnaam aan Tom kan uitleggen dat ik gedronken heb.

Weet je dat je wodka niet in je adem kunt ruiken? vertel je me alsof je mijn gedachten hebt gelezen.

Echt waar? Ik heb altijd gedacht dat dat een fabeltje was.

Als ik wijn heb zitten drinken met Tom en ik probeer Fin een nachtzoen te geven, trekt hij altijd een vies gezicht en draait zich van me af. Ik weet niet of dat ook voor wodka opgaat, aangezien ik haast nooit wodka drink, ook al vind ik het lekker. Tom raakt geen druppel sterke drank aan, alleen wijn of bier of – ik walg daar geregeld van – Fanta en Cola.

Wodka met vanille en cola light, zeg jij dan. Dat is mijn favoriete drankje.

Je meent het, zeg ik en onwillekeurig denk ik dat dat misschien je recente stevige omvang verklaart.

Ja.

Dat is mij veel te zoet. Ik houd niet van zoete drankjes. Zelfs in de koffie lust ik geen suiker –

Ik aarzel omdat ik me deze ochtend herinner, de asbak met twee peuken, daarna de lege asbak, het ene koffiekopje, de zuiver witte sneeuw buiten.

Tom, mijn – man – drinkt cola, voeg ik er snel aan toe, maar ik snap niet hoe hij dat kan. Ik vind het smerig.

Jouw man of zoiets, zeg jij.

Ik glimlach. Ja, mijn man of zoiets.

Zijn jullie niet getrouwd?

Nou, kijk, dat is een lang verhaal.

Dat wil ik graag horen, zeg jij, en je glimlacht en gaat er eens goed voor zitten.

Nu niet, alsjeblieft.

Oké. Een andere keer, goed?

Zal er een andere keer komen? Zal ik je weer terugzien?

Ik stel deze vraag vrij bot en ik wacht op wat jij te zeggen hebt. Je kijkt me strak aan, er volgt een korte stilte en dan zeg je: Rosy, o, Baby.

Waarom noem je me zo? vraag ik.

Bedoel je 'Baby'?

Ja. Waarom doe je dat?

Je legt je onderarmen op de tafel en leunt naar me toe en een paar tellen ben je bijna de oude jij.

Weet je het niet meer?

Ik weet het niet.

Ik moet je iets zeggen, zeg jij, ik moet je iets vragen. Ik moet het nu doen anders doe ik het nooit meer.

Ik glimlach, omdat je er plotseling bang uitziet en het idee dat jij zenuwachtig kunt zijn, is nieuw voor me. Maar dat lijk je nu wel te zijn – zenuwachtig, angstig, bang. Ik wacht af en jij neemt een slokje van je drank.

Het is – nou ja, het is iets geks en – maar het is iets wat me niet loslaat en nou, als ik het nu niet tegen je zeg, dan weet ik zeker dat het me blijft achtervolgen.

83

Ik doe mijn ogen dicht omdat ik plotseling weet wat je gaat zeggen.

Er was eens lang geleden een nacht.

Ik wacht. Ja?

Een nacht waarop een bepaalde dame zo vriendelijk was haar kamer met mij te delen omdat het –

Uitzonderlijk koud was, zeg ik en jij lacht.

Uitzonderlijk en verdomde koud, ja, en –

Ga door, zeg ik en ik houd mijn adem in.

Nou, misschien had ze een beetje te veel gedronken – Rosy, je weet toch wat ik nu tegen je ga zeggen?

Ik kijk naar je gezicht en ik voel een stilte over me komen, een dergelijke vreemde, zuivere en welkome stilte heb ik, denk ik, nooit gevoeld – voor of na al het verschrikkelijke in ons leven. Ja, wil ik fluisteren, ja, ja. Maar in plaats daarvan zeg ik vlug: dat had ze niet.

Wat?

Ze had niet te veel gedronken.

Nee?

Nee, vertel ik je, in die tijd dronk ze vrijwel niet.

Je kijkt me bedachtzaam aan.

Ben jij getrouwd? vraag ik nu aan jou, omdat ik dat echt moet weten.

Weer kijk je naar je handen op tafel en je schudt je hoofd.

Niet meer.

Kinderen?

Een zoon. Een grote zoon nu. Bijna achttien. Hij woont bij zijn moeder.

Zie je hem wel?

Niet genoeg, nee, nooit genoeg.

Ik zucht diep en ik realiseer me dat ik blij ben dat je mij niet vraagt hoeveel kinderen ik heb, omdat ik niet over Mary wil praten, niet nu, en ik denk niet dat ik het over mijn lippen kan krijgen om te zeggen: alleen de twee – twee schattige jongens, een grote en een kleine.

De parels, zeg ik dan, om je op weg te helpen, herinner jij je de parels?

Je kijkt me aan en begint te lachen.

Denk je dat ik zoiets kan vergeten? De parels, de prachtige parels. Het was allemaal de schuld van de parels.

O ja?

Rosy, je moet me één ding vertellen, is het je opgevallen hoe deze straat heet?

Ik sta op het punt om nee te zeggen maar dan schiet het door mijn hoofd en ik hoor mezelf de straatnaam noemen: *Rue de la perle*!

Je glimlacht, maar voor je iets kunt zeggen, doe ik iets dappers. Ik raak jouw vinger met de mijne aan.

Ik wil dat je iets weet, zeg ik. Ik wil dat je weet dat ik die nacht broodnuchter was, dat wat ik deed volstrekt niet met drank te maken had –

Je steekt je andere hand uit om mij tot zwijgen te brengen en als je praat, is je stem laag en schor: stop. Stil. Ik meen het, ik hoef dit niet te horen. Genoeg.

Luister alsjeblieft, dit is belangrijk, zeg ik. Het is heel belangrijk voor me dat je dat weet. Die nacht was –

Ik heb altijd aan je gedacht, Rosy.

Ik staar je aan. Je zoekt in je zak naar een pakje sigaretten en je haalt er eentje uit.

Echt waar? zeg ik en ik wil van verrassing zowat lachen. Maar het is al zo lang geleden. Heb je werkelijk al die tijd aan me gedacht?

Je houdt je sigaret in je ene hand, de aansteker in de andere en je kijkt me recht in de ogen.

De hele tijd. Ik heb al die tijd aan je gedacht.

Mary's geboorte was een fluitje van een cent. De hele zwangerschap was een fluitje van een cent, vanaf het heerlijk ongecompliceerde begin, van het eerste duidelijke, prikkelende gloeien van mijn borsten, tot mijn naar metaal smakende verhemelte 's ochtends, tot totaal niet tegen koffie, alcohol of tegen de geur van bepaalde zeepsoorten te kunnen, tot de eerste keer dat ik de vlinders van haar in mijn buik voelde.

Ik heb de zwangerschappen van de jongens heerlijk gevonden, de tweede keer nog ontspannener en heerlijker dan de eerste keer, maar ik kon in volle oprechtheid zeggen dat ik me nooit zo op mijn gemak had gevoeld met mijn zwangere ik als in deze tijd. Ik had er nooit zo lief en stralend uitgezien, precies zoals de natuur het bedoeld had. Ze zeggen dat je van een meisje misselijker wordt, maar dat klopte in mijn geval absoluut niet. Ik at verstandig en ik zwom hele einden in het zwembad en mijn gewicht nam op precies de goede manier toe, zozeer zelfs dat ze mij er bij de zwangerschapscontrole een compliment voor gaven. Ik barstte van de energie – ik ging door met dichten en begon plannen te maken voor het schrijven van een kinderboek. Ik dacht zelfs dat ik dat wel klaar kon hebben voor ze kwam. Uiteindelijk kwam er niets van terecht, maar ik bleef bijna al te opgewekt en levenslustig in mijn voelen en denken tot op het moment dat de weeën begonnen. Toen had ik de bevalling waar de meeste moeders alleen maar van kunnen dromen – weinig pijnstillers, de hele tijd gelach en al twee uur later een stroom water die als bij toverslag werd veranderd in mijn baby.

Mijn baby, mijn kleine meisje.

Dag Mary, zei ik.

Ze lag daar met haar bijna zeven pond in mijn armen met haar hoofd lichtjes opzij gedraaid en ik bewonderde het blonde dons op haar hoofd, de kleine aderen die kriskras door haar zijden huid heen schenen. Haar ogen sloten zich toen en ze haalde lichtjes adem en zuchtte. Haar lippen weken uiteen en er kwam een bel – een witachtige doorzichtige bel, gemaakt van mijn melk. Ze sliep met haar vingertjes in de lucht gestoken, alsof ze naar iets verbazingwekkends en moois wees wat niemand kon zien.

Ze kwam in de winter maar de dagen gingen snel voorbij en het was al gauw lente. De volmaakte tijd voor nieuwe baby's. Het werd langer licht en al gauw kon ik de bovenste deken van de kinderwagen weglaten. De kamer was overgoten met zonneschijn maar ze werd nog steeds in bed gelegd voor haar ochtendslaapje en ze sliep ook. Op warmere dagen zette ik haar kinderwagen in de tuin onder de appelboom. Ik legde mijn gezicht zo dicht mogelijk naast het hare en probeerde me voor te stellen hoe het zou voelen om wakker te worden onder die bladerboog en door de bloesem heen naar de blauwe hemel te staren.

Ze sliep en ze werd wakker en ze at en ze sliep. En tussendoor? Nou, tussendoor staarde ze alleen maar naar mij. Ik had er geen idee van wat ze dacht maar ik kon de contouren zich zien vormen in haar hoofd, de vragen, de ideeën. Haar ogen hadden een kleur die bijna niet te beschrijven was, blauw maar niet helemaal, bijna violetachtig blauw – de regenboog die in de goot ontstaat als er olie op straat is gemorst. Misschien niet zo'n romantische beschrijving, maar de enige manier die ik kon bedenken om de unieke kleur van mijn baby's ogen te beschrijven.

Ze lachte vroeg. Meestal lachen baby's met ongeveer zes weken, maar net als onze Jack lachte Mary met drie weken. Het was geen krampje, het was geen toevalstreffer, het was een lachje – zo warm als zonneschijn en perfect getimed om mij ermee te overvallen. Maar anders dan onze wisselvallige Jack, bleef Mary lachen. Haast niets, behalve honger, maakte haar aan het huilen – en zelfs dan was ze gauw getroost. Een aanraking van mij en ze kalmeerde onmiddellijk. Men zei dat ze de volmaakte baby was en ik veronderstel dat ze dat was, als perfectie gelijkstaat aan volkomen tevredenheid.

Men zegt dat er geen patronen in het leven te ontdekken vallen, dat alles toeval is, betekenisloos, maar ik weet wel beter. Je moet uitkijken als er vreemde dingen lijken te gebeuren – dingen die zo op het eerste gezicht niet van betekenis zijn. De grootste vergissing is ze als gewoon en verklaarbaar te betitelen, ze op de een of andere manier te rechtvaardigen.

Drie weken na de geboorte van Mary stierf een vriendin van ons. Ik noem haar nu zo, maar ze was het niet echt. Ze was niet iemand van wie we konden zeggen dat we haar goed kenden. Zelfs nu weet ik niet zeker waar ze woonde of zelfs wat voor werk ze deed. Iets met muziek of onderwijs, meen ik me te herinneren. Maar ik had haar vaak genoeg ontmoet om een echte schok te voelen toen ik hoorde dat ze was overleden. De laatste keer dat ik haar had gezien – toegegeven, maanden geleden – had ze in iemands keuken staan praten over een soap op tv die ze leuk vond. Ze stond met haar armen over elkaar gevouwen tegen het fornuis geleund te lachen en toe te geven dat het al met al een onzinnig programma was. Ik had het programma nooit gezien dus ik luisterde maar half, glimlachte en besteedde er niet veel aandacht aan. Ze droeg een blauwe wollen kokerrok die ik mooi vond en ze had een boodschappentas bij zich vol cadeautjes voor haar nichtjes die ze ging bezoeken. Ik wist dat ze Rachel heette – of was het Rebecca? In ieder geval iets wat met een R begon.

Niemand wist dat ze kanker had, zei onze gemeenschappelijke vriendin, ze verzweeg het. Ze had het zelfs niet aan haar eigen familie verteld, haar vader en moeder, kun je je dat voorstellen? Ze waren geschokt toen het gebeurde. Ze paste op iemands huis en ze kreeg een soort hartaanval en stierf in haar eentje en weet je, de dag dat ik hoorde dat ze was gestorven, had ik haar moeten bellen. Ik had het op een plakbriefje geschreven om het niet te vergeten – R. opbellen. Ik deed het niet en toen hoorde ik het. Ik voel me verschrikkelijk. Ik zal het mezelf nooit vergeven.

Ik zat in andermans keuken toen ik dit hoorde, niet in die van onze gemeenschappelijke vriendin, noch in de mijne. Het was een heldere, zonnige, warme dag; bomen vol bloesem bogen in de wind. Op de radio klonk een liedje van Aretha. Ik had een doek over mijn schouder gegooid. Mary lag in mijn armen, haar natte mond liet langzaam mijn tepel los terwijl ze in slaap viel. Er stond een kopje afkoelende Earl Greythee naast me.

Wat verschrikkelijk, zei ik en ik meende het. Ik kon me niet voorstellen hoe eenzaam en afschuwelijk het zou zijn om alleen te sterven, dat je alles in je eentje door moet maken. Ik dronk een glas water en ik at een biscuitje; toen Mary wakker werd gaf ik haar een kus op haar hoofd, verschoof haar naar de andere borst en toen ik haar voelde toehappen, bracht me dat troost.

Pas toen ik thuiskwam, me klaarmaakte om naar bed te gaan en mijn tanden poetste, herinnerde ik me de droom die ik had gehad op de ochtend dat we Mary hadden verwekt – de droom die feitelijk tot haar conceptie had geleid. De vriendin, het appartement, het sterven, het telefoongesprek. Ik verstijfde aan de wasbak, met de tandenborstel in mijn hand. Toen hapte ik zo hard naar lucht, dat Tom binnen kwam rennen omdat hij dacht dat ik me pijn had gedaan.

Mijn haar leek niet te stinken, ook al had ik in een rokerige bar gezeten, daar bofte ik bij. Ook scheen tegen de tijd dat ik bij de foyer van het hotel was aangekomen, de wodka uitgewerkt te zijn en ik voelde me behoorlijk nuchter.

Het was net iets voor Tom om me het ontbreken van zowel gebakjes als champagne te vergeven.

Eigenlijk wel zo goed, zei hij, ik denk dat mijn verlangen naar gebak al over was tegen de tijd dat jij naar buiten ging. En laten we wel wezen, Nic, je bent nooit erg leuk als je dronken wordt.

Hij vroeg zich niet af waar ik al die tijd gebleven was. Hij scheen met groot gemak te accepteren dat ik in staat was bijna twee uur te winkelen en met lege handen terug te komen.

We zullen morgen voor we weggaan iets moois voor je kopen, zei hij terwijl ik onder de douche stond. We verkleedden ons daarna om uit eten te gaan. Oorbellen of zoiets, zou je dat mooi vinden? En iets kleins voor de jongens.

Ik hoef niets te hebben, zei ik tegen hem, en hij lachte en zei dat hij me nog wel eens een aanleiding om nieuwe kleren te kopen wilde zien versmaden.

Toen hij me vroeg wat voor weer het buiten was, vertelde ik hem dat het nog steeds vroor, maar dat het licht heel vreemd was. Hij lachte weer.

Ja, dat zal wel, zei hij, maar schatje, moet ik mijn dikke jas aan, of is alleen mijn jasje voldoende?

Ik denk dat je de jas aan moet, zei ik terwijl ik uit de douche stapte. Ook al trok hij de handdoek van de verwarming en wikkelde hij deze meteen warm en zacht om me heen, toch had ik het kouder dan ik het in mijn herinnering ooit gehad had.

De tweetalige jongen sleepte net iemands koffer uit de lift toen wij erin stapten. Hij glimlachte met zijn eigen vreemde mengeling van vertrouwen en verlegenheid en zei *Bonsoir* maar dat was meer tegen Tom dan tegen mij gericht. Toen ging hij weg, sleepte de koffer de lange gang af en verdween in de turkooizen duisternis. In de lift hing een dikke walm, vermengd met iemands parfum. Terwijl de deuren dichtgingen, drukte Tom me tegen de muur, die niet alleen bekleed was, maar ook nog eens met pluizig hoogpolig tapijt.

Mmm, je bent lekker, zei hij.

Jij ook.

Hij zoende me op mijn lippen en probeerde zijn tong naar binnen te duwen; hij drukte zijn heupen hard tegen me aan en ik probeerde me te concentreren op wat hij aan het doen was maar ik wist dat de deuren zo meteen open zouden gaan en ik duwde hem zachtjes van me af.

Dat zou je zo langzamerhand wel moeten weten, zei hij.

Wat moet ik weten?

Dat ik in de lift niet te vertrouwen ben.

Dat was een oud grapje tussen ons, iets flauws maar liefs wat paren zoal tegen elkaar zeggen en waar ze samen om lachen en op een andere dag had ik misschien harder gelachen of op zijn minst net gedaan of ik erom moest lachen.

Beneden zagen de witte kamer en de witte sofa en de open haard met de witte kiezels er flitsend uit, als een plaatje uit een tijdschrift. Paarse vlammen flikkerden op, de lichten waren gedimd en er klonk iets van technomuziek, een computergestuurde beat en een kreunende Franse stem.

Tom zag dat ik dat alles stond te bekijken.

We kunnen hier wat drinken voor we naar buiten gaan, als je dat wilt, zei hij en ik zei goed, hoewel ik wist dat hij grootmoedig was en dit voor mij deed omdat hij diep in zijn hart dit soort bar, dit soort plek haatte.

Toch monterde ik op terwijl we aan de lange bar met spiegel erachter naast elkaar op de hoge wit gestoffeerde krukken gingen zitten en hij een *Tom Collins* voor ons bestelde. Ik realiseerde me dat ik ernaar had verlangd aan deze bar te zitten en te voelen wat voor gevoel dat gaf.

Je ziet eruit als een klein meisje op schoolreisje, zei Tom glimlachend.

Ik heb nog nooit een *Tom Collins* gehad, vertelde ik hem.

Wel waar, zei hij. Die moet je toch wel eens gedronken hebben, toch?

Ik schudde mijn hoofd.

Echt waar?

Ik bedacht me hoe grappig het was dat Tom mij en mijn lichaam vanuit elke gezichtshoek had gezien, bij mij naar binnen was geweest, zijn kinderen uit die plek naar buiten had zien komen en dat er toch nog steeds zoveel doodgewone dingen waren die hij niet van me wist.

Maar zal ik het lekker vinden? vroeg ik. Hij lachte, pakte een tandenstoker, zat er mee te wriemelen en tikte ermee op de toog. Eerst met het ene uiteinde, dan met het andere zodat het ding op en neer door zijn vingers gleed.

Ik had me niet gerealiseerd dat je dit nog nooit gedronken had, maar dat is een reden te meer het te proberen. Je kunt niet altijd een martini bestellen, Nic.

Ik stopte een olijf in mijn mond, kauwde erop en spuugde de pit uit. Tom duwde de asbak in mijn richting.

Heb je Jack gesproken? vroeg ik.

Hij trok een zuur gezicht.

Ik weet niet of het woord 'spreken' hier op zijn plaats is.

Is alles goed met hem?

Zo klonk hij wel.

Heeft hij zijn huiswerk gemaakt?

Denk je dat ik hem dat durfde te vragen?

Ik lachte en pakte nog een olijf. Dan – ik weet niet waarom ik dit doe, ik heb er geen flauw benul van – draai ik mijn hoofd om en daar ben jij. Achter ons op de sofa die het verst weg staat, die ene achter de witte sofa. Je zit daar in de uiterste hoek van de grote ruimte, in je donkere leren jas, de enige man hier die zijn jas nog aanheeft, en je kunt aan je zien dat je hier niet echt thuishoort, ook al heb je een glas in je hand. Je kijkt me recht aan.

Ik draai me vlug weer om maar ook al voelde ik het zelf niet gloeien, uit het gezicht van Tom kon ik opmaken dat mijn hoofd knalrood is.

Hij staart me aan.

Wat – Nicole, lieverd, wat is er gebeurd?

Ik pak Tom bij zijn arm.

Ik voel me – een beetje misselijk.

Lieverd, Nic, je draaide je om en je gezicht vertrok – er is iets gebeurd. Je moet het me vertellen.

Tom heeft al een been van de kruk laten glijden en kijkt om zich heen in een poging te achterhalen wat de oorzaak is van dit alles. Ik neem het hem niet kwalijk. Ik zou in een dergelijke situatie precies hetzelfde doen. Hij legt een hand op mijn arm en ik werp een blik in de spiegel achter de bar om te kijken of ik jou kan zien. Dat lukt niet. Ik zie er het verkeerde gedeelte van de ruimte in. De lelies staan in het zicht van het gedeelte dat ik wil zien. Mijn hart lijkt een salto te maken. Ik durf niet nog eens te kijken.

Ik kalmeer mezelf. Echt, ik ben in orde. Het spijt me. Ik meen het. Ik draaide me gewoon om en plotseling voelde ik me heel misselijk en flauw. Ik weet niet waarom maar het is alweer verdwenen.

Is het beter voor je om weer naar boven te gaan? vraagt Tom me met zijn hand nog steeds op mijn arm.

Ik trek een gezicht dat grappig moet zijn.

Ik laat me na al deze heisa mijn *Tom Collins* niet afnemen, zeg ik. Maar Tom trapt er niet in en lacht niet.

Je liet me echt schrikken.

Ik maakte mezelf aan het schrikken.

Nou, je liet mij meer schrikken.

Misschien is het beter als ik even naar het toilet ga, zeg ik tegen hem als de drankjes komen. Ik tril nog een beetje als ik mijn handtas oppak. Het kleine rode tasje van namaak slangenleer, met de zilveren sluiting. Het bevat tampons, een lipstick en een piepkleine parfumverstuiver.

Nou, doe er niet te lang over, anders ga ik me zorgen maken. Weet je zeker dat je er alleen heen kunt?

Wil je echt met me mee, de dames-wc in?

Tom zucht en draait het stokje in zijn glas rond. Ik kan niets van zijn gezicht aflezen.

Blijf niet te lang weg, Nicole, zegt hij. Ik meen het.

Ik weet niet wat ik verwacht als ik mijn weg tussen de mensen door zoek, daarna langs de sofa's naar de glanzend zwart marmeren trap die in een nauwe spiraal naar beneden draait, naar de toiletten.

Ik wist zeker dat Tom me na zou kijken en ik neem aan dat ik dacht dat je er nog steeds zou zitten, in je jas, met je drankje in je hand, te kijken of ik eraan kwam.

Maar nee. De sofa waarop ik je had zien zitten was helemaal bezet, maar jij zat er niet op. Een aantal piepjonge mensen, bijna tieners, jongens en meisjes, zaten samen te drinken en te lachen. De meisjes waren mager en blond en voor het merendeel gekleed in het wit. Uit de manier waarop zij hun benen over de schoot van de jongens hadden geslagen, en de manier waarop de handen van de jongens lui over hun magere schouders en knieen gleden, kon ik opmaken dat ze er al een hele tijd zaten.

Het diner was leuk en lekker. Tom en ik hielden elkaars hand vast, keken naar elkaar en praatten langzaam en zorgvuldig over alles behalve over onze kinderen. Ik kon merken dat hij tevreden over me was. Het was bijna net als vroeger. Het was onze laatste avond, dus probeerde ik extra mijn best te doen om er een fijne avond van te maken. Eigenlijk hoefde ik helemaal niet zo hard mijn best te doen. Hij was zo gemakkelijk en aardig en goed – zozeer de Tom op wie ik op een gemakkelijke manier kan reageren – en ik dronk voldoende wijn om bijna te vergeten hoe idioot en verwarrend de dag was geweest, om jou te vergeten. Misschien hielpen de eerdere wodka's ook. Of misschien ook niet. Misschien had ik ze helemaal niet gedronken. Misschien deed het er ook niet toe. Uiteindelijk laat wodka geen spoor na in je adem.

We liepen onder heldere sterren en door zelfs nog dikkere sneeuw naar het hotel terug. Tom stond stil en zoende me op straat, vol en nat en diep in mijn mond alsof hij het meende. Ik zoende hem terug. Het was de manier waarop wij vaak zoenden, in de tijd voor Mary. Ik wist dat hij in het soort stemming was dat hij seks wilde, maar ook dat hij het me zou vergeven als ik te moe of te dronken was om het te doen. Eigenlijk was ik niet dronken, helemaal niet, maar ik had het gevoel dat de kamer zou kantelen als ik ging liggen. Gelukkig deed hij dat niet en deze keer was ik degene die met gesloten ogen en de geest gelukzalig elders, de twee chocolaatjes die op onze kussens lagen, opat.

Morgen naar huis, zei Tom terwijl hij zijn nette overhemd uittrok en het in de openstaande koffer gooide. Hij keek in de spiegel, wreef over zijn kin en krabde zich toen met beide handen op zijn borst. Ik heb niet echt zin om te gaan. We hadden best langer kunnen blijven, vind je niet?

Ik weet het niet, zei ik, maar in mijn hoofd had ik al besloten dat ik hoognodig Jack en Fin moest zien. Maar ik wilde ook van deze plek vandaan. Ik wilde thuis zijn en ik wilde nergens echt over hoeven na te denken, al helemaal niet over jou. Het laatste wat ik van je zie vannacht is mijlenver weg, aan de andere kant van de lange witte hotelgang, als Tom zijn vinger naar binnen laat glijden om de deur open te doen. Je hebt dezelfde lange jas aan, maar je gezicht is veel te bleek. Terwijl ik je aanstaar, lijk je langs me, over me, in me, door me heen te kijken.

Ik haal diep adem, draai me om en de deur klikt open.

Ziezo, zegt Tom.

Ik weet dat ik niet dronken ben. De kamer ziet er volkomen normaal uit en niets kantelt. Ik kijk achterom in de verwachting dat je wel zult zijn verdwenen. Maar nee, je staat er nog, ver weg, je ogen strak gericht op de lucht rond mijn hoofd.

Het is de laatste keer dat ik je in Parijs zie.

Londen

In de winter waarin Jack werd geboren was Tom nog bezig voldoende geld bij elkaar te krijgen om voor zichzelf te kunnen beginnen en ik werkte als lector voor een stel uitgeverijen, maar dat werd slecht betaald en er was weinig werk, dus we hadden geldgebrek. Natuurlijk hadden we er niet op gerekend zo snel al een kind te krijgen, maar – omdat we jong en romantisch waren – we waren echt niet van plan vanwege onze financiële situatie de vorming van ons gezin uit te stellen. We waren het erover eens dat het echte leven belangrijker was dan de bank en dat we ons er op de een of andere manier doorheen zouden slaan.

Bovendien was het heel gemakkelijk een paar dingen te veranderen. We gingen in die tijd niet buitenshuis eten en we waren nooit echt van die cafébezoekers geweest. Het was niet erg moeilijk de auto weg te doen en Tom ging overal op de fiets naartoe. We slaagden erin iets te bezuinigen op het eten. Ik was nooit zo'n geweldige kokkin geweest, maar ik kookte vele voedzame maaltijden die in feite bestonden uit bruine rijst of pasta met iets eroverheen. We moesten er later om lachen hoe saai het geweest moest zijn, maar in die tijd hadden we een eenvoudiger smaak. Een glas wijn 's avonds was voor ons al een traktatie. Het was een vreemd naïeve tijd.

De eerste paar weken van zijn leven sliep Jack tussen ons in op een schaapsvacht in ons bed en daarna promoveerde hij naar een lade – een diepe, oude vurenhouten lade die uit de oude Victoriaanse kast was gehaald waarin we onze truien en ondergoed bewaarden. We zetten de vurenhouten lade naast ons bed, waar eerst ons nachtkastje stond. We maakten hem op met de schaapsvacht en een paar dekentjes en toen legden we Jack erin. Toen moesten we lachen. Het was zo'n gek gezicht hoe hij daar in een lade tegen ons lag te kirren.

Ongeveer acht weken lang paste hij er perfect in. Maar toen hij begon te groeien, gingen we op zoek naar een oud tweedehands ledikantje, dat Tom zorgvuldig schuurde en opnieuw verfde. We kochten een gloednieuwe matras – voor een belachelijke prijs, vonden we. Dit was echter noodzakelijk omdat in alle tijdschriften te lezen stond dat oude matrasjes onveilig waren. We kochten ook een katoenen matrasovertrek, maar we kochten geen matrasverkleiners omdat Tom zei dat dat nutteloos en onzinnig was – weer een reclamestunt om jonge ouders het gevoel te geven dat ze dingen moesten aanschaffen.

Natuurlijk hoefden Fin en Mary nooit in de lade te slapen – zij gingen rechtstreeks van ons bed naar het ledikantje. Fin kreeg een luxueuze deken van een soort wollige stof met een patroon van boten en sterren erop, waar hij zo dol op was dat we hem uiteindelijk in stukjes moesten knippen zodat hij die als zuiglapjes overal mee naartoe kon nemen. Tegen de tijd dat Mary eraan kwam, hadden we zelfs een super-de-luxe opwindbare mobiel – een hele kudde pastelkleurige schapen die boven haar ronddartelden op de tonen van *Für Elise*. Maar feit blijft dat de lade indertijd goed genoeg was – en later, toen Jack wel vijf centimeter groter dan ik was, kreeg ik tranen in mijn ogen bij de gedachte alleen al dat hij ooit in die kleine ruimte gepast had waarin ik nu mijn sokken en panty's opborg.

In de tijd dat we niet zoveel geld hadden, leek een babyuitrusting ons schrikbarend duur. Tom kreeg een briljant idee toen ik steeds meer klaagde over rugpijn door het luiers verwisselen op een handdoek die op de slaapkamervloer werd uitgespreid. Hij besloot dat hij een verluiertafeltje voor me ging maken van een paar oude stukken hout die hij in de kelder had opgeslagen.

Eerst stond ik er sceptisch tegenover. Ik had de stapel oude planken vol splinters en spinrag in die vieze kelder naast de stoppendoos zien liggen en ik kon me niet voorstellen dat Tom daarvan iets kon maken wat ook gebruikt kon worden. Niet voor onze baby. Bovendien, hoe kon ik er zeker van zijn dat iets waarmee hij op de proppen kwam, zou voldoen aan de veiligheidsvoorwaarden?

Maar hij lachte en zei tegen me dat ik mijn mond moest houden en hem moest vertrouwen. Hij was een heel weekend druk bezig met zagen en plakken en spijkeren. En toen met schilderen. De geur van matglans trok door het hele huis. Ik mocht niet eens even kijken naar wat hij aan het doen was. Toen hij klaar was, nodigde hij me uit om in Jacks kamer te komen kijken.

Op de kleine witte melamine ladekast waarin we de boxpakjes en katoenen luiers bewaarden, stond een stevig wit tafeltje dat iets boven taillelengte uitkwam – absoluut de meest comfortabele hoogte om een baby te verschonen. Eronder – gesteund door schattige maar stevige houten pilaren, met houten pennen vastgemaakt – was een diepe plank van ruim formaat. Op deze plank had Tom stapels en stapels van ons merk papieren luiers gemaakt. Het ontroerde me te zien hoe zorgvuldig hij het had gedaan, de zachte plastic achterkanten allemaal dezelfde kant uit, hoe netjes hij ze eruit had laten zien; ik werd er helemaal blij van. Aan de rechterkant stak een extra plankje uit – heel gemakkelijk binnen handbereik – en hierop had hij netjes de billendoekjes, crèmes en lotions die we gebruikten als we Jack verschoonden, gearrangeerd. Het hele geval was schoon, glanzend wit geschilderd.

Natuurlijk gifvrije verf, zei Tom met een plechtige stem, terwijl hij zijn armen over elkaar deed en een stap achteruit deed om te zien hoe ik keek.

Met Jack verwoed in mijn armen kronkelend, staarde ik naar de tafel.

Er is zelfs een haak, kijk, om de zak voor vuile luiers aan op te hangen, zei hij en liet een grote vierkante haak zien die uit de rand stak. Toen deed hij weer een stap achteruit om me het geheel te laten inspecteren.

Ik lachte. Het is geweldig, zei ik. Echt. Het is fantastisch, volmaakt. Mooier dan alles wat ik in de winkels heb gezien.

Dat was waar. Niemand van onze kennissen had een verluiertafeltje als deze. Degene die je in de babymeubelzaken aantrof waren plastic flutgevallen met afschuwelijke afbeeldingen erop en veel te laag om nog gemakkelijk te zijn. Ze waren slecht gemaakt en duur. Maar dit – dit was de koning onder de verluiertafeltjes. Het was het soort verluiertafeltje dat maakte dat je heel even buiten jezelf trad en je bedacht dat het leven echt anders en beter kon zijn, als je maar gebruik kon maken van zo'n volmaakt en uitstekend hulpmiddel.

Tom stond wat naar achteren en glimlachte, toen stak hij zijn hand uit en rukte aan het verluiertafeltje. Hij gleed een paar centimeter over de ladekast en stond toen stil.

Zie je wel? Ook nog eens heel zwaar, zei hij en duwde hem terug. Heel stevig en stabiel. Die gaat nog wel een paar baby's meer mee.

Ik lachte weer. Mijn blijdschap was echt. Op dat ogenblik, op die dag, vervulden zijn woorden me met warmte, blijheid en verwachting. Meer baby's, meer luiers. Ik kon ze al zien, plompe, stevige beentjes die trappelden als kampioenen terwijl ik hun lieve blanke billetjes insmeerde.

We kwamen terug in een koud, nat en regenachtig Londen. Ze hadden geen sneeuw gehad – alleen maar bruine luchten en nog bruinere straten. Ze waren onze straat weer aan het opbreken, de vuilnismannen schenen niet te zijn geweest en andermans vuilnis – folie, chipszakjes en het vettige witte karton van een afhaalmaaltijd – bevuilde ons paadje. Het huis was ijskoud en rook naar katten – een vage stank van urine en muf, uitgedroogd voer die alleen maar scheen te ontstaan als de mensen een tijdje weg waren.

We gooiden de koffers in de hal, waar het ons, na het smetteloze wit van het hotel, voor het eerst opviel hoe gehavend en gebutst de muur was door de sporen van vele skateboards en modderige sportschoenen. Tom zette de verwarming hoog terwijl ik de brieven en kranten van de mat opraapte.

De melk is tenminste niet bezorgd, zei Tom, die geen vertrouwen had in briefjes die in een fles geprop werden.

Ik duwde de vurenhouten deur naar de keuken open en zag over de hele tafel zwarte gruisafdrukken van kattenpoten en plukjes kattenhaar op de donkere stof van de stoelen. Een kom Weeto's – het laatste wat Fin gehaast had gegeten op de ochtend dat we waren weggegaan – stond nog op het aanrecht en omdat hij de melk niet had opgedronken, was de hele ruimte door-drongen van de zure stank ervan in combinatie met bedompte kattenlucht.

We waren minder dan drie dagen weggeweest, maar het was alsof het huis zich in zichzelf had teruggetrokken en het had op-gegeven, ons was vergeten. Ik pakte Fins kom en legde hem in de gootsteen, liet de kraan lopen, die als altijd lekte aan de onder-kant. Er spoot een straal koud water tegen het raamkozijn.

Verdomme, zei Tom, ik heb vergeten de loodgieter te bellen.

Ik haat dit huis, hoorde ik mezelf zeggen terwijl ik een eek-hoorn driftig door de bloembedden zag scharrelen waarin ik een eeuw geleden of in een andere wereld bollen voor in de lente had gepoot. Ik tikte tegen het raam en de eekhoorn ging rechtop zitten, hief zijn magere foetale handjes in de lucht, draaide met een ruk zijn kop naar alle richtingen en ging toen door met wat hij aan het doen was.

Doe niet zo gek, zei hij en trok aan mijn paardenstaart terwijl hij langs liep om de wasmachine vol te laden. Je bent nog maar net terug. Je bent moe. Je hebt een bad en misschien een kopje thee nodig.

Ik heb het gewoon nodig om hier niet te zijn zei ik zo zachtjes mogelijk en ik was lichtelijk geschokt toen ik merkte dat ik het meende.

Hij keek me aan.

Het is een erkend syndroom, zei hij. Het heeft zelfs een naam.

O ja? vroeg ik.

Ja. Het wordt voor-altijd-met-een-romantisch-weekendje-weg in-Parijs-willen-wonen genoemd.

Baby! Fin zei dat als eerste en dus deden we het hem na; we maak-ten er met ons allen een nieuwe naam van. Ieder gezin heeft zijn eigen woorden en Baby was de gezinsnaam voor ons meisje. Niet bepaald creatief of origineel, zoals Tom snugger opmerkte, maar wat kon ons dat schelen? Hij paste perfect bij haar. Hij paste bij haar unieke babyachtigheid – het zachte en lieve en blonde. De bleke, gerimpelde delen van haar die maakten dat je haar wilde zoenen, grote, lange, zachte zoenen zodat je haar kon inademen.

De engelachtige voetjes, de dikke, ronde enkels, het bolle buikje. De lieve gebogen vingers waartussen altijd stofjes en kruimeltjes gevangen zaten. De bovenkant van haar witblonde meisjeshoofd dat naar honing rook en dat op de een of andere manier tegelijkertijd robuust en breekbaar was.

Tom zei dat we, zodra ze ging kruipen of lopen, echt ons best moesten doen om haar bij haar echte naam te noemen. Hij zei dat we haar niet eeuwig en altijd Baby konden blijven noemen, want anders zou ze als ze vijfenvijftig was, slippers met een rand van veertjes dragen en om drie uur 's middags gin drinken.

Waarom zou ze gin moeten drinken? vroeg Jack, die dat nog een rampzaliger gedachte scheen te vinden dan borstvoeding.

Dus als jij Baby zegt, als jij me zo noemt, dan slaat mijn hart over. Het is een naam die ik een tijd niet heb gehoord, een naam die me bijna letterlijk de adem beneemt en hem uit mijn longen en borst zuigt. Op die avond in Parijs, die al helemaal niet meer voelt als gisteren, leun je met je armen op tafel, bekijkt mijn gezicht goed en je noemt me zo, je noemt me Baby – mijn hart krimpt ineen en de hele wereld om ons heen verdwijnt.

Baby? Baby?

Noemde je me zo op die andere nacht toen de parels over het vloerkleed wegrolden, jij er eentje in je mond stopte en tegen me zei dat ik die moest komen halen?

Ik liep twee trappen op naar de bovenste verdieping en trok de oude bruine gordijnen van Fins slaapkamer dicht. Toen deed ik ze weer een stukje open en drukte mijn gezicht tegen het zwarte, Victoriaanse raam. Het was buiten donker en de ruit was nat van regen, geen sneeuw, alleen maar regen. De daken zonken weg in de lucht, nauwelijks zichtbaar in het grijze avondlicht. Ik merkte dat ik mijn mond met mijn vingers aanraakte, over de zachtheid van mijn onderlip voelde, een plek waar ik me niet langer een parel kon voorstellen of een tong die heen en weer glipte.

Stil, zei je dan. Houd op met denken.

Maar als ik dat nu niet kan? Als ik niet kan stoppen met denken?

Baby, kom op, dat kun je wel.

Ja, maar toch, als ik het nu eens niet kan?

Stil nu maar.

Lex de Tweede – dat was de naam van de kat die bij ons kwam nadat die arme oude eerste Lex was gestorven – kwam de kamer binnen met een keelgeluidje en sprong meteen op het bureau bij het raam, gleed even door en verplaatste daarmee Fins uitgeknipte basketbal- en voetbalplaatjes; een paar ervan zweefden naar de vloer, gevolgd door de plof van zijn schoolagenda en een puntenslijper.

Lex de Tweede miauwde nadrukkelijk naar me alsof ik moest begrijpen wat ze zei en ik zag dat haar modderige pootafdrukken over het hele raamkozijn te zien waren. Ik duwde haar weg en merkte dat de tranen over mijn wangen stroomden. Ik veegde ze af met de mouw van mijn trui; eventjes sloot ik mijn ogen en toen ik ze weer opendeed, was er helemaal niets veranderd en de zwarte daken waren er nog steeds met hun wirwar van tv-antennes.

Ik vroeg me af of het in Parijs sneeuwde. Ik vroeg me af of de *Rue de la perle* nog steeds met sneeuw was bedekt. Toen raapte ik Fins schoolboek dat hij met een ballpoint had bekladderd, op en legde het terug op het bureau, maar ik liet de sportplaatjes voor het merendeel op de vloer liggen.

Het ging beter toen de jongens weer uit school thuiskwamen, lawaai maakten, over dit en dat klaagden en met de deuren sloegen. Het huis begon zich om hen heen te organiseren – eerst onwillig, daarna wat gemakkelijker. Alles ontspande zich. Langzamerhand verdween de stank, de verwarming sloeg aan, het water werd heet, de radiatoren begonnen te kraken en te borrelen, de waterketel borrelde naar het kookpunt – het gezin vulde de ruimte tot in de kleinste gaatjes op.

Tom liet hen met hun tassen meteen naar de keuken doorlopen zodat we de vuile was eruit konden halen. De jongens droegen hun spullen in boodschappentassen met zich mee, wat hem woedend maakte.

Ik omhelsde Fin en voelde hem twijfelen, niet zeker van hoe hard hij mij op zijn beurt kon omhelzen.

Je voelt weer groter dan toen we weggingen, zei ik tegen hem, vooral om zijn gêne te maskeren.

Mam, zei hij, dat is maar twee dagen geleden.

Tom haalde zijn gereedschapskist tevoorschijn en slaagde erin de lekkende kraan tijdelijk vast te draaien zodat de waterstroom gereduceerd werd tot gedruppel. Hij keek in zijn mobiel of hij het nummer van de loodgieter nog had.

Stomvervelend dat we nu voorrijkosten moeten betalen terwijl er alleen maar een leertje nodig is, zei hij. Hij zag er verhit en geïrriteerd uit en er zat een zwarte veeg van het een of ander op de mouw van zijn overhemd.

Fin had gevraagd om gekookte eieren en soldaatjes voor bij de thee. Twee eieren, precies vijf minuten en vijftien secondes gekookt, acht of tien beboterde soldaatjes – witte toast, geen bruine, zei hij. Hij deed altijd deze nauwkeurig omschreven bestelling als we weg waren geweest. Ik vond dat nooit erg, omdat ik wist dat het zijn manier was om weer beslag op me te leggen, zijn territorium af te bakenen en zichzelf er weer van te overtuigen dat het leven solide en betrouwbaar en goed kon zijn.

Je moet hem niet altijd precies geven wat hij wil, mompelde Tom terwijl hij even opkeek van zijn mobiel.

We hebben eieren en we hebben brood, zei ik. Wat is het probleem?

Het is zo'n gedoe voor jou.

Dat is het niet, zei ik tegen hem en hij hief beide handen in de lucht.

Oké, zei hij. Ik probeerde je alleen maar werk te besparen.

Fin zat op een stoel, zei niets en leunde zo ver mogelijk achterover zonder te vallen.

Niet doen. Niet achteroverleunen met je stoel, gebood ik hem, en het kwam er snauweriger uit dan bedoeld.

Tom zei niets.

Jack kwam binnen en voor ik het hem kon vragen zei hij dat hij geen honger had. Hij hield zich stijf bij mijn omhelzing; daarna gooide hij zijn jas en rugzak op de vloer van de hal.

Maar wanneer heb je voor het laatst gegeten? vroeg ik hem.

Hij haalde zijn schouders op.

Het zit wel goed. Ik heb al wat gegeten.

Wat dan?

Ik zag dat er een enorme pukkel aan de zijkant van zijn neus zat, groter dan degene die hij al had voor we weggingen. Ik vroeg hem of hij het erg vond als ik zijn jas voor hem ophing.

Nee, zei hij.

Ze bedoelt: wil je even je jas ophangen, zei Tom en Jack maakte een of ander geluidje.

Heb je mij nu nodig? vroeg hij en richtte zich tot Tom, niet tot mij.

Hoezo? vroeg Tom.

Gewoon – ik moet wat dingen doen.

Nou, begon Tom, maar Jack was al halverwege de trap en een paar secondes later dreunde de muziek uit zijn kamer.

Terwijl we wachtten tot de eieren gekookt waren, paste Fin zijn nieuwe voetbalshirt aan, over zijn schooltrui heen. Ik zei tegen hem dat ik het jammer vond dat ik geen basketbalshirt had kunnen vinden en hij zei dat het niet erg was.

Ik weet niet eens of ze wel basketballen in Parijs, zei hij. Ik bedoel, zijn er daar eigenlijk wel zwarte mensen?

Natuurlijk zijn er zwarte mensen in Parijs, zei Tom lachend en ik wist dat hij aanstalten maakte om te beginnen aan een van zijn lessen over geografie of etnische minderheden, maar Fin luisterde niet. Hij wilde ons vertellen over de afschuwelijke tijd die hij bij zijn grootmoeder had gehad.

Ik ga nooit meer logeren bij de Zeur, zei hij – omdat wij Toms moeder zo achter haar rug om noemden – ik ben er te oud voor en ze houdt me veel te kort.

Ik herinnerde hem eraan dat logeren bij zijn vriendjes niet veel leuker was, zo mogelijk veel vervelender.

Dat was bij Josh, zei hij. Ik haat hem en hij heeft verschrikkelijke ouders. Het zou heel goed gaan bij Fred of Louis of Gita.

Wie is Gita?

Hij keek me rustig aan.

Gita is een meisje, zei hij.

Later keek hij toe hoe ik de boterhammen voor de meeneem-lunch van de volgende dag klaarmaakte. Wat doe je erop? vroeg hij.

Tonijn.

Hmm.

Lekker?

Ja.

Ik sneed nog twee boterhammen voor Jacks lunch en pakte een kuipje hummus uit de koelkast.

Voor wie is dat? vroeg Fin me.

Voor Jack. Ik denk niet dat hij er tonijn op wil.

Nou, ik vind dat ook veel lekkerder.

Ik zuchtte. Ik dacht dat jij op dit moment niet van hummus hield.

Die soort wel. De niet-organische. Die vind ik nu lekkerder dan tonijn.

Ik legde het mes neer en veegde mijn handen af.

Hij speelt een spelletje met je, waarschuwde Tom terwijl hij de koelkast openmaakte en er voor zichzelf een flesje bier uit haal-de. Ik hoorde mezelf weer zuchten. Het leek wel of ik dezer da-gen alleen maar kon zuchten.

Speel je een spelletje met me? vroeg ik aan Fin. Als dat zo is, is dat echt niet eerlijk. Wil je echt geen tonijn op je brood? Ik heb het nu al klaargemaakt.

Hij haalde zijn schouders op.

Oké, zei ik omdat Tom nog in de keuken was, jij krijgt de to-nijn en daarmee uit.

Ik pakte beide boterhammen in en legde ze in de koelkast; Fin zat toe te kijken en leunde weer gevaarlijk achterover op zijn stoel. Ik zei niets.

Weet je, mam, zei hij toen Tom weg was gegaan, ik denk dat Lex de Tweede, eh, zwanger is.

Echt waar? zei ik.

Zeker weten.

Ik liep naar hem toe, hield zijn stoel stil zodat hij niet kon wippen en hij begon te lachen. Ik gaf hem een zoen boven op zijn hoofd, iets wat hij nog steeds toeliet als er niemand anders

bij aanwezig was. Zodra ik de stoel losliet, begon hij weer te wippen.

Fin, zei ik, maar hij negeerde me.

Ze is absoluut zwanger, zei hij.

Ik weet niet of ze er oud genoeg voor is, zei ik tegen hem.

Maar ze is niet geholpen? vroeg Fin.

Nee, dat is zo, ze is niet geholpen.

Hij rolde met zijn ogen en haalde diep adem.

Nou, ik denk dat ze er wel acht krijgt. Acht poesjes. Kunnen ze
er wel acht krijgen?

Ik weet het niet zo zeker. Acht klinkt wel heel veel.

Nou, ik ben er zeker van dat ze zwanger is.

Is ze dikker geworden?

Dat niet alleen, maar, weet je nog dat de kat van Josh, voor de
bevalling hele grote tepels kreeg en dat de vacht eromheen leek
terug te wijken? Nou, ik heb zonet Lex de Tweede omgedraaid
en haar tepels zien er net zo uit – heel groot en weinig vacht.

Dan kan ik maar beter zelf eens goed kijken, zei ik en dacht
dat meer katten erbij het laatste was wat we hier in huis nodig
hadden.

Als het zo is, mogen we ze dan houden? vroeg Fin. Ik zal al het
werk doen en de verzorging en zo. Ik meen het, ik zeg dat niet
zomaar.

We kunnen ze absoluut niet houden, zei ik. We zullen er een
thuis voor moeten zoeken. Maar de tijd dat het kleine poesjes
zijn, is wel heel leuk. Misschien kun jij ze in jouw kamer herber-
gen? Maar, verheug je er nog niet al te veel op. We weten nog niet
eens of ze zwanger is.

Nou, zei Fin, ik heb die zwerfkater haar wel acht keer in de
tuin zien naaien.

Fin! Dat is geen nette manier om dat te zeggen.

Hij glimlachte naar me.

Oké. Neuken dan.

Ik ging naar boven, naar Tom, sloeg mijn armen om hem heen
en drukte mijn neus tegen zijn warme nek.

Ik houd van je, zei ik tegen hem en hij lachte.

Hé, gek meisje, wat is er nu weer aan de hand?

Ik trok me iets terug.

Er is niets aan de hand. Ik zeg gewoon dat ik van je houd.

Hm, zei hij en ik stond op het punt weer weg te gaan toen hij me dichter tegen zich aan trok en een lange pluk haar achter mijn oor stopte. Ik wist dat hij dat uit liefde deed, maar ik kon het niet laten, ik haalde de lok weer naar voren. Hij merkte het niet.

Kom eens hier, zei hij en zijn stem veranderde en zijn handen gleden onder mijn borsten.

Nee, zei ik tegen hem, nu niet.

Waarom niet?

Waarom wel?

Ik wil je eventjes vasthouden. Ik wil dat je ophoudt met dat gedraai.

Hij zoende me op mijn oor.

Tom, zei ik, ik ben zo moe. En ik moet de bedden van de jongens nog opmaken.

Doe dat dan later. Ik zal je wel helpen.

Nee, zei ik, niet later. Fin is kapot en zal wel gauw over de rooie gaan. Echt, ik meen het, het moet nu gebeuren.

Tom keek me aan met ogen die zeiden dat hij het opgaf, dat hij niet wist wat hij wel of niet deed, dat hij geen ideeën meer had van hoe hij mij kon plezieren. Ik kende die ogen maar al te goed – gekwetst, maar koel, van de wijs gebracht maar op de een of andere manier vastbesloten.

Wat is er? vroeg ik.

Nee, zei hij, het gaat om jou, Nic, vertel jij maar wat er is.

Hoe bedoel je?

Wat? zei hij zachtjes. Wat heb ik nu weer gedaan?

O, Tom, zei ik, je moet alles niet zo op jezelf betrekken.

Ik meen het, zei hij, ik geef het op. Ik weet letterlijk niet wat er zo-even gebeurde, gedurende die korte interactie tussen ons.

Ik lachte, maar mijn hart kromp ineen.

Interactie? zei ik en ik wist dat ik hatelijk klonk. Hij zei niets, keek me alleen maar strak aan.

Was dat het? vroeg ik hem. Een interactie?

Hij haalde zijn handen van me af. Doe maar rot over mijn taalgebruik, als dat zo nodig moet, Nicole.

Ik deed niet rot, zei ik tegen hem, en hij zuchtte.

Dan begrijp ik niet waarom je geen liefde van me kunt ontvangen.

Dat was liefde?

Hij trok zijn kalme, gezonde gezicht, dat mij het gevoel gaf dat ik hier de gek was.

Ik deed liefdevol, ja. Ik probeerde het.

Moet jij het proberen!

Hij zei niets en keek me aan, dit keer nog kalmer en een klein deel van me was nog bozer op hem.

Een halfuur later waren de bedden opgemaakt en zat ik voor de eerste keer in een paar dagen achter mijn bureau. Mijn werkkamer is de kleinste kamer van het huis – een soort uitsparing op de overloop van de eerste verdieping. Ik gaf er niet om dat hij klein was, integendeel, eigenlijk vond ik dat wel prettig. In die kleine ruimte leek mijn geest zich beter te kunnen concentreren. Het kamertje keek niet alleen uit over de tuin maar had ook nog een dakraam in het plafond. Op sommige dagen lag ik op de vloer op het oude versleten vloerkleed en keek naar de overkomende vliegtuigen. Hen over zien komen, ergens anders heen, leek me te kalmeren.

Aan de muur – die roomwit was geschilderd – hing mijn lievelingsfoto van de jongens toen ze nog heel jong waren, ze liggen ingestopt in ons bed tv te kijken. Jack was ongeveer zes jaar, Fin ongeveer drie. Je kon niet zien dat het om de tv ging, alleen maar dat hun aandacht ergens op was gericht en dat ze naar hetzelfde aan het kijken waren, hoewel ieder van hen dat op een heel eigen, andere manier deed. Jack glimlachte lichtjes, zijn lichaam ontspannen in een groen met rode pyjama met Thomas de tank erop; zijn mond hing open in een slaapdronken gezicht. Zelfs nu kijkt hij op dezelfde manier tv – vol vertrouwen, hij geeft zich volledig over aan de ervaring.

Fin keek heel anders – met een duim in zijn mond gestoken, zijn onderlip nat en vettig – een oog op de tv gericht, het andere, half gespannen, half opgewonden, op Jack. Alsof hij zich niet geheel kon overgeven aan de ervaring – alsof een deel van hem daar in bed tv lag te kijken, terwijl het andere deel buiten hem was getreden, erop gespitst het geheel in zich op te nemen en de eindigheid van het geheel te voelen.

Tom zou hebben gezegd dat dit belachelijk was en dat ik veel te veel legde in het beeld van een driejarig jongetje dat op zijn duim zoog, maar ik was daar niet zo zeker van. Zelfs met anderhalf of twee jaar kon je precies hetzelfde bij Mary zien, een eigenschap die ik alleen maar kon beschrijven als een soort verhoogd bewustzijn, het gevoel een deel te zijn in iets groters, een fragment van het geheel.

Ik zette mijn computer aan en begon mijn bureau een beetje op te ruimen. Er lag stof op de telefoon, pootafdrukken van Lex met stukjes tuinvuil op de muismat en een stapel papieren die ik niet had afgehandeld – voor het merendeel rekeningen en dingen van voor Parijs – op het toetsenbord. Er lagen ook een stel uitgeprinte pogingen van de gedichten die ik zogenaamd aan het schrijven was, maar ik wist zonder ze een blik waardig te keuren, dat geen ervan ooit voltooid zou worden. Ik draaide ze om en schoof ze naar de andere kant, onder de stapel boeken waarvan ik me iedere keer voornam dat ik ze echt zou gaan lezen.

Mijn computer kwam zoemend tot leven en ik klikte tweemaal om mijn mailbox te openen. Ik kon Fin beneden iets horen roepen en daaronder het gezoem van de tv. Zestien e-mails kwamen een voor een mijn mailbox binnen. Normaliter zou ik ze op volgorde langsgaan, de eerste keer snel, daarna wat langzamer, genietend, elk ervan goed lezend. Gewoonlijk beantwoordde ik ze in de tweede fase, als ik er tijd voor had. Ik gaf er altijd de voorkeur aan ze ter plekke af te handelen, voordat ik ze vergat of mijn belangstelling verloor of ze van de rand van mijn scherm gleden en daarmee uit mijn geheugen en volkomen in vergetelheid raakten. Maar vanavond doe ik geen van deze dingen. Vanavond, voor ik zelfs maar kan beginnen, stop ik.

Omdat ik jouw naam zie staan.

Daar. De zesde e-mail van boven. Jouw naam op mijn scherm,

dikgedrukt. Ik kan de schok in mijn borst, mijn handen, achter mijn ogen voelen. Een e-mail van jou. Gisteren geschreven. Mijn hart bonkt. Jij bent het. Je bent terug. Nu al. Ik kan het maar niet geloven. Je hebt me geschreven.

Hallo, Rosy!

(Of mevrouw Rosy, omdat ik aanneem dat je dat nu waarschijnlijk wel bent).

Weet je nog wie ik ben? Lang geleden, toch? Nou, hoe gaat het met jou? Ik hoop dat je het niet erg vindt dat Simon Riley me jouw e-mailadres heeft gegeven - ik moon dat hij zel dat jullie elkaar een tijdje geleden ontmoet hadden?

Waarom ik schrijf? Nou, misschien vind je het moeilijk te geloven, maar ik ben tegenwoordig een grote jongen in het zakenleven en ik moet over een maand overkomen (voor zaken, kun jij je dat voorstellen) om een paar andere grote jongens te ontmoeten en ik zal wat tijd moeten doden in Londen en ik vroeg me af of je het leuk zou vinden elkaar daar te ontmoeten? Voor een drankje? Een etentje is ook goed, als jij het niet te druk hebt.

Of, goed, laat me het toch maar zeggen. Als je geen bepaalde behoefte voelt de een of andere stompzinnige, hopeloze vent uit je studententijd weer te zien, geef dan geen antwoord. Ik zal me niet gekwetst voelen (nou ja, goed dan, misschien een beetje).

Wat is er, mam?

Fin stond plotseling in de deuropening en hij moest mijn gezicht hebben gezien omdat hij me bezorgd aanstaarde en probeerde te zien wat er op het scherm stond. Hij had aan wat hij tegenwoordig in bed droeg – een uitgezakte flanellen pyjamabroek die hij van Jack had gekregen en een gevlekt oud t-shirt met in vaag zwart en wit een foto van een hond erop.

Ik bewoog mijn hoofd in zijn richting en ik probeerde te glimlachen.

Hoe bedoel je?

Je ziet er echt raar uit.

Ik hief mijn handen naar mijn gezicht en een paar seconden lang vroeg ik me af wat Fin aan me kon zien.

Ben je aan het huilen? vroeg hij oprecht bezorgd en ik glimlachte weer en haalde diep adem.

Nee, lieverd, natuurlijk niet. Er is niets met me aan de hand. Alleen maar een beetje op en kapot, dat is alles.

O.

Hij staarde me onzeker aan.

Waar is papa? vroeg ik hem.

Kweenie. Beneden, denk ik.

Zeg hem maar dat ik zo naar beneden kom. Vraag of hij een lekker glas wijn voor me in wil schenken en dan kom ik naar beneden.

Fin draaide zich om en wilde weer gaan.

Ik was gekomen om je iets te vertellen, zei hij, maar nou weet ik het niet meer.

Ik glimlachte.

Nou ja, zei ik, dat schiet je wel weer te binnen.

O ja, ik weet het al, zei hij. Het gaat over Lex. Het is nu zeker.

Wat is zeker?

Lex de Tweede. Weet je wel, jonkies. Je kunt het aan haar voelen. Ik zweer dat ik het me niet verbeeld. Het is echt zo.

Geweldig, zei ik langzaam. Dat is geweldig.

Vind je het niet erg? Mag ik ze van jou op mijn kamer hebben?

Misschien, dat zullen we nog wel zien.

Je luistert toch wel?

Lieverd, zei ik, geef me een moment om iets af te handelen en dan kom ik naar beneden, dat beloof ik je.

Hij vertrekt en ik staar naar jouw e-mail. Ik lees hem nog eens en nog eens en hij staat nog steeds op mijn scherm. Hoewel ik er niets van begrijp, staat het er met dikke zwarte letters op mijn beeldscherm. Ik scrol op en neer maar het blijft er maar staan en het verandert niet.

Weet je nog wie ik ben? Lang geleden, hè. Hoe gaat het met jou? Je bent nu vast mevrouw Rosy, denk ik.

Een ogenblik stort de hele wereld rondom mij in elkaar.

Ik druk op 'beantwoorden' en op het nieuwe scherm dat oplicht, schrijf ik:

Ben jij dit echt?

Vind jij toevallig wodka met vanille cola light lekker?

R x

En ik verstuur het voor ik verder kan denken. Toen ging ik naar beneden, vervoegde me bij mijn gezin en we keken naar een tv-programma over de Berlijnse muur dat volgens Tom opvoedkundige waarde had. Ik hoorde er haast geen woord van. Twintig minuten later ging ik naar boven om Fin zijn tanden te laten poetsen en hem naar bed te sturen. Weer op weg naar beneden liep ik langs mijn werkkamer en ik kon het niet laten: ik ging naar binnen, deed de deur dicht en drukte snel op 'ontvangen'. Direct springt, zoals ik weet dat het zal gebeuren, zoals ik weet dat het wel moet gebeuren, jouw bericht te voorschijn.

Lieve Rx,

Hoe wist je dat verdomme?

Vreemd, ik had geen echte herinnering aan Mary's eerste verjaardag. Ook al was dat nog niet eens zo heel lang geleden, toch zat hij niet in mijn geheugen, was hij uitgevlakt alsof hij nooit had plaatsgevonden.

We logeerden met een paar vrienden ergens bij Sussex, dat weet ik nog – in een enorm, maar donker en rommelig huis dat van de stiefmoeder of stiefvader van een van hen was. We hadden het hele huis voor een lang weekend tot onze beschikking terwijl zij in het buitenland zaten. Drie of vier echtparen met hun kinderen. Het was bijna een landhuis – lange donkere gangen die naar meer slaapkamers leidden dan je kon tellen, een zaal van een keuken met rekken te drogen gehangen kruiden boven je hoofd, een onbetrouwbare centrale verwarming. Een geweldig lange tuin met een wirwar van krentenboompjes en aan het eind een vijver. De vijver hield alle ouders van de jongere kinderen op de rand van hysterie, maar ik weet dat onze jongens er de tijd van hun leven hadden. Onbeperkte omgang met andere kinderen, eindeloos veel pizza, minimaal ouderlijk toezicht.

Het is net als in *The lion, the witch and the wardrobe*, merkte Jack buiten adem op, terwijl hij langs de keuken kwam gevlogen met een plastic bijl in zijn hand en eventjes inhield om te controleren of wij nog steeds zijn ouders waren.

Ja, zei ik, maar ga niet in klerenkasten zitten.

Waarom niet?

Omdat dit huis van iemand anders is en wij voorzichtig met hun spullen moeten zijn.

Het vreemde is, dat ik me dit gesprekje met Jack herinner, maar niets van de verjaardag van Mary.

Ik weet nog wel dat er een soort viering of feestje was, want er is een foto van mij in een turkooizen fluwelen vest, met heel lang haar, veel langer dan het nu is. Op die foto sta ik over een blonde baby gebogen en blaas de ene roze kaars op haar taart uit.

De baby zit rechtop en alert in de kinderstoel en houdt haar hoofd heel stil; een uitdrukking van uiterste concentratie op haar gezicht. Ze fronst en staart naar de kaars, niet zozeer opgewonden, maar alsof de kaars haar iets interessants of belangrijks zou kunnen vertellen. Wat ik niet mooi vind aan de foto is, dat mijn haar in de weg zit. Het lange gordijn van mijn haar hangt in de weg van wat je anders had kunnen zien – de rest van het gezicht van de baby, haar mond. Haar perziken mond.

Nu zijn alleen haar ogen zichtbaar – wijdopen en zwart, gericht op de vlam. Wachtend op wat er nu gebeuren gaat. En daarna, en daarna.

Het is vreemd dat ik, hoewel ik me het moment van de foto niet kan herinneren, volop andere herinneringen aan die tijd in dat huis heb. De omgeploegde velden, iedere ochtend ijzig van de vorst. De koeien in hun schuren, die Fin iedere dag per se acht keer wilde bezoeken. Er is een foto van hem in zijn rode anorak, waarop hij met afgewend gezicht een handvol stro tussen de spijlen door steekt.

Ik herinner me dat de ouders eindeloos de tijd namen om hun kinderen naar bed te brengen – lange tijd in bad en eindeloze verhaaltjes voor het slapen gaan – en dat ik als altijd zo blij was dat ik Tom had, Tom die niet van flauwekul hield, die in staat was twee jongens gewassen te krijgen, te laten tandenpoetsen en min of meer rustig in hun bed te hebben in de tien minuten die ik nodig had om Mary te voeden. Daarna was het: naar beneden voor een borrel.

Tijd voor de volwassenen, zei Tom altijd, en iedereen dacht dat hij een grapje maakte maar hij bedoelde het in feite volko-

112

men serieus. En dan zaten we hand in hand op de grote doorgezakte sofa bij een knapperend haardvuur en wachtten er – helemaal alleen – tot de andere ouders naar beneden kwamen.

Ik herinner me wel dat ik geknield op de biezen mat in die enorme tochtige zitkamer met zijn grote stenen open haard de verjaarscadeautjes voor onze dochter zat in te pakken. Ik weet dat het papier blauw was met witte margrietjes erop. Ik herinner me zelfs wanneer ik het papier had uitgekozen – ik herinner me het ogenblik dat ik in de winkel was en het vel van de stapel trok. Maar ik herinner me niet wat voor cadeautjes het waren, of eigenlijk niets van alles wat we haar ooit gegeven hebben. Ik weet bijvoorbeeld dat Jack een trektrein kreeg voor zijn eerste verjaardag en ik ben er vrij zeker van dat Fin een gele opblaasbare auto kreeg. En die verjaardagen waren veel langer geleden, dus waarom zou ik je echt niet kunnen vertellen wat we Mary hebben gegeven?

Ik kan me alleen maar bedenken dat ik tegen die tijd gewend was aan kinderverjaardagen en dat ik moe was en het druk had en er niet genoeg aandacht aan besteedde. Met je derde kind word je laks. Je neemt aan dat de eerste verjaardag van je baby gewoon de eerste van vele is, dat er volgend jaar twee kaarsen op de taart staan, enzovoorts. Je neemt aan dat haar een leven vol taarten wacht, een lange lijn van aangestoken kaarsen die zich bijna tot in het oneindige uitstrekt. Je neemt heel veel dingen aan.

Ik besluit niets tegen je te zeggen over Parijs. Wat zou ik in vredesnaam kunnen zeggen wat niet volkomen gestoord zou klinken? Hé, weet je niet meer dat we elkaar een paar dagen geleden hebben gezien? Ben je vergeten dat je verscheen en verdween en mij bang en van streek maakte en zie je wel dat er echt niets is wat ik kan zeggen?

Of er zijn er twee van jou, of je bent me aan het bedonderen, of ik heb me alles verbeeld; ik ben een plek in Parijs ingedoken die er niet echt is. Het land van Narnia. Dat zou niet de eerste keer zijn. Of er zijn er twee van jou of ik ben gek aan het worden, op weg naar het land van de uit het lood geslagenen. Ik weet waar Tom op zou stemmen.

Maar ik voel me niet gek. Ik voel me gezond, volkomen gezond – gezonder dan ik me in tijden heb gevoeld.

Dat dacht ik zomaar, mail ik naar je terug over de wodka met vanille cola light, een slag in de lucht.

Dat zal wel, schrijf jij. Ik denk dat je Simon Riley gesproken hebt. Hij kwam een tijdje geleden op bezoek. Gewoon een paar dagen, op doorreis. Maar lang genoeg om al mijn schandelijke gewoontes te weten te komen.

Ik zeg: misschien, en laat het daarbij. Ik zeg niet dat ik Simon Riley nauwelijks ken en dat ik zeker de afgelopen drie of vier jaar niets van hem heb gehoord.

Ik vraag je of je nu getrouwd bent, of je kinderen hebt.

Gescheiden, schrijf je terug. Een zoon, al behoorlijk groot. Zijn moeder kan me niet luchten of zien. Dat ligt nogal ingewikkeld.

Jij vraagt naar mij – naar mijn kinderen, naar mijn leven. Wat heb ik al die jaren gedaan? Ik neem even pauze en dan schrijf ik dat ik drie kinderen heb.

Je vraagt naar hun namen en ik vertel dat dat ook nogal ingewikkeld ligt en zal moeten wachten tot ik je zie. Je vraagt of ik nog steeds schrijf.

Weet je dat nog?

Natuurlijk weet ik dat nog. Het getik van jouw kleine typmachine terwijl wij allemaal in de vernieling lagen of sliepen.

Ik vertel je dat ik het nog doe, maar alleen gedichten.

Mevrouw Rosy! mail je de volgende dag terug. Je bent te bescheiden. Ik heb je opgezocht op internet, je hebt als dichter gepubliceerd – je hebt verdorie een prijs gewonnen.

Ik leg hem uit dat het niet zo'n grote prijs was en dat het nu alweer een paar jaar geleden was.

Ha! Zo kom je er niet van af, schrijf jij. Ik ben onder de indruk. Ik ben verdomd diep onder de indruk.

En jij dan? zeg ik. Jij bent nu een groot zakenman.

Dat gaat alleen maar om geld, antwoord je, en ik proef een soort verslagenheid tussen je woorden. In zaken, bedoel ik. Het is gewoon een kwestie van centen tellen, niets bijzonders, niet meer dan dat. Ik moest vroeger een pak met das dragen maar nu ik belangrijker ben, draag ik steeds vaker iets eenvoudigers – spijkerbroek en tennisschoenen – en ik begin ook tegen mensen te schreeuwen. Je zou lachen als je me kon zien. Maar, om je de waarheid te zeggen, op bepaalde dagen zie ik het niet meer zitten. Ik droom ervan de hele boel aan de kant te gooien en gitaar te gaan spelen.

Waarom doe je dat dan niet?

O, Rosy. Daar heb ik de moed niet toe en ik moet mijn ex zo verdomd veel geld betalen. Ik denk dat ik eerst moed moet verzamelen voor ik daar ooit toe kom.

Ik herinner me dat je vroeger gitaar speelde, en ik vraag je of je ooit geprobeerd hebt van je spel te leven.

Het korte antwoord? schrijf je. Nee. Hoewel het nog steeds mijn passie is. Een geheime, middelbare-leeftijd-passie nu – mijn zoon speelt in feite stukken beter dan ik ooit heb gedaan. Maar genoeg daarover. Ik ben gewoon niet goed genoeg. Nooit geweest. Niet zoals jij, met je gedichten, mevrouw Rosy.

Ik ben er niet zeker van dat ik ooit nog van zulke gedichten kan schrijven, vertel ik je en voor het eerst realiseer ik me dat ik dat ook geloof, dat ik mezelf iets vertel waarvan ik weet dat het de waarheid is.

Ben je ooit in Parijs geweest, schrijf ik, uiteindelijk.

Ik denk dat ik ooit in Frankrijk ben geweest, jaren geleden, toen ik nog een kind was, schrijf je. Met mijn moeder, bedoel ik. Waarom? Jij wel?

We zijn er voor onze trouwdag heen geweest, schrijf ik. Afgelopen week, om precies te zijn.

Leuk, schrijf je, en ik merk dat je wat koeler klinkt. Hoe lang ben je nu getrouwd?

Niet precies getrouwd, schrijf ik terug. Dat zit nogal ingewikkeld in elkaar.

Hmm. Dat leg je me wel uit als je me ziet?

Inderdaad.

Je vertelt me dat je waarschijnlijk over tweeënhalve week overkomt. Je moet nog wachten op bevestiging van vluchten, besprekingen enzovoorts. Je schema ligt volkomen in handen van iemand anders, maar je zult waarschijnlijk vier dagen hier zijn. Ik zet een streepje bij die dagen in mijn agenda, maar ik zet je naam er niet bij – alleen een streepje. Ik houd alle vier de dagen vrij.

Je maakt me aan het lachen. Zelfs op deze grote afstand in jaren en kilometers, maak je me echt aan het lachen.

Naarmate de dagen voorbijgaan, verbaas ik me over het gemak waarmee ik je schrijf, je volkomen eerlijke en spontane antwoorden geef, dingen met je deel die ik moeilijk met iemand anders kan delen, zelfs niet met Tom, nou ja, juist niet met Tom.

Zeg me drie dingen waar je van houdt, schrijf je op een dag. Het kan van alles zijn, maar de enige regel is dat je ze direct moet zeggen, je moet er niet te lang over nadenken.

Mijn kinderen, schrijf ik onmiddellijk, en – ik merk dat ik aarzel, ik sluit mijn ogen, en – de lucht.

De lucht?

Ja. De lucht. Serieus. Elke dag, in elke kleur. Ik word erdoor opgevrolijkt. Ik denk dat ik dood zou gaan als ik de lucht niet kon zien.

Niet zeggen: doodgaan, mevrouw Rosy, dat meen ik. Praat alsjeblieft niet op die manier over jezelf.

Ik bedoel, schrijf ik terug, dat ik – denk ik – van het weer houd. Ik kijk ernaar. Licht en donker en koud en warm, dat heeft allemaal invloed op me – echt een heleboel invloed op me, meer dan normaal, bedoel ik.

Dat is grappig, schrijf je, dat vind ik leuk.

Niet lachen, schrijf ik.

Ik lach niet.

Ik kan je horen lachen.

Kun je me horen?

Het zit in de woorden – tussen de woorden die je schrijft.

Dat is niet lachen, mevrouw Rosy, antwoord je. Dat ben ik terwijl ik glimlach. Jij doet mij glimlachen.

Echt waar?

Ja. Heus. Je maakt me gelukkig. Jou schrijven maakt me gelukkig.

Ik schrijf je niet meteen terug als je dit zegt. Er zit een gat van vierentwintig uur tussen. Ik merk dat ik wat over je wil nadenken, ik wil nadenken over wat je daarnet gezegd hebt. Deze dialoog begint me te benauwen.

Je hebt me niet het derde ding genoemd? schrijf je als we de draad weer oppakken. Je noemde je kinderen en de lucht. Je hebt maar twee dingen opgegeven.

Ik aarzel.

Ik kan niet op iets anders komen, schrijf ik en een hard koud gevoel zet zichzelf in mijn buik vast.

Kun je dat niet?

Ik zal erover nadenken, schrijf ik.

Dat is niet goed, antwoord jij. Het werkt niet als je erover moet nadenken.

Ik besluit dat ik mezelf moet inhouden om je e-mails niet per ommegaande te beantwoorden. Het komt erop neer, besluit ik, het tempo wat te verlagen. Ik bereken snel dat, aangezien je heel vroeg schijnt op te staan, jouw dag ongeveer om drie uur 's ochtends mijn tijd begint. Dus als ik inlog om ongeveer vier uur, zal er bijna zeker eentje van jou zijn binnengekomen – of direct bij het begin van jouw ochtend geschreven of de avond ervoor, terwijl ik sliep. En als ik er 's middags antwoord op geef, stuur jij me er een voor de avond. Dat is het met ons: iedere e-mail lijkt als vanzelfsprekend een antwoord uit te lokken. En dus is het hopeloos, er is nooit een pauze, de dialoog gaat maar door. En de e-mails worden langer. Nu hebben ze op z'n minst twee p s-en. En dan heb je nog de betekenis tussen de woorden. Als ik wacht tot een briefje is bezonken, kan ik er meer in lezen – bij de derde of vierde keer lezen lijkt het langer te worden. Ik merk in feite dat ik elk van de jouwe minstens tien keer kan lezen en dan nog komen er nieuwe betekenissen bovendrijven.

Jij schrijft zo goed, schrijf ik naar je. Ik meen het. Ik zeg dat niet zomaar. Jij bent echt een goede schrijver.

Ga je schamen, mevrouw Rosy, antwoord jij. Je drijft de spot met me. Jij bent de schrijfster en ik ben de achterlijke Yankee.

Nee, zeg ik, jij kiest je woorden zo goed. Of, anders, het lijkt net of je ze helemaal niet kiest. Je drukt je zo gemakkelijk uit en ik begrijp er ieder woord van.

Dat is het beste in het leven, schrijf jij. Dat wil iedereen – begrepen worden, zich begrepen voelen. Maar dat komt door jou, weet je – het is de manier waarop jij leest, de manier waarop jij er zoveel aandacht aan besteedt. Mijn schrijfstijl is niets bijzonders, dat weet ik, en het spijt me dat je me niet op andere gedachten kunt brengen.

Het is de mooiste manier van schrijven, antwoord ik je. Nou ja, de stijl waarvan ik het meest houd, in ieder geval.

Dan moet je je er maar op instellen dat het je zal tegenvallen als je me ontmoet, schrijf jij. Ik zweer dat ik in levenden lijve heel wat saaier ben.

Ik kan hier geen zinnig antwoord op bedenken.

Op een dag is er om vier uur, halfvijf of vijf uur geen e-mail en ik ben geschokt hoe diep teleurgesteld ik me voel, ondanks al mijn goede voornemens. Ik sta op het punt af te sluiten, razend op mezelf, als jij me er om zes uur eentje stuurt vol verontschuldigingen en het bericht dat je een moeilijke ontbijtvergadering hebt gehad en het te druk hebt gehad om me voor die tijd te schrijven.

Ik bloos van schaamte. Ook al ben jij zoveel kilometers ver weg, ik voel mijn hoofdhuid prikken. Is het echt mogelijk dat ik zo afhankelijk en veeleisend ben geworden?

Het geeft niet, schrijf ik ietsje te snel terug. Je hoeft je niet te verontschuldigen. Ik verwacht heus niet dat je elke dag schrijft.

Nou, dat zou je wel moeten verwachten, antwoord jij, omdat ik dat wel verwacht. Ik moet nu schrijven, elke dag. En ik denk dat ik het niet zou kunnen verdragen als jij niet zou antwoorden.

Op een andere dag realiseer ik me dat we voor acht uur 's ochtends zes e-mails hebben uitgewisseld. Hier word ik echt bang van. Ik besluit dat ik moet proberen op z'n minst vierentwintig uur niet te schrijven. Dat zou ontzettend moeilijk worden, dacht ik, maar ik zou streng voor mezelf zijn. Het enige wat erop zat, was uit de buurt van mijn pc te blijven, hem zelfs niet aan te zetten. En dus stond hij daar met een zwart scherm, beschuldigend en triest de hele dag te wachten. Uiteindelijk kreeg ik er genoeg van er steeds maar langs te lopen en deed ik de deur dicht.

Ik probeerde mijn aandacht op mijn gezin te richten. Ik hielp Fin een oude doos klaar te maken voor Lex, zodat ze daar haar jonkies in kon krijgen. Met onze enigszins botte keukenschaar knipten we een van de zijkanten van de doos eruit, bogen de zij-flappen naar beneden en legden er een oude handdoek in. Fin schreef met een zwarte markeerstift op de bovenkant: POESJES HIERIN GEBOREN en voor de zoveelste keer herinnerde ik hem eraan dat het nog een paar weken kon duren voor ze geboren zouden worden.

Dat weet ik wel, zei hij. Maar, mama, je kunt nooit weten, ze zou ze ook eerder kunnen krijgen.

Dat is heel, heel onwaarschijnlijk, vertelde ik hem. Alleen mensenmoeders doen dat soms – heel eventjes schoot de oude, bekende pijn om Mary door mijn hart en ik realiseerde me met een schokje dat ik al een hele tijd geen pijnlijke gedachte aan haar had gehad.

Fin schonk zichzelf wat citroenlimonade in en lengde dit aan met kraanwater, maar hij draaide de kraan te ver open en het glas liep over en de limonade liep over zijn mouw. Hij wreef hem af met de keukenhanddoek die hij daarna op de grond smeet.

Oprapen, zei ik en hij deed het.

Ik wilde gewoon dat ze nou eens snel kwamen, zei hij met een zucht. Ik wilde dat het niet zo lang duurde. Ik wilde dat het da-gen waren en niet weken.

De tijd zal wel snel voorbijgaan, zei ik tegen hem. Je zult eens zien – en ik besefte terwijl ik sprak dat ik jou zou hebben gezien tegen de tijd dat de poesjes van Lex geboren waren. En dat ik me onmogelijk kon voorstellen hoe dat zou gaan. Ik had er geen voorstelling van dat het zou gebeuren en ook niet dat het niet zou gebeuren. Ik dacht dat ik zou ontploffen als ik nog veel lan-ger zou moeten wachten op het weerzien met jou. Maar tegelij-kertijd was ik doodsbang. Zonder het te beseffen keek ik op de keukenklok en deed wat ik de afgelopen paar dagen automatisch had gedaan – ik trok er acht uur vanaf om te zien hoe laat het bij jou was.

Waarom kijk je op de klok? vroeg Fin.
Om te kijken of het al tijd voor thee is, vertelde ik hem.

Tom kwam thuis. Wat is er aan de hand, Nic? vroeg hij me.
Wat bedoel je met: wat is er aan de hand?
Je bent zo gespannen.
Ben ik dat?
Ja, dat ben je. Je doet zo prikkelbaar. Is er iets wat je dwarszit?
Helemaal niet, het gaat goed met me, zei ik tegen hem en ik schopte de deur van mijn werkkamer dicht omdat Lex hem weer had opengeduwd.
Later in bed trok ik hem naar me toe en ik deed hard mijn best om het weer goed te maken. Ik zoende zijn gezicht, zijn donkere borstelige wenkbrauwen en zijn gesloten ogen. Sommige delen van hem zagen er tegenwoordig oud uit maar andere delen zagen er nog jong uit. Ik hield zijn handen in de mijne en ik draaide ze almaar om.
Wat ben je aan het doen?
Ik kijk naar je handen. Ik houd van ze.
Na zijn handen, raakte ik de zware hitte van zijn ballen aan; hij glimlachte en hij lachte vervolgens van genoegen en verrassing. Toen hij hard was geworden, ging ik boven op hem zitten, stak hem in me en we bedreven wat als een soort liefde aanvoelde. Ik wist dat hij blij was dat ik begonnen was – hij wilde altijd dat ik bij dit soort dingen het initiatief nam – en toen hij klaarkwam, probeerde ik hem van ganser harte te aanbidden; ik probeerde het allemaal echt te laten zijn.
Maar ik merkte dat ik zijn gezicht een beetje te nauwkeurig zat te bestuderen – de manier waarop het wegdraaide als hij genot ervoer, de manier waarop zijn mond bewoog en samentrok en ik wenste dat hij er op zo'n moment niet als een vreemde uitzag; ik wenste dat hij er gewoon als Tom uit bleef zien.
Noem drie dingen waar je van houdt, fluisterde ik tegen hem toen zijn mond van vermoeidheid openviel en het vocht uit me begon weg te sijpelen.
Slapen, zei hij, streelde een keer over mijn hoofd, draaide zich om en was vertrokken.

Als ik de volgende dag de pc aanzet, zijn er vier e-mails van jou, de een na de ander bezorgder en treuriger. Je bent bang dat ik ziek ben, of dat er iets is gebeurd met een van de kinderen, of zelfs dat ik niet meer met je wil schrijven. Als het dat laatste is, zeg je, maak je geen zorgen, daar kan ik mee omgaan, ik zal mijn best doen het te begrijpen. Maar alsjeblieft, Rosy, ik moet gewoon weten of alles goed is met jou en je gezin.

Ik staar naar het scherm en mijn handen trillen.

Ik schrijf terug en zeg tegen je dat het me spijt, dat er niets aan de hand is met mij of met de kinderen, met ons allemaal. Ik zeg je dat ik gewoon een drukke dag heb gehad, dat is alles.

Heb jij echt niets beters te doen dan mij te schrijven? schrijf ik dan, in een poging een lichtere toon te zetten, jou te plagen.

Nee. Ik heb letterlijk niets beters te doen met mijn tijd. Ik heb dit nodig. Alsjeblieft Rosy. Doe wat je moet doen met je kinderen – geef ze te eten of help ze met hun huiswerk of wat dan ook, wat ik bedoel, verwaarloos hen niet – kom dan terug en schrijf mij nog een keer vanavond. Een van die lange of idiote brieven, goed? Alsjeblieft, doe dat voor mij, goed?

Ik begin in mijn werkkamer in mijn eentje te lachen.

Lang en idioot? Is dat wat je wilt? Smeek je mij? schrijf ik en ik druk op 'verzenden' en dan wacht ik met ingehouden adem en een vinger in mijn mond.

Absoluut, luidt het antwoord, ik zit op mijn knieën. Jij kunt me niet zien, maar ik zweer dat ik op mijn knieën zit en dat is geen leuk gezicht, deze dikbuikige zakenman op zijn knieën.

Jij bent niet dik, schrijf ik.

Wacht maar met je mening tot je me ziet.

Goed, schrijf ik, maar het zal op z'n minst een uur duren. Je zult moeten wachten tot ik spaghetti voor de jongens heb klaargemaakt.

Ik schrijf dit heel gewoon en vlotjes, maar mijn hart gaat in mijn borst tekeer.

Ik wacht wel, schrijf je. Ik moet nu naar een vergadering, maar daar sla ik me wel doorheen, in de wetenschap dat jij mij gaat schrijven. Lachen, kindje.

Je bent druk bezig, daarboven, zei Tom, en ik kon zien dat hij aannam dat ik eindelijk een gedicht aan het schrijven was en dat hij oprecht blij voor me was.

Ik hield mijn ogen op het kokende water gericht en gooide de schelpenpasta erin. Ik besloot dat ik na het eten naar boven zou gaan en proberen echt aan een gedicht te gaan werken. Ik wilde niet liegen tegen Tom, dat was het laatste wat ik wilde doen. En bovendien, voor het eerst in hele lange tijd kon ik me voorstellen dat ik iets zou kunnen schrijven.

Dan raakt op een dag alles in een hogere versnelling. Ik weet niet waarom. Of, dat is niet helemaal waar, misschien weet ik dat heel goed.

Op een dag schrijf je mij eerder dan gebruikelijk. Tegen het middaguur komt er een e-mail, op een moment dat ik er helemaal geen verwacht. En als jouw naam tevoorschijn schiet, merk ik bij mezelf een rillinkje, een korte adrenalinestoot. Het gevoel dat het zien van jouw naam mij altijd geeft. Eventjes moet ik stoppen en een paar keer diep ademhalen. Zover is het nu gekomen – een shot van jou – daar moet ik me fysiek op instellen omdat ik erdoor verander, alles verandert erdoor.

Je vertelt me dat je om drie uur 's morgens wakker werd en niet meer in slaap kon komen.

Ik was uitgerust, schrijf je, ik wist gewoon dat ik klaarwakker was, dat het absoluut geen zin meer had te proberen weer in slaap te vallen. Het waaide hard, stormachtig en er rolden vaten rond door de achtertuin van de buurman. Ik lag daar te luisteren naar de vaten en de wind in de bomen en te genieten van het gevoel over jou, precies daar waar jij jezelf schijnt te hebben gepositioneerd, in de rustige kern van me.

Is dat echt waar ik ben? schrijf ik fluisterend terug. In jouw rustige kern?

Ja, ja, Rosy, dat weet je toch? Je weet toch dat je dat hebt gedaan, je weet toch dat jij jezelf daar hebt gezet?

Ik vraag me af of ik dat inderdaad weet. Dezer dagen weet ik soms niet meer wat ik weet. Ik zit eventjes met gebogen hoofd aan mijn bureau en knijp tegen de tranen in mijn ooghoeken.

Buiten is het weer heel koud geworden, bijna net zo koud als in Parijs. Er wordt sneeuw voorspeld. De bomen staan zwart als strepen tegen een witte lucht afgetekend.

Rustige kern. Dat vind ik fijn, schrijf ik.

Hmm. Ja. Dat vind ik ook.

Maar ik begrijp het niet.

Ik ook niet. Ik weet niet hoe je het voor elkaar hebt gekregen, maar je bent het centrum van mijn leven geworden, mevrouw Rosy. Dit alleen al – gewoon aan jou schrijven, je weer kennen, is veel groter dan ik ooit had gedacht. Ik heb het gevoel je te kennen, bijna alsof de jaren ertussen weg zijn, niet van belang zijn. Ik weet het niet – is zoiets mogelijk? Na al die jaren?

Het is vreemd, schrijf ik terug, een beetje aarzelend. Ik sta op het punt iets anders te schrijven, maar ik houd mezelf tegen. Vind je ook niet dat het zo – vreemd is?

Ja, beaam jij, het is vreemd. Heel vreemd.

Ik word er een beetje bang van, schrijf ik.

Ja, antwoord jij, ik ook.

Ik vraag je dan naar je vrouw, waarom zij en jij gescheiden zijn.

Wil je dat echt weten? komt jouw antwoord per ommegaande terug. Het is geen aangenaam verhaal. Ik bedoel, ik kom er niet erg goed in naar voren.

Vertel het me niet, als je dat niet wilt, schrijf ik en ik besef dat ik altijd mijn adem inhoud als ik op de toetsen tik, ik besef dat ik nu iedere dag leef voor het moment waarop ik in deze witte kamer kan zitten en mijn vingers kan bewegen en voelen dat jij er bent.

Ze bedroog me, schrijf jij. Dat ging absoluut niet omzichtig. Ik kwam een keer vroeg terug van een vergadering en vond ze in ons bed. Allebei naakt – het doet me pijn je dit te vertellen – net als in de een of andere stompzinnige tv-film. De jonge vent die mijn zoon wiskundebijles gaf, verdomme. Voor die tijd mocht ik hem nota bene graag – of laat ik zeggen dat ik dacht dat ik hem mocht.

Ik hoorde ze eerder dan dat ik hen zag. Ik werd er misselijk van. Ik ging volledig door het lint, gooide met dingen in aanwezigheid van mijn zoon, schopte met mijn voet dwars door een kastdeur. Het was geen aangenaam gezicht, moet ik je zeggen. Ik ging die nacht weg en trok in bij een goede vriend, een gitaarvriendje van me. Ik was er kapot van. Ik dronk elke avond, het was gemakkelijker bewusteloos te raken dan in slaap te vallen. Daarna – dit is een stukje dat je misschien liever niet wilt horen, Rosy – ging ik met zo veel vrouwen naar bed als ik kon.

Wat deed je???? schrijf ik.

Ik ging met zo veel vrouwen naar bed als ik kon. Precies wat ik altijd al had willen doen. Waarom ook niet? Bedenk wel, Rosy, dat is wat mannen doen. Maak je niet ongerust, voeg je eraan toe, ik was er niet erg goed in. Of, dat wil zeggen, begrijp me niet verkeerd, het zit op dat gebied allemaal goed in elkaar bij me, maar ik was een verschrikkelijke man in die tijd, dus er wilden uiteindelijk niet veel vrouwen met me naar bed en ik vind het niet erg om je dit te zeggen want het is de waarheid.

Op dit ogenblik, op de avond dat je me het verhaal van je mislukte huwelijk aan het vertellen bent, kwam Tom mijn werkkamer binnen om me een stuk papier te geven dat hij in de blazer van Jack heeft gevonden.

Data van ouderavonden, zei hij, vouwde het blauwe verkreukelde velletje open en legde het op mijn toetsenbord. Ik weet niet hoe lang hij dit al bij zich had. Je kunt er maar beter op antwoorden en het wegbergen in de –

Toen hield hij op. Iets in mijn gezicht moet hem getroffen hebben.

Wat ben je aan het doen? Aan wie zit je te schrijven?

Niemand, zei ik en ik sloeg iets te snel de toets aan die het scherm moest verkleinen, gewoon, je weet wel, iets aan een paar mensen.

Ik hoorde mezelf en ik vond dat ik net als Jack klonk – Jack als hij iets te verbergen had. Nee, dacht ik, erger dan Jack. Jack is zestien.

Tom keek me aan, zei niets en verliet toen de kamer.

Moet gaan, typ ik snel, ik zal je morgen schrijven.

Ik druk op 'verzenden', sluit snel de pc af, zet jou af, leg mijn hoofd in mijn handen en dan voel ik de tranen komen.

Lex was wel degelijk zwanger, geen twijfel mogelijk. Als ze het al niet was geweest, zou het een kwestie van tijd zijn geweest. Elk moment dat ze in de tuin doorbracht, sloop een kater in haar buurt rond.

Fin vond het maar niets.

Ik wilde dat hij nu uit haar buurt bleef, zei hij bij de lunch. Ik bedoel, moet hij haar nu niet met rust laten, nu ze zwanger is? Ik wil ze niet over haar heen hebben, dat ze haar naaien en zo.

Fin, zei ik, ik houd niet van dat woord.

Welk woord!

Naaien. Dat klinkt verschrikkelijk. Ik houd er niet van.

Wat moet ik dan zeggen?

Dat weet ik niet. Paren.

Fin draaide spaghetti om zijn vork en lachte in zichzelf alsof ik van niets wist.

Ik wil alleen dat mijn kat een beetje rust krijgt, dat is alles.

Tom legde toen uit dat het dierenrijk niet precies op die manier werkte, dat het instinct van Lex om te paren erg sterk was en dat ze ook niet wist dat ze zwanger was.

Maar dat is ze toch wel? vroeg Fin hem.

Tom schonk het restant bier uit zijn blikje in zijn glas.

Daar ben ik van overtuigd, zei hij. Je hoeft alleen maar naar haar omvang te kijken.

Vooral als je van boven naar haar kijkt, zei Fin.

Ze is veel dikker geworden, beaamde ik, en Tom keek mij met koele verbazing aan, alsof hij vergeten was dat ik er ook was. Hij gedroeg zich sinds die ene avond zo – afstandelijk, beleefd, attent. Alsof ik iemand was die hij toevallig in huis was tegengekomen, aan wie hij zich best wilde aanpassen, maar met wie hij zich niet echt verbonden voelde.

Ze was vroeger een magere kat, merkte Fin op. Maar nu ziet ze eruit alsof ze een model op ware grootte van zichzelf heeft ingeslikt.

Wat een verdomd debiele opmerking, zei Jack.

Houd je kop, zei Fin, houd je stomme kop dicht.

Zo is het wel genoeg, zei Tom. Je hebt gelijk, Fin. Dat is volgens mij een heel adequate beschrijving van een kat in de eerste fase van haar zwangerschap.

Jack snoof.

Het is net of ze wel dezelfde is, maar dat er twee lagen van haar zijn, probeerde Fin nog eens.

Ze zal je niet aardig vinden, als ze eenmaal haar jonkies heeft gehad, vertelde Jack hem. Besef je dat wel? Haar hele persoonlijkheid gaat veranderen, dat zul je nog wel zien.

O Jack, zei ik, dat is helemaal niet waar en het is heel gemeen om dat te zeggen, dat weet je heel goed.

Ik denk dat hij het niet zo bedoelde, is het wel, Jack? zei Tom en ik hapte even naar adem omdat Tom normaliter nooit de kant van de kinderen, tegen mij koos.

Jack haalde zijn schouders op.

Ik weet niet hoe ik het bedoelde, zei hij, wat erop neerkwam dat hij toegaf het gemeen bedoeld te hebben. Ik keek met een tevreden blik Tom even aan.

Jack was nog niet klaar met eten, maar hij duwde zijn bord weg en wipte met zijn stoel achterover, armen over elkaar.

Nou, we zullen nog wel zien, toch? zei hij tegen Fin.

Houd je kop, zei Fin nogmaals.

Dat zinnetje dat je me schreef – ik ging met zo veel mogelijk vrouwen naar bed – ik weet niet waarom dat me ontroert, maar dat doet het wel.

Nogal choquerend, hè, schrijf je. Nu weet je tenminste wat voor soort man ik ben.

Nee, schrijf ik terug. Het is hartverscheurend. Ik kan het niet verklaren maar – dat zinnetje is precies iets waardoor ik je graag mag.

Weet je, schrijf jij, de dingen die ik jou heb verteld, heb ik nooit aan iemand anders verteld – niemand, zelfs niet aan een vriend. Ik weet niet waarom ik jou al die dingen vertel, Rosy. Ik denk alleen dat ik liever heb dat als jij denkt dat je me leuk vindt, je de echte versie van mij leuk vindt. Niet de een of andere stomme verzonnen versie van de man die ik graag had willen zijn.

Ik vind je leuk, schrijf ik, echt waar. Ik vind je heel erg leuk. En ik vind het leuk als je schrijft: lachen, kindje.

Echt waar? Dat is gewoon iets grappigs wat ik wel eens tegen mijn zoon zei.

Nou, ik vind het leuk, zeg ik tegen je. Dat maakt me aan het lachen.

Weet je wat? schrijf je later. Ik zie ernaar uit je weer te ontmoeten, maar ik zal ook verdomde bang zijn.

Ik ook, antwoord ik. Dus – praktische details alsjeblieft. Hoe laat komt je vliegtuig aan? Waar logeer je? Heb jij een dag nodig om over je jetlag heen te komen en zo? Hoe druk ga je het hebben? Ik bedoel, hoeveel vergaderingen heb je precies?

Ten antwoord stuur je me het adres van het hotel waar je zult zitten en de periode dat je daar zult zijn. Je vertelt me dat je maar beter eerlijk kunt zijn – dat je me meteen moet zien.

Hoe snel kun jij er zijn, Rosy?

Zodra de kinderen de deur uit zijn naar school, schrijf ik, vertrek ik. Ik kan er kort na jouw aankomst zijn.

Deze keer blijf ik na jou geantwoord te hebben in mijn werkkamer zitten en ik doe iets wat ik nog niet eerder heb gedaan, nog nooit. Ik verwijder onze laatste paar verzonden en ontvangen e-mails.

Nicole, heb jij contact met de man die je in Parijs hebt ontmoet?

Tom vroeg me dit toen we ons klaarmaakten om naar bed te gaan. Ik stond daar half uitgekleed en jij was zo vlak bij de oppervlakte, zo dicht bij de rand van mijn gedachten, dat de vraag me deed opschrikken.

Ik probeerde normaal te kijken terwijl ik mijn t-shirt over de leuning van de stoel legde, maar een paar tellen was ik vergeten hoe je dat ook weer moest doen en ik besefte dat ik het te zorgvuldig deed.

Die man? O, nee, nee. Het was heel gek hem in Parijs tegen het lijf te lopen. Ik weet niet wat er gebeurde, maar nee, ik heb hem nooit meer gezien nadat hij was verdwenen.

Dit is allemaal waar, zei ik tegen mezelf terwijl ik het haakje van mijn beha losmaakte. Dit is allemaal helemaal waar.

Tom zakte op de rand van het bed, met alleen zijn onderbroek nog aan. Zijn schouders waren opgetrokken. Hij deed zijn horloge af, hield het een ogenblik in zijn hand en keek ernaar alsof het hem meer kon vertellen dan alleen hoe laat het was.

Het spijt me, Nicole, zei hij. Maar – mag ik je iets vragen?

Ik zei niets, haalde alleen mijn schouders op.

Zou jij ooit tegen mij liegen?

Ik legde mijn beha boven op mijn T-shirt op de stoel. Hij zag er heel raar uit, net als het T-shirt.

Ik denk van niet, zei ik tegen hem.

Je denkt van niet? Bedoel je dat je het niet weet?

Ik bond mijn haar naar achteren zodat ik mijn gezicht kon schoonmaken. Ik zag dat als ik mijn armen optilde, mijn borsten er heel wat beter uitzagen en ook dat mijn ogen er in de spiegel, ondanks alles, donker en opgewonden uitzagen, met een soort glanzend geluk, dat ik nooit eerder had opgemerkt.

Ik trok mijn onderbroek naar beneden en stapte eruit.

Nou, zei ik. Ik bedoel dat ik het nooit heb gedaan, natuurlijk niet – maar hoe kan iemand ooit weten wat hij in de toekomst zal doen?

Nou, geweldig. Dat geeft me nog eens veel vertrouwen.

Tom, ik draaide me naar hem toe en pakte de katoenen slip die ik in bed droeg, op dit moment lieg ik niet tegen je.

We keken elkaar een ogenblik in stilte aan.

Zeg me dan wie je geschreven hebt, zei hij, want ik weet zeker dat je met iemand hebt geschreven.

Mijn bloed klopte terwijl een verschrikkelijke gedachte door me heen schoot.

Je hebt toch mijn e-mail niet zitten lezen?

Tom keek geschokt.

Jezus, Nicole, natuurlijk niet, dat zou ik nooit doen. Hoe kun je het bedenken? Wat een rotopmerking.

Ik keek hem aan en hij zuchtte.

Het spijt me Nicole, maar ik hoef je heus niet te bespioneren om te zien dat je altijd aan iemand zit te schrijven, zei hij. Besef je niet dat het overduidelijk is, verdomme? Sinds we terug zijn van Parijs, zit je alsmaar in die kamer van je opgesloten, te e-mailen.

Ik haalde diep adem.

Oké, ik heb contact met iemand, vertel ik hem. Gewoon een oude vriend – ik bedoel iemand anders. Dat is geen geheim of zo.

Tom keek verbaasd. Misschien had hij niet verwacht dat ik zoveel zou zeggen. Of misschien had hij dat wel verwacht.

Een man? Een andere man?

De manier waarop hij dit zei, irriteerde me.

Ja, zei ik, oké, een man. Maar dat doet er niet toe. Hij is gewoon een heel oude vriend. En weet je, het is wel leuk weer in contact te komen met mensen van vroeger. Het geeft een passend gevoel – alsof een cirkel rond is.

Passend? zei Tom terwijl hij dit woord van mij met een uitdrukkingsloze blik op zijn gezicht herhaalde.

Ja, zei ik. Het voelt goed. Warm. Bevredigend.

Passend is een woord dat jij nooit gebruikt, zei Tom. Het klinkt vreemd.

O ja?

Jij klinkt vreemd, Nicole.

Nu bloosde ik en ik vroeg me af of het een woord was dat ik van jou had overgenomen. Ik vroeg me vervolgens af of ik gewoon maar de waarheid zou vertellen, zeggen dat jij over kwam voor een bezoek – wat was daar per slot van rekening mis mee? Maar iets weerhield me ervan. Jouw bezoek – hoe dat zou zijn en hoe je bij mij zou overkomen, daarover had ik van mezelf nog niet mogen nadenken.

Tom fronste zijn wenkbrauwen.

Maar – ik snap het niet, zei hij.

Wat snap je niet?

Je bedoelt dat dit weer een andere man is? Niet die ene over wie je me in Parijs vertelde?

Dat heb ik je al verteld, zei ik. Die vent in Parijs, die verdween.

Mensen verdwijnen niet, Nic.

Misschien heb ik me hem maar verbeeld, goed dan? Misschien was hij een spookverschijning.

Wat ontzettend idioot en stom om dat te zeggen.

Nou, misschien ben ik dat ook. Idioot en stom. Dat zou je wel willen, hè?

Tom keek me verbaasd aan.

Wat bedoel je daar nou verdomme weer mee?

O, niets. Gewoon – wat gebeurt er toch met ons, Tom?

Tom zuchtte en draaide zijn horloge om en om in zijn handen.

Op die vraag kan ik geen antwoord geven, Nicole.

Hè?

Alle antwoorden liggen bij jou. Dat is altijd al zo.

Ik schrijf en vertel je dat onze kat Lex de Tweede zwanger is. Ik leg uit dat ze 'de Tweede' wordt genoemd omdat de eerste Lex is doodgegaan. Ik vertel je dat Fin er eentje zal willen houden maar dat ik niet zeker weet of we nog een kat in huis erbij willen hebben. Ik vertel je dat ik het gesprek hierover zo lang mogelijk uitstel.

Je schrijft terug en je vraagt me Fin tot in de finesses voor je te beschrijven. Lijkt hij op jou? vraag je. Ik weet het niet, maar uit wat je tot nu toe geschreven hebt, klinkt het alsof hij veel op je lijkt – beschouwend, sympathiek, beschermend.

Ben ik beschermend? vraag ik verbaasd, omdat ik dat nooit eerder over mezelf heb gedacht.

O, absoluut, zeg jij. Het is zo overduidelijk in jouw houding naar iedereen – je kinderen, je man-die-niet-je-man-is, iedereen.

Ik denk hierover na en ik realiseer me dat ik dit beeld van mezelf echt prettig vind, dat het me een bepaalde kracht geeft; dit alleen al te bedenken maakt dat ik me beter voel. Ik besef dat ik wou dat Tom mij op die manier zag – sterk en betrouwbaar en bijna bewonderenswaardig, in plaats van als dit grillige en onbetrouwbare mens wier taal en ideeën om de haverklap veranderen, die altijd weer op het rechte pad moet worden gezet.

Dus ik doe precies wat je vraagt. Ik stuur je een uitvoerige beschrijving van Fin. Hij bevat bijna alles wat er over hem te zeggen valt vanaf het moment dat hij geboren werd tot nu. Als ik klaar ben, beslaat hij meer dan drie bladzijden en er staan dingen in waarvan ik niet eens wist dat ik ze dacht of voelde. Van die moederdingen. Ik glimlach en voel dat mijn leven op zijn kop staat. Wil je echt dit allemaal over een van mijn zonen lezen?

Ik besef met een schok van verrassing hoe gemakkelijk het is iemand te aanbidden die belangstelling toont voor je kinderen.

In je laatste e-mail van die dag staat te lezen waarop ik heb zitten wachten. Dat is te zeggen, wanneer hij komt, besef ik dat ik er nooit over heb nagedacht, maar nu ik dat wel doe, is het zonneklaar. Het is het enige punt wat tot nu toe ontbrak.

Er is iets wat ik je moet vragen, schrijf je. Ik hoop dat je niet boos wordt. Het is moeilijk om erover te praten nu we op deze manier aan elkaar hebben geschreven, maar het speelt door mijn hoofd en als ik het niet uitspreek, nou, dan weet ik het niet meer.

Ik zit een ogenblik stil. Ik kijk naar de tuin, de witte lucht daarbuiten. Mijn hart bonkt.

Ik weet het, schrijf ik snel terug. Ik weet wat je gaat zeggen.

Ja? Het is alleen maar – er was toen in die tijd, een nacht, een ijskoude nacht en –

Je hoeft het niet te zeggen.

Herinner jij je hem ook?

Die avond in mijn werkkamer beet ik een ogenblik op mijn nagels, haalde diep adem en maakte een nieuw document aan op mijn scherm. Eerst noemde ik het GEDICHT. Toen dacht ik even na, wiste dat en veranderde het in NVHP, want daar zou het over gaan, daar twijfelde ik geen moment aan. Nacht van het parelsnoer.

Toen ik eenmaal begonnen was, kwamen de woorden als vanzelf en het gedicht ontstond gemakkelijk en losjes, de woorden schoten eruit, ritmisch, licht, alsof ze wisten wat hen te doen stond, zonder dat ze mij nodig hadden om hen op gang te helpen of te leiden. Het gaf het gevoel alsof een ander hart hen liet komen – niet het mijne, maar een ander dat ik nauwelijks kende, een hart binnen een hart misschien, zoals het lichaam van Lex de Tweede, iets tweevoudigs, vol van het leven in zichzelf.

Mijn handen werkten snel, mijn vingers gingen als gekken

tekeer om de stem in mijn hoofd bij te kunnen houden, mijn bloed raakte in een stroomversnelling en mijn gezicht begon te gloeien van het gewoonweg opzwepende geluk van het schrijven. Ik had dit in lange tijd niet gevoeld, die verbinding tussen hand, geest en scherm – behalve misschien wanneer ik aan jou aan het schrijven was.

Ik schreef meer dan een uur, misschien wel twee, en die hele tijd dacht ik geen seconde aan Tom of de jongens of zelfs Mary. Ook niet aan mezelf – vooral niet aan mezelf – en het was een opluchting, los van mezelf te zijn en naar een heel andere plek te gaan, de plek in mijn hoofd waar de woorden zich bevonden, waar jij was. Het is een goede plek – rustig, vriendelijk, zeker, beschut. Het was zo gemakkelijk mijn ogen te sluiten en me over te geven aan het beschutte gevoel en er te blijven. Eigenlijk denk ik dat ik er op de een of andere manier ook zal blijven, omdat ik tegen de tijd dat ik klaar ben, weet dat wat ik geschreven heb, slechts het begin is van een veel langer gedicht – een gedicht dat zo lang zal duren als in mijn vermogen ligt.

Ik weet alleen maar dat het oprecht is, dat ik het nooit wil laten eindigen, dat het mijn leven heeft gered en dat het met sneeuw begint.

Vlak na haar eerste verjaardag begon Mary te staan; ze trok zichzelf op aan het meubilair, hield zich stevig vast met haar twee handjes en liep met wankele stapjes rond de lage grijs gelakte salontafel. Ik kocht een paar gestreepte slofsokken voor haar, met een suède zool, antislip, warm en comfortabel met veel ruimte voor haar botten om te groeien. Je moet baby's nooit schoenen aantrekken voor ze een tijdje hebben gelopen. Het is verbazingwekkend hoeveel mensen niet op de hoogte schijnen te zijn van dit simpele feit.

Met de sokken aan had ze een beter evenwicht. Maar ze was voorzichtig. Ze bewoog zich stap voor stap voor stap en straalde voortdurend. Ze hield niet op met stralen en bewegen en stappen, maar ze liet ook nooit los.

Ik herinner me de aanblik van haar handen die iets stevig vasthielden.

Het is een heldere dag en het licht stroomt de kamer binnen en haar handen houden zich stevig aan de salontafel vast en ze glimlacht en glimlacht en ik roep haar, in een poging haar ertoe te brengen de tafel los te laten en naar me toe te komen – twee stapjes maar – maar ze piekert er niet over. Haar vingers grijpen de tafel vast alsof ze hem nooit meer los willen laten.

Ik denk, zei Tom, dat ze wacht tot ze dertien is en sterk genoeg om de tafel op te tillen, dan gaat ze er gewoon mee rondlopen.

We moesten allemaal lachen. Het was grappig om je Mary voor te stellen als ze der tien was, één lange, slungelachtige tiener, vergroeid met een gelakte salontafel.

Maar het was niet alleen de tafel. Alles van de juiste hoogte was goed. Op een dag hield ze zich vast aan een rieten koffer die we gebruikten als opbergplaats voor speelgoed. Ze boog zich voorover om er iets uit te pakken, een blok of misschien een linnen prentenboek, verloor haar evenwicht en viel er voorover in. Je kon alleen nog haar twee beentjes in hun corduroy pijpen van een tuinbroek zien – een oude die Jack en Fin ook hadden gedragen – en gestreepte sokjes uit de koffer zien steken.

Het kostte haar ongeveer vier verdoofde seconden om te begrijpen wat haar was overkomen, toen haalde ze een keer heel diep adem en zette het op een krijsen. Fin vond dit het grappigste wat hij ooit had gezien, maar hij rende naar haar toe om haar te redden, trok haar eruit, zette haar op zijn schoot en streelde haar handen en haar corduroy knieën tot ze weer rustig was.

Hij en zijn zusje, er was iets merkwaardigs tussen hen. Hij was bovenal haar beschermer. Hij zou het in geen jaren toegeven maar het was geen toeval dat hij altijd achter haar aan sloop, klaar om haar te hulp te schieten. Hij was geduldig met haar, veel geduldiger dan met wie of wat dan ook in zijn leven, behalve misschien met uitzondering van Lex de Tweede.

Later, toen Mary net zonder hulp kon lopen, vond ze niets fijner dan een plaatjesboek te pakken, langzaam tegen Fin aan te gaan staan zodat hij haar op schoot kon trekken en het boek voor haar kon opendoen. Dan besprak hij alle plaatjes voor haar en hoewel ze nog maar dertien maanden oud was, luisterde ze ingespannen terwijl een lange spuugdraad uit haar mond droop.

Dit schreef ik allemaal in de e-mail naar jou. Toen besefte ik hoe vreemd het was, bijna onbehoorlijk, dat ik je dit allemaal vertelde, terwijl je nog steeds niet wist wat er met Mary was gebeurd.

Wie weet, misschien dat na de lange wandeling die we maakten op die hete zomernacht, toen we samen op de brug stonden en elkaar deelgenoot maakten van wat we allemaal zo belangrijk vonden, misschien dat je me niet lang daarna gevraagd zou hebben of je weer in mijn kamer mocht slapen. En dan had ik ja gezegd; dat zou ik ongetwijfeld hebben gezegd. Ik denk dat je dat tegen die tijd wel wist. En misschien dat we tegen de tijd dat het weer winter werd, vele nachten samen zouden hebben doorgebracht en misschien hadden we dan veel meer gedaan dan alleen maar zoenen en misschien hadden we de parels niet meer nodig gehad, alleen onze beide lichamen, ontdaan van onze eerdere verlegenheid. Ik denk dat ik dan van je gehouden had.

Maar zo gaat het niet.

Omdat je een paar weken of maanden na de lange hete wandeling begint uit te gaan met iemand, laten we haar L noemen. Niemand begrijpt hoe je in vredesnaam L aardig kunt vinden. Of laten we zeggen dat ik het niet kan begrijpen. L is jongensgek – het soort meisje dat 's avonds langskomt, blijft hangen, met alle jongens rookt en drinkt en er dan voor zorgt dat ze er 's ochtends nog steeds is. En niet eens altijd in hetzelfde bed. Er gaat een grapje onder veel jongens rond dat L gemeenschappelijk bezit is, dat jullie haar met z'n allen delen. Er wordt over haar geroddeld met een mengeling van spot en ontzag en als ik erop terugkijk, kan ik zien hoe gemeen dit is en dat het beter was geweest als ik, ook een meisje, als geestverwante had opgetreden, aan de kant van L was gaan staan en haar had beschermd tegen dit gebrek aan respect. Maar dat doe ik niet. Ik denk alleen aan mezelf. Ik vraag me alleen maar af waarom ze niet gewoon dat belachelijk goudkleurig rugzakje van haar pakt en vertrekt.

Ik denk niet dat ik het erg had gevonden als je gewoon met L naar bed was gegaan. Maar het is erger dan dat. Als ze eenmaal in jouw bed wakker is geworden, dan is ze er daarna de hele tijd, halfnaakt van de keuken naar de badkamer terug naar jouw bed sloffend. Jij en zij gaan echt met elkaar; er is geen ruimte voor iemand anders en hoewel ik het mezelf kwalijk neem dat ik haar haat, en hoewel ik jou niet voor mezelf wil hebben, is het toch zo klaar als een klontje dat zij niet de ware voor je is.

Jij en ik komen er niet eens meer aan toe om samen te praten.

L draagt doorzichtige kleren die haar maar nauwelijks passen. Ze is lang en slank met donker haar tot op haar middel en ze zorgt ervoor dat alles altijd openvalt, dat knopen losschieten en rokken optrekken. Ze lacht op een schrille, irritante manier en alles wat ze zegt, klinkt op de een of andere manier warrig en onecht. Ze pretendeert van alles te zijn – intens en sexy, adembenemend grappig. Maar alles wat ze zegt dat ze is, is gestolen van andere mensen. Haar spontaniteit is volledig berekenend. Ze haalt van die zorgvuldige trucjes uit, die alleen andere meisjes kunnen doorzien.

Maar je was de hele tijd zo smoorverliefd op L, protesteer ik tegen je als je heel in het begin schrijft dat je wilde dat we niet opgehouden waren met vrienden te zijn. Daarom gingen jij en ik na die winter en die zomer nooit meer zo intiem met elkaar om.

Je schrijft onmiddellijk terug: Mevrouw Rosy, ik wilde dat je me kon zien lachen. Want dat is wat ik nu aan het doen ben. Ik hield niet van L. Om je de waarheid te zeggen, vond ik haar niet eens zo heel erg aardig. Maar – hier komt het, nu ben jij aan de beurt om mij uit te lachen – ik heb mijn maagdelijkheid aan haar verloren. Dat wist jij toch niet? Voor L was ik nooit met een meisje naar bed geweest, niet echt. Dus wat kon ik doen? Ik was te jong en dom en onervaren – en had bepaald veel te veel ontzag voor wat ze mij te bieden had – om dat meisje mijn bed uit te gooien.

Tom bleef koel tegen me doen. 's Ochtends stond hij behendig op uit bed voor ik hem kon aanraken, ging dan naar beneden om de krant van de mat te pakken en ontbijt voor de jongens klaar te maken, voor ik hem kon helpen – alsof als eerste opstaan en al het werk doen me op de een of andere manier een lesje moesten leren.

Ik wist dat hij boos was, vanwege de dodelijk efficiënte manier waarop hij de dingen deed – hij spoelde de ontbijtkommen om zodra de jongens ze leeg hadden, legde muntgeld voor buskaartjes en voor het zwembad in stapeltjes klaar. Als ik probeerde me ermee te bemoeien, zei hij koeltjes tegen me dat het allemaal al geregeld was en dat ik me geen zorgen hoefde te maken en dat hij het allemaal al van tevoren had uitgedacht.

Maar zo nu en dan zag ik hem met zoveel pijn en verwarring op zijn gezicht naar me kijken dat mijn ingewanden opsprongen en weer neer kwakten. Wat zou hij denken? Wat ging er door zijn hoofd? Wat dacht hij dat ik aan het doen was en was dat beter of erger dan wat ik dacht dat ik aan het doen was?

Op een keer kon ik het na het eten niet langer uithouden en ging bij hem op zijn knie zitten. Dit was iets wat ik vroeger heel vaak deed. Net als toen legde ik mijn armen om zijn nek en legde mijn hoofd op zijn schouder en hij bood geen weerstand. De jongens maakten geluiden van opwinding en afkeuring.

Bluh! zei Jack. Gaan jullie alsjeblieft naar je kamer.

O, kots, kots, zei Fin. Wat walgelijk.

Hé, wat is er aan de hand? vroeg Tom terwijl hij zachtjes zijn hand op mijn dij liet rusten en ik mijn lippen tegen zijn nek drukte. Zijn jullie bang dat we jonkies krijgen of zo?

Fin giechelde van verbazing terwijl hij dit probeerde door te denken.

Tom probeerde luchtig te doen, dat kon ik voelen. Ik kon zijn grapjes voelen en ook dat hij op me wilde reageren, dat wilde hij echt. Maar terwijl hij mij tegen zich aan drukte, voelde ik hem ook trillen en toen ik hem op zijn slaap zoende, proefde ik zweet op zijn voorhoofd.

Op de dag dat jij, zoals ik wist, vroeg zou opstaan om het vliegtuig te halen, werd ik in een vreemde paniek wakker.

Alles goed met je? riep Tom toen ik iets te lang in de badkamer bleef.

Ik voel me een beetje misselijk, zei ik, zo dadelijk ben ik wel weer in orde.

Maar dat was niet waar, ik voelde me helemaal niet misselijk. Ik voelde me in plaats daarvan bijna dronken, duizelig. Aan de andere kant van het raam hipte een bruin vogeltje rond op het schuine dak van de keukenuitbouw. Hip, hip, hip. Op en neer. Ik legde mijn armen op de vensterbank en keek naar de gekke beweging van het vogeltje; daarna moest ik weer wegkijken omdat mijn hart steeds weer zo snel oversloeg dat ik geen adem meer kon krijgen.

In de badkamerspiegel straalden mijn ogen me tegemoet en ik zag eruit alsof ik ongeveer tien jaar oud was. Ik wist niet of dit nu een goed of een slecht teken was. Ik deed crème op mijn gezicht, poetste mijn tanden, borstelde mijn haar en zette het in een knot vast. Ik wil geen slecht mens zijn, zei ik tegen mezelf.

Toen ik de jongens naar school had geholpen en Tom eindelijk was weggefietst, reed ik naar de supermarkt. Ik wist niet waarom ik zo'n haast maakte, maar dat deed ik wel – ik rende als een razende langs de gangen terwijl ik het karretje vulde met het soort dingen dat ons gezin eet, alsof het de laatste keer was dat ik ooit de kans kreeg inkopen te doen. Het was alsof de tijd zich had gesplitst en dat er vandaag was dat ik je niet zou zien en dan morgen waarop ik je wel zou zien en dat al het eten dat ik in mijn karretje legde, op de een of andere manier in de tussentijd, tussen deze twee werelden in, moest worden geconsumeerd.

De korte rit naar huis verliep onmogelijk traag en langzaam. Ik stond op het punt het huis in te gaan, toen een man in een bestelwagen langs de weg parkeerde, langzaam overstak om mij een aan Tom gericht pakje te overhandigen, waarvoor moest worden getekend. Ik kon mijn geduld maar nauwelijks bewaren, krabbelde iets wat mijn naam moest verbeelden en griste het pakje uit zijn handen zonder hem ook maar te bedanken.

Eenmaal binnen rende ik naar boven om mijn pc aan te zetten, rende toen weer naar beneden om koffie te zetten en gunde me nog maar net de tijd melk op te warmen. Ik deed een boterham in het broodrooster want ik bedacht me dat ik misschien trek had, dat ik me wellicht daarom licht in mijn hoofd voelde en wat wazig en dat mijn hart daarom voor mijn gevoel buitensporig hard klopte.

Ik strekte mijn handen voor me uit en ik kon ze zien trillen.

De telefoon ging en het was Tom, met een stem die kleintjes, gespannen en veraf klonk.

Ik wilde even kijken of alles goed met je was, zei hij.

Of alles goed met me was? herhaalde ik terwijl de telefoon opeens heel vreemd aanvoelde in mijn hand.

Of je je beter voelt?

O, zei ik terwijl het me weer te binnen schoot. O, ja. Ik denk van wel.

Heb je ontbeten? vroeg hij streng.

Ik ben het net aan het klaarmaken.

Oké, zei hij, goed.

Ik lachte.

Je zag er vanmorgen zo bleek uit, zei hij en ik zweeg even.

Nou, ik moet ophangen, zei hij en heel eventjes wenste ik bijna dat hij dat niet zou doen.

Hé, bedankt, zei ik tegen hem en er was weer een kleine gespannen pauze; ik kon zijn gezicht aan de andere kant van de lijn zien, kon het gewoon zien denken en fronsen en zich van alles afvragen.

Oké, zei hij. Tot straks dan.

Ik smeet de telefoon neer op tafel en haalde de boterham omhoog uit het broodrooster om te zien of de toast al klaar was, maar hij was nog niet eens begonnen te bruinen. Uiteindelijk kan ik niet langer wachten en ik trek hem gewoon uit het broodrooster, warm en buigzaam en wit, en ren met twee treden tegelijk de trap op.

Ik ga aan mijn bureau zitten en prop onder het tikken de half geroosterde boterham in mijn mond.

Het spijt me. Ik was niet van plan te schrijven vanmorgen. Maar er is iets wat ik tegen je moet zeggen. Voor je vertrekt. Alsjeblieft, als het iets is wat je niet wilt horen, nou, vergeet dan dat ik het heb gezegd. Maar het kan me niet schelen, ik neem dat risico, omdat ik vanmorgen bij het wakker worden wist dat ik het wel moest vertellen, vandaag, voor je vertrekt. Stel dat er iets met een van ons tweeën gebeurt? Stel dat jouw vliegtuig neerstort? Stel dat je niet komt?

Dus ik moest het je wel vertellen, ook al begrijp ik het niet en kan ik niet zeggen of het echt is of niet, en heb ik er geen idee van wat er met me aan het gebeuren is, het feit blijft dat precies vandaag op deze lichtjes mistende ochtend in februari, ik van jou houd, ik houd gewoon van je met heel mijn hart, ziezo, het moet eruit en ik zeg het gewoon.

Dan, zonder de tijd te nemen de spelling te controleren of door te lezen wat ik zo-even heb opgeschreven, druk ik op verzenden.

Daarna leg ik de toast neer, laat mijn hoofd op mijn armen zakken en haal zo diep adem dat ik bijna in slaap val.

Jouw antwoord komt binnen tien minuten. Dat heb ik niet verwacht. Voor jou is het drie uur 's ochtends en je moet om zes uur op om je vliegtuig te halen. Het was niet de bedoeling dat je mijn e-mail nu al zou ontvangen. Je had nog niet eens wakker moeten zijn.

Baby, o, baby, ik ook, ik was van plan precies hetzelfde tegen jou te zeggen behalve dat ik wilde wachten om het je persoonlijk te kunnen zeggen. Maar ik ook, ik merk dat ik van je houd. Ik weet niet hoe dat gebeurd is, maar ik ben onverwacht en tot over mijn oren verliefd op je geworden. Ik zou willen dat je kon zien hoe ik nu glimlach als ik dit schrijf. Zoiets moois is me nog nooit overkomen, nog nooit van mijn leven, en het is net of ik niet weet wat hiermee aan te vangen, geen idee.

Stil nu maar. Houd op met denken. Ik meen het. Ik stap op het vliegtuig en er gaat niets gebeuren. Het leven heeft ons allebei al meer dan twintig jaar behoed; onze ontmoeting heeft zo moeten zijn. Daarna, wie weet? Maar voor nu: besef het alleen maar. Ik houd ook van jou. Ik houd van jou – zo staat het er nu voor, geloof me nu maar, goed?

Ik zet nu de pc uit. Ik moet nog wat slapen en dan moet ik vertrekken. Blijf in goeden doen voor me. Ik zal op je wachten in het hotel. Kom wanneer je kunt, maar kom alsjeblieft. Wanneer je ook komt, ik zit te wachten. Lachen, kindje – oké?

Weer Londen

Het was een ijskoude zondagmorgen in de winter. Ze was drie-entwintig maanden – nog tien dagen voor haar tweede verjaardag. Ze kon nu al een tijdje lopen en liet het nog maar zelden toe dat wij haar vastbonden in haar buggy. Ze was zelfs al begonnen op het potje te gaan, hoewel ze 's nachts nog een luier droeg. Ze had de ronde zachtheid van een baby nog, maar je kon in haar gezicht en haar houding zien wat voor kind ze zou gaan worden – waakzame kraaloogjes, snel, gepassioneerd, meestal gelukkig dan wel altijd loom en tevreden zoals sommige kinderen van zichzelf kunnen zijn.

Ze had niets van het vreemde en tragische van Fin en was in vele opzichten een gemakkelijker kind dan Jack. In ieder geval gemakkelijker tevreden te stellen. Terwijl Jack als een bezetene naar mensen kon hunkeren – wie dan ook, de hele tijd, op elk tijdstip – kon Mary zich heel tevreden urenlang alleen vermaken in haar spel, zat ze lachend met een stuk speelgoed in beide handen, keek er van alle kanten naar en praatte ertegen.

Ze sliep goed en maakte ons 's nachts zelden nog wakker, maar ik weet dat ze dat die nacht wel deed. Een kreetje, vanuit het niets komend, gevolgd door nog een. De kreet haakte zich vast in mijn droom. Eerst negeerde ik hem en draaide me om, maar toen hij weer kwam, merkte ik opeens dat ik me omhoog duwde, het bed uit, nog maar nauwelijks wakker, maar ik wist zeker dat zij het was.

Nee, Tom strekte een arm uit om me tegen te houden. Zijn stem was zacht van de slaap. Laat haar maar.

Ik ging weer liggen maar bleef gespannen luisteren met mijn hoofd stijf op het kussen. Ons huis was tochtig. De oude Victoriaanse ramen kierden. Zelfs in de slaapkamer was de lucht ijzig op mijn wang; het voelde bijna of je buiten was. Toen kwam het weer. Maaaam!

Deze keer probeerde Tom zelfs voor ik in beweging kwam, in zijn slaap naar me te reiken en me weer terug te trekken, maar nu was ik klaarwakker. En – misschien omdat het niets voor haar was om 's nachts te roepen, of misschien omdat de lucht echt zo vreselijk onaards koud was – ik wist dat ik net zomin mijn dochtertje kon laten liggen huilen als dat ik mezelf kon gebieden niet adem te halen.

Ik hoorde hoe Tom het opgaf, zich omdraaide en weer in slaap viel. Ik stond op en trok een trui aan die op de stoel lag.

Buiten het bed voelde ik de lucht van het huis kraken van de kou – het had de afgelopen ochtenden hard gevroren. Het halve trapje voor Mary's kamer voelde extra kil aan en ik vroeg me af of ze daarvan wakker was geworden, of ik de verwarming aan moest zetten. Maar vervolgens zag ik op de klok op de overloop dat het al over halfdrie was; dan zou hij toch al over een paar uur aanslaan. Bovendien had ze een warme hansop aan en twee dekens over zich heen en ik wist dat te veel warmte erger was voor baby's dan kou.

Maaam!

Door een spleetje tussen de gordijnen stroomde maanlicht haar kamer binnen – een blauwachtige lichtstraal van duizenden kilometers ver weg. Ze stond rechtop in haar bedje op me te wachten en hield zich met beide handen stevig vast terwijl ze zachtjes met gebogen knieën op en neer deinde en haar ogen strak op de deur gericht hield. Haar gezicht glinsterde.

Mam! Mam!

Stil maar, mompelde ik met mijn midden-in-de-nacht-stem, stil maar, het is al goed, ach toch, kindje.

Ik raakte haar haar aan. Het was zo licht en zacht dat het in mijn vingertoppen leek op te lossen; ik kon het nauwelijks voelen. Haar hoofd was warm en haar wang was nat. Ze snikte wat, trappelde met haar voeten en stak haar armen omhoog om aan te geven dat ze uit haar bedje getild wilde worden.

Dat zou Tom nooit gedaan hebben. Hij had zijn regels over de nacht en hij had groot gelijk. Hij kende zijn baby's goed genoeg om te weten dat als je iets eenmaal gedaan hebt, als je eenmaal hebt toegegeven, dan zijn de rapen gaar, dan verwachten ze dat het elke keer zo gaat. We waren daar ten koste van onszelf achter gekomen bij Jack, die een kleine flanellen beer had die hij steeds meer nodig had om 's nachts goed te kunnen slapen. Hij ontdekte de truc om de beer door de spijlen van het bedje heen te duwen zodat deze op de grond viel. Dan begon hij te huilen en te wachten tot we zouden komen om de beer weer op te rapen. Als we dat gedaan hadden, wachtte hij een paar minuten en begon hij weer opnieuw.

Volgens Tom was de enige remedie dat we niet meer naar hem toe zouden gaan. Een hele klus, maar hij had gelijk. Het kostte een paar nachten vol tranen en gekrijs maar in de derde nacht had Jack op miraculeuze manier geleerd de flanellen beer in bed te houden en daarmee was het afgelopen.

Maar Mary had dat nooit gedaan. Mary deed dingen nooit voor de lol. Als Mary stampei maakte, had ze er meestal een reden voor en nu keek ze me aan met die scherpe Mary-blik – een merkwaardige manier van kijken die ze vaak had, waarmee ze leek te zeggen dat ze verwachtte elk moment te worden bedrogen of erin geluisd. Als ze zo keek, zag je in het voorbijgaan de toekomstige volwassene in haar gezicht. Soms was ze helemaal geen baby, maar een mens die dingen wist en ervoor gekozen had, ze voor zich te houden. Er was soms een blik in haar ogen die mij de adem benam – de kracht ervan leek ver voorbij het normale moeder-baby-gedoe te gaan. Ik kon zoiets niet aan Tom vertellen – hij zou lachen en het wegwuiven – maar er was iets in Mary's ogen en in de toonhoogte van haar roepen die nacht dat me vertelde wat ik moest doen. We begrepen elkaar uitstekend en op die ene nacht om halfdrie werd ik ontboden omdat ze uit haar bedje wilde.

Dus deed ik wat ze wilde. Ik tilde haar zachtjes op, ze was licht en warm. Ze ontspande met een kleine zucht tegen me aan terwijl ik haar naar het raam droeg en samen keken we de donkere tuin in. Haar adem rook vochtig en schoon en haar gezicht gloeide van de tranen of misschien van het kwijl dat gepaard gaat met tanden krijgen, ik weet het niet. Er waren bij haar onlangs een paar tanden doorgekomen, maar meestal sliep ze daar doorheen, heel anders dan de jongens.

Ik kuste haar – een keer op haar hoofd en toen weer op haar roze appelwangetje. Ik snoof haar op en ze produceerde een hiklachje. Ze rook verrukkelijk – naar schoon, gesneden fruit, naar honing, naar bont. Haar geur werd meer dan een geur, nam vorm en kleur aan en werd een zintuiglijke gewaarwording. Ik wilde elk flintertje van haar in me opnemen, haar inademen – een moeder die high was van haar eigen baby.

Stout meisje, fluisterde ik. Moet je nu eens zien, nu heb je me wakker gemaakt.

Ze brabbelde gniffelend. Ka, ka, ka! zei ze.

De kat slaapt, vertelde ik haar.

Ka, zei ze weer, dringender, draaide haar hoofd om en probeerde zich in mijn armen om haar as te worstelen om me te laten zien wat ze bedoelde.

Toen begreep ik het. Aan een haak aan de rand van het verluiertafeltje – die ene die Tom jaren geleden voor Jack had gemaakt en die we voor Mary weer van zolder hadden gehaald – hing een plastic kat met een grijnzend gezicht. Je kon aan een touwtje trekken dat aan de puntige kin van de kat zat en dan speelde hij ongeveer acht minuten lang 'Three blind mice' voor hij weer ophield. We trokken er vaak aan als we Mary verschoonden – vooral sinds ze pasgeleden een fase doormaakte van zeuren en huilen als we haar nachtluier afdeden. Soms was de muziek op zich al voldoende, maar als dat niet het geval was, kon je haar de speelgoedkat geven om mee te spelen en dat leidde haar precies lang genoeg af om de luier uit of om te doen.

Goed, goed, fluisterde ik, liep ernaartoe, pakte de kat en gaf hem aan haar. Tom zou hebben gezegd dat ik dat absuluut niet had moeten doen. Niet midden in de nacht en niet op commando.

Toen liep ik met haar in mijn armen terug naar het raam en we bleven daar nog een tijdje staan. Ik huiverde en staarde de tuin in terwijl Mary de kat om en om in haar handen draaide. De tuin was te zwart om veel te kunnen zien. Er was alleen nog een schijfje maan over in de lucht en in de verte kon je een vos horen krijsen – tenminste, als ik niet had geweten dat het een vos was, dan had ik kunnen zweren dat het een kind in doodsnood was, maar ik wist dat het niet zo was. Hier in onze buurt waren we gewend aan vossen.

Ka, zei Mary tevreden terwijl ze aan het touwtje van de kat trok, ka, ka.

Mmm, zei ik en drukte mijn gezicht tegen de bovenkant van haar hoofd zodat ik nog een keer haar honing op kon snuiven voor ik haar weer in bed achter zou laten.

Ik hoorde Tom opstaan en naar de badkamer gaan. Ik hoorde de bril omhooggaan en daarna weer naar beneden. Ik wist dat hij zo meteen zou merken dat ik nog steeds weg was en dat hij over de overloop zou komen stommelen om me mee naar bed te nemen. Ik wist heel zeker dat het zo zou gaan. En ik neem aan dat ik die nacht op de een of andere manier ook wist dat dit gestolen tijd was die ik met mijn dochter voor mezelf nam – dat er iets scheef zat in de hele situatie en dat ik er later voor zou moeten boeten. Het is gemakkelijk om dat nu te zeggen maar ik denk dat mijn hart me dingen vertelde die ik niet had kunnen weten.

Nic, kwam Toms gemompel van de overloop, weet je hoe laat het is?

Ik kom eraan.

Is alles goed met haar?

Ja. Goed. Sorry, ik kom eraan.

Ik weet niet waarom ik de behoefte voelde om me te verontschuldigen bij hem maar ik deed het wel. Mary verstrakte iets en ik stond daar een paar tellen met haar strak en stijf op mijn arm terwijl we allebei wachtten tot zijn voetstappen zich op de overloop verwijderden. Toen draaide ze zich om en met de kat in haar ene hand, haalde ze vier natte vingers van haar andere hand uit haar mond en gaf me een blik van verstandhouding. Toen verbrak de betovering.

Naar bed, zei ik streng. Vooruit, Baby. Bedtijd.

Ik haalde de kat onder haar vochtig hete vingers vandaan en probeerde haar in haar bedje te leggen maar daar wilde ze niets van weten. Ze kromde haar rug, kronkelde, zanikte en telkens wanneer ik zachtjes haar hoofd weer op haar kussen legde, krabbelde ze huilend weer op haar knieën, greep met beide handen de spijlen, ging staan en probeerde een been eroverheen te tillen om eruit te klimmen. Het zou haar nog niet gelukt zijn over de spijlen heen te komen, maar ze kwam al een heel eind en ze was een sterk, vastberaden kind. Tom en ik waren van mening dat we haar binnen niet al te lange tijd een echt bed zouden moeten geven.

Baby, fluisterde ik wat strenger. Stil. Je moet gaan slapen.

Maar ze wilde de kat weer hebben. Die had ik haar nu wel gegeven. Ze bleef maar naar hem reiken.

Sst, ik legde haar weer neer en streelde haar hoofdje, maar ze schoof nog steeds heen en weer en mopperde en haalde een keer kort adem, waarvan ik wist dat het de prelude tot een volle huiluithaal was.

Ik kreeg een idee. Ik hing de kat waar hij moest hangen, namelijk aan de haak. Maar ik trok het verluiertafeltje iets dichter bij het bed. Niet zo heel dichtbij – er zat nog dik vijftig centimeter tussen het bed en de laden – maar precies zo veel dat ze hem beter kon zien, zodat ze kon denken dat ik iets voor haar had gedaan.

Ik trok aan het koordje. 'They all ran after the farmers wife' speelde hij. De kat glimlachte en glimlachte.

Mary glimlachte.

Trusten, zei ik.

Ze reikte heel ver met haar arm en gestrekte vingers, alsof ze wilde proberen de kat aan te raken, maar omdat het haar niet lukte, ontspande ze langzaam haar hand tot hij weer op het flanellen laken rustte. Haar vingers krulden in hun gewone staat en ze zuchtte. Toen lag ze daar me strak aan te staren met haar boze zwarte ogen. Ze knipperde. Haar hand zag er ontspannen uit maar ik kon niet zien of de rest van haar dat ook was.

Ik houd van je, fluisterde ik.

Ze knipperde weer en haar mondhoeken krulden eventjes naar beneden en ik wist wat ze bedoelde.

'Who cut off their tails with a carving knife' speelde het liedje dat uit de kat kwam.

Welterusten, Baby, zei ik nog eens. Tot morgen.

Did you ever see such a sight in your life...?

Ik liet mijn dochtertje achter in de veronderstelling dat ik haar de waarheid zei, dat ik haar de volgende ochtend weer zou zien. Maar ik zag haar niet levend terug.

Jij zou om zes uur 's ochtends op Heathrow aankomen, dus ik had uitgerekend dat je op z'n laatst tegen negen uur bij je hotel zou zijn. Ik besloot dat als ik ongeveer direct na Tom het huis zou verlaten, ik er op zo'n tijdstip zou aankomen dat jij tijd had gehad om in te checken, te douchen en je om te kleden.

De laatste paar dagen waren regenachtig en grijs geweest, maar die ochtend zette een koude in, alsof het weer zich op magische wijze had aangepast aan de mysterieuze spanning rondom jou. Het was echt koud. Iedere auto in de straat was beijzeld en op de radio werd gewaarschuwd voor sneeuwstormen in bepaalde delen van Schotland en de oostkust en er werd gezegd dat men niet moest reizen tenzij het absoluut noodzakelijk was. Men zei dat het niet waarschijnlijk was dat Londen getroffen zou worden door de sneeuw, maar toen ik naar het metrostation liep, waren er al wat droge vlokken zichtbaar tegen de beroete gebouwen. Ik glimlachte. Het maakte niet uit. Niets zou wat uitmaken. Voor mij was deze reis absoluut noodzakelijk.

Hoe weet ik wie je bent? schreef ik een paar dagen geleden, ik bedoel, zal ik je herkennen? Hoe zie je er nu uit?

Dik, van middelbare leeftijd, grijs haar, schreef je terug.

Nee – echt, protesteerde ik.

Ik maak geen grapje. Goed, grijs haar, achterovergekamd. Sportschoenen, donkere spijkerbroek, jasje waarvan ik nu de kleur nog niet weet, geen das. Bril. Je zult het wel leuk vinden om te weten dat ik mijn haar nog niet kwijt ben, maar ik ben zo verdomde blind, gewoon niet te geloven.

Ja, dacht ik. Ja, dat weet ik allemaal.

Bovendien, voegde je in een ps toe, ik heb een sikje, een miezerig ding dat ik de afgelopen paar maanden heb laten groeien. Ik weet niet zeker of het me wel staat. Wat denk je, moet ik hem afscheren?

Ik dacht dat je een grapje maakte, me aan het plagen was, dus gaf ik hier geen antwoord op. Eigenlijk was ik in de war. Waarom een sikje? In Parijs had je geen sikje. En waarom zou ik de beslissing moeten nemen of je hem wel of niet af moet scheren?

Om de een of andere ingewikkelde reden gooide het noemen van het sikje jou voor mij Parijs uit, terug in het rijk van de werkelijkheid. Je was een man van middelbare leeftijd die ik van vroeger kende. En je kwam echt hiernaartoe. Vanbinnen begon ik te trillen.

En dan nog wat, hoe kan ik weten wie jij bent? vroeg je me toen en ik kon niet zeggen of je me plaagde of serieus was. Vertel me wat je aan zult hebben en hoe je eruit zult zien.

Ik schreef terug en vertelde je de waarheid: ik heb een roze jas aan en ik zal er als versteend uitzien.

De straten van Londen waren hard en wit tegen de tijd dat ik het metrostation uitkwam en mezelf steeds dichter naar jouw hotel voortbewoog. Overal lag nu een dunne laag sneeuw op – vreemde paarse schaduwen doorsneden het zonlicht tussen gebouwen en trottoir – en een ogenblik lang had ik me kunnen inbeelden terug te zijn in Parijs, over enkele ogenblikken te zien dat je op de *Rue de la perle* op me staat te wachten. Grijze daken, blinden, zwarte gietijzeren hekken. Ik voelde me hulpeloos of bang, ik wist niet welke van de twee – misschien allebei, misschien geen van beide. Misschien was ik gewoon opgewonden – ongevoelig voor het huidige ogenblik, zo veilig als een slaapwandelaar, die niets of van alles kon overkomen.

Ik wist alleen dat niets dit ogenblik kon tegenhouden, dat ik naar je toe moest. Ik wilde dat ik me niet zo zenuwachtig voelde. Ik wilde dat het avond was zodat ik op z'n minst een borrel kon nemen.

Ik kende de weg naar jouw hotel – of ik dacht althans dat ik hem kende, want ik had hem zo nu en dan op verschillende punten in mijn leven bewandeld. Ik wist dat het een van die brede straten met rode baksteen was, die achter High Street verdwenen, een gebied dat aan de ene kant door winkels aan het oog wordt onttrokken en waar de chiquere rijtjeshuizen aan de andere kant ervan in verval raken. In deze buurt waren de meeste woningen in flats opgedeeld – dure flats voor Arabieren of zakenlieden of gescheiden mensen. Ik wist dat jouw hotel een van die afschrikwekkend zielloze gebouwen was met een ondergrondse parkeergarage en een foyer die aan een vliegveld deed denken. Een plek voor zakelijke conferenties, het soort plek waar Tom de kriebels van zou krijgen. Ik wist dit, het was alleen al door het adres zonneklaar voor me. Een adres dat je tegen je zin in je schoenen krijgt geschoven. Je had me verteld dat jouw bedrijf het had gekozen, dat jij daarover niets had in te brengen. Dat uiteindelijk altijd alleen maar het budget telt.

Je zou er niet van opkijken als je wist dat ik er lang over had gedaan om te besluiten wat ik vandaag zou aantrekken. Dat toen ik vanmorgen wakker werd, mijn lichaam er op z'n allerblubberigst en triest uitzag, op en top middelbare leeftijd. Dat hoe ik me ook draaide voor de spiegel, hoezeer ik ook mijn buik introk of mijn mond dichtdeed of mijn ogen wijder opensperde, niets er goed uitzag. Het was alsof de schaduwen onder mijn ogen en de twee diepe fronsrimpels tussen mijn wenkbrauwen mij niet eerder waren opgevallen. Mijn ogen stonden zo helder als die van een schoolkind, maar het gebied eromheen zag er wel honderd jaar oud uit.

Een ogenblik wenste ik dat we elkaar helemaal niet hoefden te ontmoeten, dat ik gewoon door kon gaan met aan jou te schrijven, veilig en verbonden en gelukkig.

Ik probeerde elk boven- en onderstuk uit mijn klerenkast – het nieuwste en het oudste. Ik realiseerde me dat het lang geleden was dat ik over kleren nadacht. Ik trok een jurk aan die ik niet meer gedragen had sinds de tijd voordat ik Mary kreeg – met ruches, nauwsluitend, een mooie stof. Hij paste me nog steeds maar ik zag eruit alsof ik hem van iemand anders had gestolen – jonger, gelukkiger, die meer durfde. Ik trok hem gauw weer uit.

Uiteindelijk trok ik weer de spijkerbroek aan die ik aanhad toen ik het ontbijt voor de jongens aan het klaarmaken was. Een schone spijkerbroek. En hoewel ik mijn haar op allerlei manieren had geprobeerd – lang, los en goed uitgeborsteld, zelfs in een wrong gedraaid (iets wat ik nog nooit eerder had uitgeprobeerd), raakte ik uiteindelijk gefrustreerd en zette het weer zoals gebruikelijk met een dubbel gedraaide paardenstaart vast. Eigenlijk net zoals jij me vertelde over het uiteenvallen van je huwelijk, wilde ik me aan jou laten zien zoals ik dacht dat ik echt was. Ik wist dat ik er in een spijkerbroek altijd goed uitzie. Ik ben een goed mens, vertelde ik mezelf terwijl ik van opzij in de spiegel een blik probeerde te werpen op mijn achterste. Ik heb niets verkeerds gedaan, zei ik terwijl ik mijn roze wollen jas, de jas die ik voor nette gelegenheden reserveer, ontdeed van de veiligheidsspeld met het stomerijbonnetje eraan.

Tegen de tijd dat ik de straat insloeg, was het echt begonnen met sneeuwen – mensen haastten zich, riepen een taxi aan en de hele ochtend was vreemd en donker geworden.

Op de trap van jouw hotel bleef ik een ogenblik staan. Het was niet zo dat ik er ook maar over piekerde om te keren, maar opeens had ik geen energie of moed meer om een stap voorwaarts te zetten. En het zou zowel energie als moed vereisen door die automatische deuren de enorme marmeren foyer in te lopen, waar het geluid klonk van koffers die op wieltjes werden voortbewogen en waar grote gevlekte planten stonden en bordjes 'verboden te roken' hingen.

Uiteindelijk deed ik het en de wereld wordt wazig en ik zie niets anders dan grijze pakken, grijze mannen, een grijze kluwen. Maar dan lijkt er eentje van hen wat minder grijs en ik weet voordat ik goed durf te kijken naar het gezicht van deze bleke man en zijn lichaam van een zakenman, dat jij dit bent.

Rosy?

Mijn handen vliegen naar mijn mond, ik bijt op mijn lip, ik weet dat ik bloos. Je raakt mijn arm in de roze jas aan – roze wol met een dun laagje sneeuw dat nu snel smelt door de hitte in de foyer. Je raakt me zo zachtjes aan, dat ik het haast niet voel. Ik kan jou niet aankijken. In plaats daarvan draai ik mijn gezicht weg, ergens anders heen en kijk vluchtig naar de balie.

Dit is zo gênant, begin ik te zeggen, maar jij zegt me dat ik stil moet staan.

Stil maar. Stop. Laat me je een ogenblik bekijken.

Je hebt me al gezien.

Nee, nee – dat heb ik niet, niet op deze manier, in geen twintig jaar.

We lopen door diverse marmeren gangen naar de hotelbar. De hele tijd dat we lopen, glimlach jij en je kijkt naar me. De bar is een donkere plek zonder ramen en er zit een stel zakenmannen iets te drinken wat op cognac lijkt ook al is het midden op de ochtend. Het meisje achter de bar staat geleund over de toog de krant te lezen. De stoelen zijn met bruin nepfluweel bekleed. Overal staan asbakken. Achterin een sigarettenautomaat. We lopen naar de verste hoek en ik probeer naast je te gaan zitten, maar je houdt me tegen.

Nee, zeg je, nee. Hier tegenover me, ik moet naar je kunnen kijken, Rosy. Het is zo lang geleden. Doe dat voor mij, alsjeblieft?

Goed, zeg ik terwijl mijn hart iets herkent en een slag overslaat. Als jij dat wilt.

Je loopt naar de bar en haalt twee kopjes koffie. Ik hoor je iets tegen het meisje zeggen en ik hoor haar gesmoord lachen. Ik bekijk je van top tot teen. Van achteren had je gewoon een stevige zakenman van middelbare leeftijd kunnen zijn. Van voren kun jij alleen jij zijn.

Je loopt terug met de koffie.

Weet je nog hoe leuk je het vond mij op zijn Amerikaans koffie te horen zeggen? zeg je glimlachend, terwijl je gaat zitten en mij een kop koffie toeschuift. Weet je nog dat je me dat telkens weer liet zeggen – 'kaffie'? Weet je dat nog, Rosy?

Je zegt dit, houdt vervolgens je mond en dan kijk je me alleen maar aan. Ik probeer te lachen maar ik kan ook alleen maar terugkijken. We hebben zoveel woorden gebruikt, geschreven woorden, en nu kan ik het feit dat jij hier bent – het echte, keiharde feit – bijna niet tot me door laten dringen. Ik ben zo zenuwachtig dat ik nauwelijks een woord kan uitbrengen. Eerst denk ik dit en dan hoor ik het mezelf zeggen: ik ben zo zenuwachtig dat ik nauwelijks een woord kan uitbrengen, zeg ik en jij kijkt naar mijn ogen en je glimlacht.

Ik kijk naar mijn handen en vraag je of je wat foto's van mijn kinderen wilt zien. Ik weet dat het te vroeg is om je dit te vragen maar dat is het enige wat ik kan bedenken om te zeggen.

Je zegt van ja, dat je ze graag wilt zien.

Maar eerst, zeg jij, terwijl je rondkijkt en een van de asbakken pakt, moet ik roken. Vind je dat erg, Rosy? Ik zou het anders niet doen, ik bedoel, ik zou proberen er niet aan toe te geven, maar ik ben zo verdomde zenuwachtig. Ik zweer dat dit het enige is wat me tot rust kan brengen.

Je steekt een sigaret op en kijkt me aan.

Wil je het mij vergeven? zeg jij. Ik knik.

Ik kijk toe hoe jij inhaleert met je hoofd lichtjes schuin terwijl je de lucifer uit wappert en in een flits herinner ik me dat je dat al die jaren geleden op precies dezelfde manier deed. Ik herinner het me ook van Parijs. Die handeling van je zuigt me regelrecht twee verledens in en plotseling weet ik niet waar ik ben en onwillekeurig huiver ik.

Ik zou niet moeten roken, zeg jij ook al heb ik er nog steeds niets van gezegd. Ik heb nota bene mijn aansteker weggegooid om niet in de verleiding te komen. Heb er gisteren de hele dag maar eentje opgestoken. Ik probeer te stoppen. Dat geloof je niet van me, hè.

Ik zeg niets, glimlach alleen maar naar je, ik kan het niet laten te glimlachen. Je wijst naar de foto's in mijn hand.

Vooruit, laat ze eens zien.

Ik geef de foto's aan je door en ik leg uit wat erop te zien valt. Ik laat je Jack zien als baby van drie weken oud in een zachtblauw fluwelen babypak, diep in slaap met een bos zwart haar en afzakkende oogleden zoals jonge hondjes die ook kunnen hebben. Dit is Fin op ongeveer driejarige leeftijd, die op het strand een *Beano*-stripboek ligt te bekijken. Jack en Fin samen met de armen om elkaar heen, in Griekenland genomen, lang krullend haar en bruine gezichten, honderden kilometers van de winter en school vandaan. Een van mijn lievelingsfoto's – Fin met een norse uitdrukking op zijn gezicht, gekleed in een zwembroek en een Batman-cape. Om die foto moet jij lachen.

De *caped crusader*, zeg je.

Hij droeg hem de hele tijd, vertel ik je, zelfs 's nachts. Hij werd zo vies – zat onder de etensresten. We moesten hem stiekem van hem af halen als hij sliep, hem wassen en te drogen hangen zodat er 's morgens geen scène zou zijn.

Hier is er nog een van Tom en Jack, daar doen ze een kaartspelletje, deze is van een paar maanden geleden – allebei hebben ze een ernstig, geconcentreerd gezicht, met colablikjes naast hen. Ik had deze bijna niet meegenomen, maar toen dacht ik dat het niet eerlijk zou zijn om Tom niet aan je te laten zien.

Is dat je echtgenoot? Oké, ik weet het – een soort echtgenoot? Dat is hij?

Ik knik en jij bekijkt de foto met half toegeknepen ogen.

Tom, zeg ik, ja.

Hij ziet er leuk uit.

Dat hoef je niet te zeggen.

Maar het is wel zo.

Dan laat ik je Mary zien, die kaarsrecht in het midden van Toms grote leren bureaustoel zit in een blauwe met de drukknopen tot aan haar kin dichtgedrukt, haar beentjes recht vooruitgestoken, handen die de armleuningen omklemmen, wijdopen mond van het lachen, waarin twee nieuwe boventanden te zien zijn. Haar gekke lachje. Een waterval van blond haar.

Je bekijkt deze foto met grote belangstelling.

Ze lijkt heel erg op jou, zeg je. Precies dezelfde ogen.

Dit verrast me.

Echt? zeg ik. Dat heeft nog nooit iemand gezegd. Ik dacht dat ze niet uitgesproken op een van ons beiden leek.

Nee? Nou, ik kan niets over je echtgenoot zeggen. Maar ze lijkt echt heel erg op jou. Hetzelfde haar.

Dat van mij is niet echt, zeg ik vlug en ik vraag me af of je beseft dat het veel blonder is dan het vroeger was.

Je kijkt even naar mijn haar.

Goed dan, dezelfde gekke ogen.

Ze is een gek meisje, vertel ik je, en ik besef plotseling ongerust dat ik ervan geniet in de tegenwoordige tijd over Mary te praten. Ze kan zo grappig doen, voeg ik eraan toe, terwijl mijn stem wegzakt.

Je drukt je sigaret uit ook al heb je er maar drie trekjes van genomen, doet je portefeuille open en je haalt er zonder iets te zeggen een gekreukelde oude foto uit. Een mager jongetje zit boven op een bank in helder zonlicht met haar zo wit als licht.

Zach, zeg jij. Dat was jaren geleden. Ik heb er veel meer van hem, maar dit is de enige die ik bij me draag – altijd al gedaan. Die dag was een mooie dag. Hij is nu achttien. Groter dan ik. Speelt fantastisch bas. Speelt in een band. Woont bij zijn moeder. Zo is met hem in New York gaan wonen.

Ik kijk naar Zach. Op de foto is hij ongeveer zo oud als Fin nu, lachend met een gapend gebit.

Wanneer zie je hem? vraag ik en zoals ik al verwachtte, zie je er een beetje verslagen uit. Je zet je bril af en wrijft over de plek tussen je ogen.

Lang niet vaak genoeg. Ik mis hem zo – nou, Rosy, je weet niet half hoe ik hem mis. Op sommige dagen is het net of ik hem kwijt ben, alsof ik uit zijn leven ben verdwenen en ik hem nooit heb gehad.

Je zet je bril weer op en je kijkt me streng aan terwijl je over de rand van je bril heen kijkt. Je klopt op de bank.

Goed, zeg je, nu kan je naast me komen zitten.

Heb je genoeg gezien?

Je lacht.

Ik heb genoeg gezien.

Maar naast je zitten lijkt te intiem. Ik vraag me af hoe we eruitzien in de ogen van andere mensen. Man en vrouw? Geliefden? Broer en zus? Ik denk dat jij je waarschijnlijk hetzelfde afvraagt, dus zitten we een beetje van elkaar vandaan een poosje te zwijgen.

Waar denk je aan? vraag je mij.

Ik denk – ik probeer – iets te besluiten.

Wat dan?

Ik probeer te beslissen of dit alles wel echt is.

Je knijpt je ogen samen en kijkt me weer lang over de rand van je bril heen aan.

Of wat echt is?

Dit, zeg ik. Wij, jij. Alles wat we tot nu toe tegen elkaar gezegd hebben.

Plotseling kijk je bedroefd. Je mond verstrakt en doet me een tel aan de mond van Tom denken – schrap gezet tegen wat er ook maar kan komen.

Stel ik je teleur? vraag je me. Eerlijk zeggen. Ik bedoel in levenden lijve, hoe ik eruitzie, dat allemaal?

Natuurlijk niet, zeg ik. Helemaal niet – hoewel de hele waarheid is, dat ik nog niet besloten heb.

Dommerdje, zeg je. Wil je dat ik echt ben?

Ik haal diep adem en vouw mijn vingers ineen op mijn schoot. Ik kijk je niet aan. Dat durf ik niet.

Natuurlijk wil ik dat.

Je stompt tegen je eigen arm in zijn donkere jasje. Voel me maar. Vlees en bloed. Veel ervan, veel te veel, ben ik bang. Dommerdje, natuurlijk ben ik echt.

Ik strek mijn hand uit, raak je arm aan en hij voelt inderdaad echt aan dus laat ik mijn hand daar liggen en dan, zonder echt te begrijpen waarom ik het doe, leg ik mijn hoofd op je schouder. Je jasje ruikt naar de frisse buitenlucht.

O, zeg jij, en je stem wordt een beetje lager. Blijf dat alsjeblieft doen.

Ik voel mezelf weer trillen maar dat is vooral in mijn benen en dat is niet erg. Dit is de eerste keer in al die jaren dat ik een andere man dan Tom heb aangeraakt en – ik kan niet geloven dat ik het zo gemakkelijk heb gedaan.

Dit voelt niet echt aan, vertel ik je zachtjes. Voor mij niet echt.

Nee? zeg je en je zucht.

Wat is er?

Gewoon – het voelt zo lekker aan, zeg jij. Dat is het.

We kennen elkaar niet echt, zeg ik.

Nee?

Nou – wel en niet.

Hm, zeg jij en ik voel je hart stevig kloppen of misschien is het je bloed dat door je lichaam pulseert.

Ik ben bang, zeg ik dan tegen je en laat mijn hoofd nog steeds op je schouder liggen. Jij raakt mijn hand op je mouw aan.

Ik weet dat je bang bent. Ik ook. Alles wat jij voelt, voel ik ook. Je hoeft niets te doen, weet je. Ik bedoel, we hoeven allebei niets te doen.

Ik weet het.

Ik moest je gewoon zien.

Ik weet het, zeg ik weer en dan: aan jou schrijven was – is – zo fijn.

Je legt dan je hand op mijn hoofd en streelt mijn haar. Een ongelofelijk warm gevoel stroomt door me heen, alsof er iets in me wordt gegoten. Ik vraag me af of dit bij kinderen ook zo voelt als ik hen aanraak.

Ik weet het, zeg je, terwijl je me streelt. Stil maar. Ik weet het.

Maar –

Maar? Nu aap je me na, je trekt een lelijk gezicht en draait je hoofd naar beneden om me aan te kunnen kijken.

Ik glimlach.

Maar – was ik van plan te zeggen: het is zo vreemd om je te zien.

Vind je me dan toch niet zo leuk?

Je glimlacht, maar ik weet dat de vraag serieus is bedoeld en dat ik je eerlijk moet antwoorden.

Ik weet het niet, antwoord ik en ik besef tegelijkertijd dat iets in de rust die jij me hebt gegeven, mij in staat stelde dit te zeggen.

We zullen kalm aan doen, zeg je op iets droeviger toon tegen mij. We zullen alles kalm aan doen. Ik moet je opnieuw leren kennen, Rosy.

Dat weet ik, zeg ik en plotseling schiet me een verward beeld van Tom te binnen – Tom op zijn fiets, gehaast, bedroefd, die met snelle bewegingen tussen de bomen van Londen door koerst.

Zal je me dat dit keer laten doen, vraag je me, zonder weg te lopen?

Ik til mijn hoofd op. Ik ben nooit weggelopen.

O, maar dat deed je wel.

Wat – bedoel je na de –

Dat was de nacht waaraan ik dacht, zeg je met een glimlach en je schuift mijn kopje koffie naar me toe. Ik drink wat van de koffie. Hij is niet lekker. Ik duw het kopje van me af.

De ene met de parels? zeg ik en jij glimlacht.

Dat was de enige nacht die we samen gehad hebben, Rosy.

Ik kijk je aan. Ik ben niet weggelopen.

Jij zegt niets, je glimlacht alleen maar naar me over de rand van je bril heen – je brilletje zonder randen.

Zal ik je iets grappigs vertellen? vraag jij. Je manier van lopen. Die is nog precies hetzelfde.

Ik bloos en iets in me krimpt ineen.

Nee, zeg ik.

Ja. O, zeker, jawel.

Hoe loop ik dan?

Met iets springerigs erin. Meer niet.

Dat is niet waar! zeg ik tegen je, ook al weet ik dat het klopt, dat ik het wel doe.

Hé, het is een leuk gezicht, zeg jij. Ik meen het. Het is aantrekkelijk.

Ik schud mijn hoofd.

Jij hebt een bril, zeg ik, omdat ik dat nu wel moet doen, omdat ik ergens tussen het verleden en de toekomst opgesloten zit en ik wil het liefst hier met jou in het heden blijven.

O, Rosy, ik ben zo verdomde blind tegenwoordig. Je wilt het niet weten. Ik zit niet goed in mijn vel. Ik ben dik, ik ben oud. Ik rook en drink te veel, daar ben ik me van bewust.

Ik heb drie kinderen gehad, vertel ik je, en mijn ogen beginnen zich met tranen te vullen. Kijk me aan. We zijn allebei al aardig op leeftijd.

Nooit, zeg jij. Jij niet, jij bent niet op leeftijd. Jij ziet er volmaakt uit.

En dan, precies zoals ik weet dat je het zult doen, strek je je hand uit en raakt heel zachtjes de rimpels naast mijn ogen aan.

Je bent ouder geworden, zeg je na een ogenblik, maar je ziet er verdomd aantrekkelijk uit.

Wij hoorden geen van beiden iets, die ochtend. Geen klap of dreun of ook maar het minste geluidje. Misschien had de stilte op zich al een aanwijzing voor ons moeten zijn geweest.

We werden later dan gewoonlijk wakker in een kamer die gevuld was met de volmaakte helderheid die sneeuw met zich meebrengt – en geluiden van voorbij zoeven en onverwachte bewegingen, en achtervolgingsmuziek in de tekenfilms op de vroege ochtend op de tv. Het was duidelijk dat Fin al beneden was. Hij had vast de gordijnen in de woonkamer dicht gelaten en had nog niet naar buiten gekeken, anders was hij bij ons naar binnen komen rennen om ons erover te vertellen en ons te smeken mee naar buiten te gaan.

Ik tilde mijn hoofd op en tuurde op mijn horloge. Het was bijna acht uur. Normaliter zou Mary tegen deze tijd wakker zijn geworden en ons hebben geroepen, ze zou staan rammelen aan de spijlen van het bedje, verlangend om eruit getild te worden. Maar omdat ze de afgelopen nacht zo klaarwakker was geweest, vermoedde ik dat ze doorgeslapen had. Het was niets voor haar, maar het was ook niet helemaal ongewoon. Ik besloot haar nog tien minuten te geven en dan bij haar naar binnen te gaan.

Ik draaide me om en kroop dichter tegen Tom aan. Hij zuchtte, likte zijn lippen, stak een arm naar achteren en streelde de binnenkant van mijn dij met zijn warme vingers; maar na een paar seconden viel hij weer in slaap.

We nemen de lift naar jouw kamer. De wanden van de lift zijn bekleed, net als in de lift in Parijs, alleen is het karpet dit keer beige met stippen en het is in de hoeken losgeraakt. Er ligt as op de vloer.

In de lift staan we los van elkaar.

Jij vertelt me dat je eerste vergadering om vijf uur begint. Je vraagt me hoe lang ik kan blijven. Ik zeg: tot de jongens thuiskomen. Tot drie uur, zeg ik. De jongens gaan om kwart over drie bij school weg. Ik moet tegen vieren terug zijn.

Wie past er op de baby? vraag je me.

Ik haal diep adem en sluit voor een tel mijn ogen. Dat is een lang verhaal, zeg ik.

En morgen? vraag je me.

Wat is er met morgen?

Kan ik je morgen zien?

Moet je dan niet werken?

Dat is een lang verhaal, zeg jij en je knipoogt naar me en vervolgens zeg je: Hé, mevrouw Rosy, je jas is erg roze.

Vind je hem niet mooi?

Zei ik dat ik hem niet mooi vind? Hij is prachtig. Ik vind hem heel mooi. Maar je zult het met me eens moeten zijn dat hij wel erg roze is.

De lift stopt op de zesde verdieping maar daar staat niemand dus de deuren gaan weer dicht. Ik sluit mijn ogen.

Ik kan niet geloven dat ik dit doe, fluister ik tegen je.

Dat je wat doet? Wat doe je?

Ik weet het niet. Wat ik ook doe.

Je doet een stap dichterbij en je raakt mijn haar aan. Je houdt mijn paardenstaart in je hand, laat hem dan los en ik voel mijn nekharen rechtop gaan staan als je hem loslaat.

Je hoeft niets te doen, zeg je tegen me. We zullen niets doen. Ik wil met je praten. Maar ik denk dat ik je misschien graag wil vasthouden – in de kamer, bedoel ik. Is dat goed?

De lift staat stil, de deuren gaan open en er stapt een man in.

Dat is goed, zeg ik. Dat is prima. Dat zal wel goed zijn.

We staan weer een eindje van elkaar af, jij glimlacht me toe en ik glimlach terug. De man staart naar de deuren, niet naar ons.

Wat een boel sneeuw buiten, zeg je op een normale toon.

Ja, zeg ik zachter, en ik sta op het punt te zeggen: net als in Parijs, en dan houd ik me in. We hadden sneeuw in Parijs, vertel ik je, toen we daar waren.

Echt waar?

Ontzettend veel sneeuw. Paksneeuw. Net als vandaag maar dan meer. Het was onwerkelijk – het was prachtig.

Je wordt dan wat stil en ik merk dat het is omdat ik over een ervaring praat die niets met jou te maken heeft of ik denk althans dat jij dat denkt en wat kan ik daarop zeggen?

We komen op de achttiende verdieping.

We zijn er, zeg jij.

Jouw kamer is een kleine beige kubus met een nog kleinere badkamer eraan vast, maar hij heeft tenminste een enorm groot raam met een weids uitzicht. De stad is wit, de sneeuw is blijven liggen en het is niet langer donker, de lucht is iets opgelicht en de ochtendzon begint er net doorheen te schijnen. Ik loop naar het raam en kijk naar buiten.

Wow, zeg ik, moet je eens kijken.

Je komt achter me staan en kijkt ook naar buiten. Ik zie van dichtbij de onmogelijke weefselstructuur van je jasmouw en ik ruik zeep op je huid. Je lijkt ingetogen en plotseling jonger en verlegener – verlegener dan je beneden was.

Ik ken al die gebouwen niet, zeg je tegen me. Weet jij het? Wat is dat daar bijvoorbeeld voor gebouw?

Dat ene met het licht dat bovenop staat te flitsen? Dat is *Canary Wharf*. En dat daar is de Augurk – zie je wel dat het op een augurk lijkt? Hebben jullie ook augurken?

De groente, zeg jij glimlachend. Ja, die hebben wij ook.

Maar ik weet niet hoe die daarachter heet, zeg ik tegen je en ik kan horen dat mijn stem te hard en te opgewekt klinkt. Ik weet ook niet hoe dat grote witte gebouw heet – ik denk dat het de *City* is. Ik ken niet alle gebouwen van naam.

Je trekt je jasje uit en gooit het op het bed, doet daarna je das af. Het is vreemd een man zijn das te zien afdoen. Tom draagt er bijna nooit een.

Ik moet eventjes naar de wc, zeg je tegen me. Niet weggaan. Blijf op me wachten.

Ik doe mijn jas uit, leg hem op de stoel en dan ga ik naar jouw spullen staan kijken. Een dikke thriller ligt op het nachtkastje, door iemand geschreven van wie ik nog nooit heb gehoord. De bladzijden zijn omgekruld. Een paar bruine sokken op de stoel. Uit je koffer, voor de helft uitgepakt, puilen witte t-shirts. Een paar goed gepoetste schoenen. Witte sportschoenen die er iets te schoon uitzien. Ik stel me voor hoe jij aan het inpakken was toen ik schreef dat ik van je hield. Ik bedenk me dat Tom nooit een dikke thriller zou lezen of al te witte sportschoenen zou hebben.

De eerste tijd dat ik samenwoonde met Tom, probeerde ik een

van zijn overhemden te strijken – als een gunst en omdat ik van hem hield en omdat ik dacht dat alle mannen diep in hun hart kreukvrije overhemden wilden dragen. Hij lachte, verkreukelde het en gooide het naar me terug.

Denk je niet dat als ik het gestreken wilde hebben, dat ik het dan wel zelf zou doen? Ik denk niet dat hij het gemeen bedoelde; het was gewoon een feit. Hij was heel goed in staat om met een strijkijzer om te gaan. Het was gewoon zijn manier om me te zeggen dat ik mijn tijd had verdaan.

Als je weer naar buiten komt, ruik je naar mondspoelwater. Je hebt je tanden gepoetst.

Zo, dat is beter, zeg je. Kom hier, mevrouw Rosy.

Ik moet plassen, zeg ik tegen je en ik loop de badkamer in waar jouw toilettas staat vol producten met vreemde Amerikaanse namen erop. Mondspoelwater. Oogspoelwater. Alles ziet er heel geordend en netjes uit. Het valt me op dat je nu een zeer schone en nette man bent en dat is heel grappig als ik terugdenk aan de nacht van het parelsnoer en de jongen die je toen was, met alles gescheurd of gerafeld, je haar over je kraag heen.

Ik ga terug de kamer in en tast rond in een poging het badkamerlicht uit te doen omdat het te veel lawaai maakt.

Je ligt helemaal aangekleed op bed, handen achter je hoofd. Je ziet er helemaal verkeerd uit, te netjes, alle knopen dicht – nog steeds te veel als een zakenman. Ik voel me vreemd. Ik ga op de rand van het bed zitten.

Je ziet er grappig uit, zeg ik.

Hoe bedoel je grappig?

Volwassen. Zo echt een man.

Je staat op het punt te gaan lachen maar dan doe je het niet. In plaats daarvan kijk je me recht in het gezicht en je ogen zijn erg blauw.

Dit ben ik, zeg je.

We kijken elkaar een ogenblik aan.

Ik kan dit niet, vertel ik je, omdat het me opeens duidelijk is geworden dat ik het inderdaad niet kan.

Dommerdje, zeg je, strekt een hand uit en je raakt mijn knie aan in mijn donkere spijkerbroek. Moet je jezelf nu eens zien, dat gezicht van je, daar gaat zo veel in om, gekke oude mevrouw de dichteres. Je bent geweldig maar je denkt te veel en dat is fataal, weet je dat?

Ik kan het niet nalaten om te denken, begin ik te zeggen maar dan stop ik omdat ik het weer voel – zo'n warmte van jouw hand in mijn been. Alsof er iets heets in gegoten wordt.

Wat is dat? zeg ik.

Wat bedoel je?

Wat je doet met jo hand   het voelt ongelofelijk, alsof – ik kan het niet onder woorden brengen – alsof –

Je glimlacht en houdt je hand daar, beweegt hem iets, blijft zachtjes strelen. Nog meer warmte vloeit naar binnen. Ik voel hoe mijn ledematen zich iets ontspannen.

Ik doe helemaal niets, dommerdje, dat doe je zelf – jij voelt het zelf. Begrijp je het dan niet? Dit is wat jij jezelf toestaat te voelen.

We liggen samen op bed, het harde beige bed met zijn harde gladde laken en zijn lelijke bruine sprei. We houden al onze kleren aan, net als twintig jaar geleden. Je zegt tegen me dat je alleen wilt praten en daar stem ik mee in. Ik ontspan een beetje en dan, voor ik erover na kan denken, merk ik dat ik mijn armen om je heen sla. Mijn polsen bij het zachtste gedeelte van je nek, mijn dijbenen trillen licht tegen die van jou aan. Mijn lichaam voelt tegelijkertijd dik en licht en hard en heet aan; jij trekt me naar je toe en je houdt me stevig vast en ik begin te voelen dat ik je dichter tegen me aan wil hebben. Ik zeg dit bijna tegen je maar ik houd me in.

Op welke manier dichterbij? vraag je me en ik weet dat je ogen zachtjes lachen.

Ik vraag je me meer over je leven te vertellen en dus nestel je mij tegen je aan en vervolgt het verhaal op het punt waar je was gebleven – de slechte afloop van je huwelijk, dat je met zo veel mogelijk vrouwen naar bed was geweest.

Dat stukje vind ik leuk, zeg ik en je zoent mijn hoofd, een vlugge smakzoen en je zegt: dat weet ik van je.

Maar eerst vertel je me hoe je als kind, een jongen van ongeveer tien, elf jaar oud, een vriendje, Mike, had en dat jullie vaak over de daken liepen en van gebouw naar gebouw sprongen.

Net als *Spiderman*? fluister ik met mijn gezicht dicht tegen het jouwe.

Precies.

En vond jouw moeder dat goed?

Ze wist er niets van. Ze had geen flauw vermoeden. Ze zou gek van bezorgdheid zijn geweest. We waren erg stoute kinderen, Mikey en ik.

Ik weet zeker dat jullie niet stout waren, zeg ik terwijl ik aan Jack en Fin denk en de vele dingen die ze, naar ik zeker weet, achter mijn rug om proberen uit te halen, omdat ze dat wel moeten, omdat het jongens zijn en ze op gekke, overdreven manieren kennis moeten maken met de wereld.

Je schuift eventjes je hoofd een beetje van het mijne weg om naar me te kunnen kijken. Je doet je bril af, vouwt de pootjes naar binnen en legt hem op het nachtkastje achter je. Ik ben blij dat ik je ogen goed kan zien.

Ik kijk er recht in en dan raak ik je kin met mijn vinger aan.

Ik besef nu pas – je baardje.

Mijn sikje?

Had je er echt een?

Ja. Ik heb hem afgeschoren.

Wanneer?

Gisteren. Voor ik vertrok.

Waarom?

Ik weet het niet. Ik dacht dat hij niet stond. Jij zou hem niet mooi hebben gevonden.

Hoe weet je dat ik hem niet mooi zou vinden?

Gewoon, dat weet ik.

Je vertelt me dan dat je je schaamde dat je me al die verhalen had geschreven over je vrouw en haar verhouding en wat je daarna had gedaan.

Schaamde je je? zeg ik terwijl ik naar het perfecte blauw rond de pupillen van je ogen staar. Maar waarom?

Je haalt diep adem en lijkt hierover na te denken.

Ik denk – ik merkte dat ik je de waarheid vertelde, maar, nou ja, het was voor het eerst dat ik deze dingen echt onder ogen zag. Voor het eerst in lange tijd. En zoals ik al zei, er was niets moois aan. Maar je bent een gemakkelijk iemand om de waarheid aan te vertellen, wist je dat, Rosy?

Ik was er kapot van, zeg ik tegen je, en ik realiseer me terwijl ik dit zeg, dat het waar is, dat ik er kapot van was.

Waarom? Waar was je kapot van?

Ik was er kapot van toen je me vertelde dat je met zo veel mogelijk vrouwen naar bed ging. Eigenlijk denk ik dat ik toen begonnen ben van je te houden. Ik denk dat het op dat moment gebeurde.

Je lacht zachtjes en je knijpt je ogen toe terwijl je naar me kijkt.

Wacht even – ik wil dit even duidelijk krijgen. Je hield van me omdat ik zei dat ik met zo veel mogelijk vrouwen naar bed ging?

Het ligt wel iets gecompliceerder, zeg ik.

Leg het dan eens uit, alsjeblieft.

Je klonk zo wanhopig. Het was een wanhoopsdaad. Daardoor begreep ik hoe zacht je bent.

Zacht?

Ja. Je deed net of je hard was, maar in werkelijkheid ben je zacht.

Aha, zeg jij. Daar viel je voor. Mijn act van 'kijk eens hoe zacht ik vanbinnen ben'.

Ik wilde je helpen en je redden, zeg ik. Je denkt hier even over na en je zegt niets. Je streelt mijn haar uit mijn gezicht en verschuift jezelf op het bed om lekkerder te kunnen liggen.

Vertel eens, zeg jij, wat vond je het leukst om te doen toen je tien was?

Ik rol een beetje om zodat ik op mijn rug lig.

Het meest van alles?

Het allermeest.

Vissen, zeg ik prompt en ik besef dat het antwoord voor zich spreekt ook al heb ik er in geen tijden aan gedacht. Ik ging vroeger vissen in de beek bij ons huis. We woonden toen op het platteland. Toen mijn ouders nog bij elkaar waren. En ik wilde zo dolgraag een vishengel voor mijn verjaardag, maar ik mocht er geen hebben.

Maar waarom in hemelsnaam niet?

Omdat ik geen jongen was.

Je trekt me een beetje dichter naar je toe.

Arme Rosy, zeg je. Arm klein meisje. Ik zou je er een gegeven hebben.

Je vergeet dat jij toen ook tien of, goed, misschien elf was en in een ander land over de daken rondstruinde.

Ik zei ook: ik zou hem gegeven hebben. Maar, ving je wel eens wat?

Meestal stekelbaarzen, maar –

Meestal wat?

Stekelbaarzen.

Wat zijn dat nou weer, verdomme? Stekel wat? Het klinkt als iets uit de middeleeuwen.

Ik schiet in de lach en ik voel dat je je hoofd een fractie naar me toe schuift.

Dat is gewoon een veelvoorkomend visje met van die kleine stekeltjes bovenop. Maar, moet je horen, wat ik wilde zeggen, is dat ik op een keer een forel ving – per ongeluk, in mijn net. Kun jij je dat voorstellen? Een grote forel!

Je lacht. Wow. Ik weet wat een forel is.

Precies.

Ik zie je voor me, kleine tien jaar oude Rosy – met een overall aan, klopt? Een overall opgerold tot aan je knieën en je staat daar in die verdomd koude stroom met je nietige netje en deze gigantische vis komt eraan en –

Zwiep. Ik had hem. Ik stond er zelf versteld van.

Dat wil ik geloven.

Echt waar, zeg ik en ik moet nu erg lachen. Maar je moet wel beseffen dat er een hoop handigheid bij om de hoek kwam kijken.

Dat geloof ik graag, zeg jij. Je vlecht je handen om mijn rug en trekt me helemaal tegen je aan, daar op het bed. Ik versmelt met je en ik ruik jouw geur en ik besef opgelucht dat je nu niet meer zo vreselijk vreemd ruikt.

Rosy, zeg je. O, Rosy –

Wat is er?

Ik houd van je. Ik – houd – gewoon – van – jou.

Ik word helemaal stil en ik kijk naar je warme, vriendelijke gezicht.

Ik kijk naar je vingers die met de mijne zijn vervlochten, de mijne vasthouden en ik aarzel, ik voel duidelijk dat ik aarzel.

Je kunt niet van me houden, zeg ik. Nog niet. Niet nu al.

Kan ik dat niet? zeg jij en je glimlacht nog steeds.

Ik weet niet. Het is niet mogelijk, niet zo gauw.

Jij zei het als eerste, help je mij herinneren, jij zei het eerder tegen mij.

Dat weet ik, zeg ik. En ik meende het. Ik voelde het. Op dat moment voelde ik het ook zo.

Ik vond je heel dapper, zeg jij. Jezelf voor het blok zetten en me zoiets vertellen.

Vond je dat? zeg ik en denk erover na.

Ja, dat vond ik echt.

Nou, net zoals ik zei, ik voelde het. Ik moest het zeggen omdat ik wist dat ik het voelde en tja, het voelde als de waarheid.

En nu?

Hoe bedoel je?

Voelt het nog steeds als de waarheid?

Ik weet het niet, zeg ik. Het is moeilijk. Ik weet op dit ogenblik niet meer wat waar is en wat niet.

De tijd verstrijkt en we luisteren naar de stilte in de kamer, het gezoem van de wereld in de verte en zijn machinerie buiten. Het is raar dat het ochtend is. Het voelt niet als ochtend, middag of avond. We kunnen vanuit hier alleen de witte leegte van de lucht zien en die geeft geen enkele aanwijzing over welk deel van de dag het is.

Waar denk je nu aan? vraag je mij.

Ik denk aan al onze schrijfsels, al die e-mails, vertel ik je. Duizenden woorden. Denk je dat dit ook had kunnen gebeuren zonder computers, ik bedoel voor het computertijdperk?

Twintig jaar geleden had die ene nacht niets met computers te maken, zeg jij.

Dat weet ik, maar dit, nu, hoe we elkaar zo perfect lijken te begrijpen?

Ik weet het niet, zeg jij, maar ja, ik denk dat ik het wel voor me zie, hoe wij er allebei op los pennen met onze ganzenveren –

Op tijd voor de middagpost of zoiets.

Je kijkt me aan en zwijgt even.

Ik ben blij, zeg jij. Ik ben zo blij dat je me terugschreef.

Ik moest wel, zeg ik. Je hebt er geen idee van hoezeer ik dat wel moest.

Waarom?

Ik denk omdat ik je me herinnerde. Die nacht. De parels en het zoenen, dat kwam zo onverwachts. Dat ben ik nooit vergeten. Ik dacht er door de jaren heen niet veel aan, maar het was er altijd wel, onder al het andere. Die herinnering was altijd zo verlokkelijk.

Je glimlacht.

Dat vind ik leuk, zeg jij.

Dat dacht ik wel.

Dus mijn geniale plan werkte?

Jouw plan?

Je zo verdomde goed te zoenen dat je op den duur bij me terug zou komen.

Ik glimlach en jij ook.

Het werkte, zeg ik zachtjes. Maar het punt is –

Wat?

Ik weet het niet. Het lijkt allemaal zo'n zonde. Het maakt me bedroefd. Al die jaren die we verloren, de manier waarop we ze lieten gaan.

Dat moet je niet zeggen, vertel je me, en dan lig je heel stil tegen me aan en ik voel hoe jij me vasthoudt.

Er was een band tussen ons, toch? zeg jij dan. Ik heb hem niet goed onderkend, ik heb niet gezien wat hij betekende. Maar in die tijd was hij er toch?

Hij was er, zeg ik. Maar dat is het juist, begrijp je dat niet? Dat maakt het zo verdrietig en stom. Je denkt – ik dacht – dat het gewoon het begin is. Je stelt je voor, als je negentien of twintig bent, dat er nog veel meer zal komen. En dus besteed je er niet voldoende aandacht aan. Je laat kostbare dingen schieten. Weet je, ik dacht altijd dat dit gewoon een eendagsvlieg was – dat er daarbuiten zoveel andere jongens op me stonden te wachten –

Je lacht en streelt mijn hoofd.

Honderden andere nachten met parels en zoenen?

Ja, precies.

Terwijl in feite –

In feite had ik het verkeerd, zeg ik. Ze waren er niet.

Nee?

Nee. Dat wist ik toen niet, maar deze band tussen ons was uniek en speciaal en – zoiets zou niet nog eens langskomen.

Ach, Rosy.

Voor mij kwam hij tenminste niet meer langs, zeg ik tegen je, en een enkel ogenblik voel ik tranen in mijn ogen schieten. Het was eenmalig. Heel zeker. Ik heb nooit meer zoiets voor iemand gevoeld.

Je kijkt me strak aan en je gezicht staat ernstig.

Ik voel het precies hetzelfde, vertel je me. Bij mij is het ook zo. Dat gevoel is niet meer teruggekomen, die verwantschap. En ik denk dat jongens nog erger zijn dan meisjes.

Erger?

Nou, met te denken dat er daarbuiten nog veel meer voor hen in petto ligt, zoveel gelegenheden om, nou ja, laten we eerlijk zijn, te neuken?

Ik glimlach. Zoveel vrouwen om mee naar bed te gaan?

Precies.

Ik zucht eens diep.

Wij hebben elkaar tenminste weer gevonden, zeg ik dan.

Kunnen onze vingers tenminste vanavond, zeg jij en je beweegt achter me met je vingers, even pauze houden?

Ik schiet in de lach maar jouw gezicht wordt ernstig.

Rosy, vertel eens, je moet me de waarheid zeggen.

Wat dan?

Je hoeft me niets te vertellen over jou en Tom, als je dat niet wilt, maar zeg me alsjeblieft dat je uit liefde bent getrouwd. Nou ja, niet precies getrouwd, ik weet dat jullie niet getrouwd zijn. Maar zeg me dat je een man koos van wie je hield. Om de juiste redenen. En zeg me dat hij van jou hield – dat moet ik weten.

De juiste redenen? zeg ik langzaam. Wat zijn de 'juiste' redenen?

Dat je het in je hart voelde. Precies daar. Omdat je niet zonder hem kon leven.

Trouwde jij om de juiste redenen met je vrouw?

Nee. Dat weet ik nu. Ik trouwde met haar omdat zij dat zo vreselijk graag wilde. Omdat ik haar een plezier wilde doen. En omdat ik bang was.

Bang waarvoor?

Bang voor mezelf, denk ik.

Wat bedoel je met 'jezelf'?

Wat ik anders zou kunnen doen. Hoe ik zou kunnen zijn – zonder haar. Ik ben geen goed mens, Rosy.

Ik denk hierover na en dan vertel ik je over Tom. Dat ik van hem hield – en dat ik van hem houd – dat hij me de laatste tijd eenzaam heeft gemaakt. Dat hij ook van mij houdt, ik weet dat dat zo is, maar hij kan dat nooit uitspreken. Dat dit de reden is waarom hij niet met me kon trouwen. Dat ik nu merk dat ik daar zo boos om ben. Boos en bedroefd. Dat ik zie dat ik leef met een man die geen enkel emotioneel gesprek kan voeren – geen gesprek dat verder gaat dan de gewone, praktische dingen van alledag – en dat ik heb geleerd dat ik die dialoog wel nodig heb, maar dat ik me soms schaam over dit feit en er bang voor ben. Dat ik me soms afvraag of enkel liefde niet genoeg is – dat ik denk dat ik het nodig heb de liefde in mijn handen te houden, haar te onderzoeken, te inspecteren, te zien, te voelen. Dat ik weet dat dit verkeerd is, dat wat ik heb – geluk, gezin, liefde – genoeg zou moeten zijn.

En dan vertel ik je hoe intens hij om mij schijnt te geven, hoe betrokken hij altijd is geweest, hoe goed hij me kent, wat een zorgzame vader hij is, hoezeer ik geloof dat hij van me houdt.

Als ik uitgesproken ben, kijk je bedroefd.

Ik hoor erin dat hij een goede man is, zeg jij. Echt waar. Volkomen oprecht en goed.

Dat is hij ook, zeg ik. Ik weet dat hij dat is.

Hij houdt veel van je. Arme man, arme Tom.

Arme Tom, zeg ik.

Je houdt mijn gezicht in jouw beide handen. Je houdt het vast alsof het iets vreselijk kostbaars is, wat je nooit eerder hebt gezien en wat zojuist door iemand aan je is doorgegeven om vast te houden. Alsof je probeert na te gaan hoe je hier op de veiligste en zorgvuldigste manier mee om kunt gaan. En weer voel ik warmte in mijn gezicht vloeien – gloeiende hitte. Zoiets heb ik nooit eerder gevoeld.

Ik ben bang dat ik van je houd, fluister ik. Ik ben bang – dit heb ik nog nooit gevoeld, nog nooit.

Ik ben bang dat ik je moet zoenen, Rosy, zeg je.

Zonder parels? fluister ik en jij glimlacht en je antwoord ligt in wat je daarna doet.

Ik dacht altijd dat zoenen gewoon zoenen was – de kleinere, langzamere activiteit die misschien voorafging aan seks of er het voorspel van was, een uitdrukking van genegenheid en vertrouwen en, ja, begeerte. Maar het was dan nog steeds gewoon zoenen – het veiligste en schoonste gedeelte van fysieke liefde, het gedeelte waar je het bij kon laten, waar je je nog steeds kon terugtrekken als dat nodig was. Nou, nu weet ik wel beter.

Als je me begint te zoenen in die beige Londense hotelkamer op een besneeuwde ochtend in februari, een volle twintig jaar na de nacht van het parelsnoer, gebeurt er iets nieuws. Iets begint zich in me te ontrafelen – ik begin los te komen van een plek zo diep in me dat ik niet wist dat die er was. Draden van mijn ik, die in alle richtingen draaien. Ik word een binnenstebuiten versie van mezelf, uitgerekt, slap en hulpeloos.

Of misschien is het helemaal niet nieuw of verbazingwekkend. Misschien is het gewoon het volgende, voor de hand liggende deel van een proces dat jij op die koude nacht, zo heel lang geleden, in gang hebt gezet. Hé, geef hem terug, zei ik lachend. Kom hem maar halen, antwoordde jij met je stoute zwarte ogen op de mijne gericht terwijl je mijn parel inpikte en hem in je mond liet glijden.

Mijn hart sloeg over.

Misschien laten wij allemaal onze blauwdruk op elkaar achter, meer dan we ons bewust zijn – rare, onuitwisbare patronen van begeerte en verlangen die vlak onder de oppervlakte liggen te wachten, altijd klaar om ons opnieuw te doen ontvlammen en onze herinneringen levend te houden. Misschien dat wanneer alle sensuele paden op hun plek liggen, er maar een warme tong, een lichte, onverwachte aanraking nodig is om de wirwar van herinneringen op gang te brengen Slechts een ogenblik van twee mensen die elkaar weer uitzoeken en een seconde tegen elkaar aan botsen en – zoef – daar gebeurt het. Het is gebeurd.

Ik weet het niet en het kan me ook niet schelen. Al wat ik weet is, dat jij na meer dan twintig jaar weer in mijn leven opduikt en al mijn zekerheden spatten uiteen.

Vind je dit lekker? fluister je tegen me op een zeker ogenblik wanneer we een aantal minuten hebben gezoend en gezoend. Je moet je lippen van de mijne halen om iets te kunnen zeggen. Ik doe mijn ogen dicht en wacht tot ze weer terugkomen.

Mmm.

Smaak ik naar sigaretten?

Nee.

Ik houd van je, Rosy.

Ik ook.

Houd jij ook van jou?

Nee, ik houd gewoon van jou. Echt. Ik houd van jou.

Door die woorden uit te spreken, word ik helemaal ontspannen vanbinnen. Ik word zachter, natter. Ik glimlach naar je en jij glimlacht terug. We blijven elkaar aankijken. Jij strijkt dan met je tong over mijn onderlip, ik doe mijn mond voor je open en het begint weer opnieuw.

Nu zo zonder je bril en van dichtbij en met je haar door mij door de war gebracht, begin je weer te lijken op de oude jij, de jongen van negentien of twintig van zo lang geleden. Dit zou bijna eventjes weer de jij in de koude kamer kunnen zijn, in de gerafelde corduroy broek, blond haar op zijn kraag. Ik doe mijn ogen twee tellen dicht, doe ze dan weer open en ja, daar ben je, nog steeds dicht bij me, met lachende ogen. Ik herinner me die ogen – niet alleen hun kleur maar ook de vorm ervan en hoe ze in de rest van je gezicht passen. Hoe diep ze in mij lijken te kijken – vooral dat.

Weet je nog die keer dat we gingen wandelen? fluister ik tegen je en ik raak je zachte oude haar aan, met ietsje grijs erin, net zoals je gezegd had.

Die zomernacht? Die verdomde, eindeloos lange wandeling die je me liet maken?

Ik knik.

Ik was stoned, zeg jij, alsof jij je dit nu pas realiseert, ik was die nacht volkomen van de kaart, weet je.

Ja, fluister ik.

Ja, zeg jij – en je laat je handen over mijn borsten glijden. Het is net of ik hen voor de eerste keer voel, de allereerste sensatie van wat het betekent om borsten te hebben. Je trekt mijn t-shirt omhoog en mijn beha naar beneden en je zoent me precies op de twee plekken waar ik mijn baby's heb gevoed. Je kust me daar tot ik sidder. Het gevoel is zo intens dat ik omlaag moet kijken om te zien wat je aan het doen bent.

Je vertelde me toen over de afgrond, zeg je dan en ik bevries een ogenblik. Ik laat je ophouden met zoenen zodat ik je hoofd op kan tillen en je in de ogen kan kijken.

Weet je dat nog?

Ik was hoteldebotel maar dat kon ik niet vergeten. Hoe zou ik zoiets kunnen vergeten, Rosy?

Ik schud mijn hoofd. Ik kan er niet over uit dat je je herinnert dat ik je dat heb verteld.

Ik wilde je die nacht zo graag zoenen, zeg jij en je raakt mijn lippen met je vingers aan.

Wilde je dat? vraag ik verbaasd.

O, god, zo verschrikkelijk graag. Maar ik voelde me te ellendig en ik dacht dat jij het niet wilde. En bovendien had ik er geen idee van wat jij dacht en toen liepen we terug en jij was aan het huilen –

Niet waar.

O, Rosy, dat deed je wel. Weet je dat niet meer? Ik liep achter je en ik kon het zien. Je gaat anders lopen als je huilt. Zelfs toen kon ik het zien – ik wist hoe aandoenlijk je manier van lopen werd als je huilde.

Ik staar je aan terwijl de herinneringen terugkomen.

Houd alsjeblieft op, zeg ik tegen je, of ik ga nu ook huilen.

Je kijkt me aan met je ene hand nog steeds warm op mijn borst. Je leunt achterover op het bed en je steunt je hoofd op de andere hand.

Mijn hart brak, zeg je. Omdat ik je aan het huilen had gemaakt.

Kom nou, zeg ik.

Gekkie. Weet je het dan niet? Ik ben aan je blijven denken, al die jaren bedoel ik. Het is net alsof bij wat ik ook deed, voelde of dacht, in mijn achterhoofd, achter al het andere ergens een plek was die met Rosy had te maken.

Dit maakt me weer aan het lachen. Maar vanbinnen ben ik stomverbaasd.

Jij? Jij dacht echt aan mij? Eerder dan nu, bedoel ik?

De hele tijd, zeg jij met een zucht.

En dan neem je weer mijn gezicht in je handen, je houdt me zo teder vast, een hand op elke wang – stil maar, zeg je – en je maakt mijn mond een beetje vochtig met je tong en drukt dan zachtjes op mijn lippen tot ze uiteenwijken. Je tilt mijn haar in je ene hand op en raakt me met de andere overal aan. Je mond perst zich zo hard tegen de mijne dat ik niet meer weet wat jouw lippen zijn en wat de mijne. Een deel van mij wil in het niets oplossen, een ander deel wil wat langer heel blijven zodat ik omhoog kan klimmen en misschien als ik de top bereik, op de een of andere manier me tegen jou kan laten exploderen.

We liggen daar en bewegen voor mijn gevoel urenlang tegen elkaar aan en glijden in en uit elkaars hoofd en hart.

Het moet tegen één uur hebben gelopen toen het gebeurde. Ik bedacht nog dat de jongens nu wel de lunch zouden hebben opgegeten die ik voor hen die ochtend, honderd jaar geleden, had klaargemaakt; ze zouden nu wel op het speelplein zijn: rondrennen, schreeuwen en met sneeuwballen gooien, en steeds natter en kouder worden. Fins wangen zouden rood zijn. Jack zou niet de moeite hebben genomen een jas aan te trekken. Ik weet dat ik de klok zag en aan dit alles dacht in de veilige warmte van je armen en dan begin ik te voelen wat je doet.

Je knoopt mijn spijkerbroek los en begint hem een beetje omlaag te trekken en ik zeg nee, ik fluister het: nee, lieveling, nee.

Stil, ik houd van je, zeg jij en je duwt mijn handen zachtjes weg en gaat door met wat je aan het doen bent.

Maar je trekt mijn broek niet ver naar beneden, nee, slechts een klein stukje, zodat je precies je hand naar binnen kan krijgen, en je vingers daar op me kan leggen. Ik laat je eerst je gang gaan en dan kan ik niet verder en ik word gespannen.

Hé, maak je niet druk, zeg je. Rosy, ik houd van je. Laat me je verwennen, ik wil –

Nee, nee.

Ik wil je een heerlijk gevoel bezorgen.

Dat is niet nodig, zeg ik en raak in paniek omdat ik eraan denk hoe gespitst Tom er altijd op is dat ik een orgasme krijg voor hij van het zijne kan genieten. Ik bedoel – ik voel me al heerlijk, zeg ik. Nu al.

Stil, Baby, ik meen het, stil.

En je laat je hand een beetje tegen me aan glijden en dan beweeg je je vinger over me op wat als precies de goede plek aanvoelt, maar je doet het op een heel vreemde, heel andere manier. Eerst voelt het helemaal niet zo lekker – te hard en te ongemakkelijk en ik verschuif mijn heupen iets en probeer je hand beet te pakken om je zachtjes te laten merken dat het niet lekker voelt, het is niet wat ik gewend ben, het doet bijna pijn, een veel te brandend gevoel en ik weet zeker dat het zijn werk niet zal doen. Maar jij – jij blijft met je tedere, glimlachende gezicht me aankijken en je fluistert aldoor dat je van me houdt en ik staar je aan en dan is het alsof er vanbinnen iets bij me klikt en er begint iets langzaam te draaien en te schudden en spanning op te bouwen.

Heel onverwachts.

Ik snak naar adem en ik voel mijn gezicht heet worden.

Ik weet niet hoe lang dit doorgaat of hoeveel minuten het duurt, een paar seconden of misschien voor eeuwig, maar mijn hele lichaam begint zich te krommen en te schokken op een manier die ik nog nooit heb meegemaakt – onvergelijkelijk heviger dan alle andere keren dat ik ben klaargekomen, bijna onverdraaglijk, maar ook wel weer te verdragen omdat ik, in plaats van in mijn eentje klaar te komen, zoals dat normaal gebeurt, op de een of andere manier samen met jou klaarkom. Omdat je de hele tijd dat je bezig bent, je handen niet van me af haalt, me in je armen en handen blijft houden en me de hele tijd blijft aankijken.

Toe maar, zeg je. Laat je gaan, ik houd van je.

Ik hoor hoe ik begin te huilen.

Laat je gaan, Baby, zeg je weer. Laat je gaan. Ik houd van je.

Ik hijg. Mijn ogen zijn wijdopen en ik ook.

Het is goed, fluister je in mijn oor en ik voel je mijn gezicht zoenen. Niet huilen, Baby, ik ben hier, ik houd van je, kun je voelen, dat ik je vasthoud?

Laat me alsjeblieft niet los, huil ik terwijl ik merk dat ik zo snel en hard ergens heen ga dat ik me geen toekomst meer kan voorstellen.

Dat doe ik ook niet. Ik laat je niet los, ik ben hier, ik heb je vast, ik houd je vast, voel maar, kijk, Baby, ik ben hier.

Ik kijk in je gezicht en je ogen zijn rustig en warm op de mijne gericht en nog steeds glimlach je zo teder terwijl mijn lichaam zijn grote hete helling opklimt en ik me laat gaan en ik explodeer – ik klamp me stevig aan je vast terwijl ik explodeer – en jij houdt mij ook vast en de hele tijd vertel je me dat je van me houdt en het is fantastisch en ik huil en lach tegelijkertijd omdat het bijna pijn doet maar het is de heerlijkste pijn die ik ooit in mijn hele leven heb gevoeld en ja, denk ik, dat is het, het is fantastisch.

Nu is het rustig. Ik ben hier. Jij bent hier. Ik denk dat ik nog nooit zo in het hier ben geweest, zo op een enkele plek. Ik slaap zo'n tien, vijftien minuten tegen je aan. Ik slaap niet zozeer, maar ik adem je stilletjes in en ik verroer geen vin. Mijn benen trillen. Dan schuif je na een poosje onder me, je zucht wat en je haalt mijn haar uit mijn ogen.

Je vingers schuiven een paar lokken van mijn haar opzij. Je kijkt naar mijn gezicht. Je hebt al die tijd naar mijn gezicht gekeken. Je kijkt heel ernstig.

Rosy?

Mmm.

Je benen trillen nog steeds.

Mmm.

Bedoel je dat je dit nog nooit eerder hebt meegemaakt?

Ik schud mijn hoofd en omdat je zo verbaasd klinkt, krul ik me nog steviger tegen je aan; ik voel mijn hart struikelen en dan komen de tranen op terwijl ik jou de waarheid vertel.

Ik heb het heus wel eerder meegemaakt, zeg ik. Natuurlijk, ik kan altijd klaarkomen. Maar niet zoals nu, nooit zo heftig. En nooit met iemand die me op deze manier vasthoudt. Ik heb nog nooit meegemaakt dat iemand de hele tijd dat ik aan het klaarkomen ben, me vasthoudt, naar me kijkt en zegt dat hij van me houdt.

Er verstrijken nog een paar minuten. Je houdt me vast, kijkt me aan en dan glimlach je.

Je gezicht, zeg jij.

Wat is er mee?

Toen ik nog op school zat, dan zeiden we als een meisje er zo uitzag: dat ze er een beetje NG uitzag.

NG? Wat is dat?

Net genaaid.

Mmm, zeg ik, als het me begint te dagen, zie ik er zo uit?

Ja, Baby, zeg je heel plechtig, ik ben bang van wel.

Ik denk hier even over na en dan beginnen we allebei te lachen.

En jij dan? zeg ik.

Wat is er met mij?

Jij bent niet NG. Wat moeten we daaraan doen?

Je glimlacht en dan gaap je.

Nou, eigenlijk is het wel grappig, zeg jij. Meestal vind ik dat erg. Ik ben heel egoïstisch en gulzig waar het seks betreft, daar heb ik je voor gewaarschuwd. Maar, weet je, het is nu anders – ik kan niet geloven dat het me gelukt is mijn pik in mijn broek te houden, maar zo is het wel. Kijk me aan. Een veranderd man – door de liefde, door jou, Rosy. Het voelt een beetje onwerkelijk maar ik denk dat het echte liefde is die me in staat stelde me zo goed te gedragen.

Ik lach en dan gebeurt er iets wat ik niet wil voelen – er valt een schaduw over ons. De rouw komt weer boven.

Is het wel liefde? fluister ik. Ik wil zo heel graag dat het liefde is.

Dommerdje, zeg jij en je zoent mij op mijn hoofd. Natuurlijk is het liefde. Wat kan het anders zijn? Wat anders zou ervoor zorgen dat ik mijn pik in mijn broek houd?

Ergens heel ver weg daarbuiten in een andere wereld slaat een klok twee uur. Ik voel je mond op mijn oorlel, dan op mijn haar. Twee zoenen.

Ik haal diep adem. Ik houd je hand vast; onze vingers zijn verstrengeld. Dat heb ik nu pas gemerkt.

Ik moet je iets vertellen, zeg ik eindelijk, dat moet ik echt. Iets verschrikkelijks.

Je zegt niets maar je draait je zo dat je me kunt aankijken. Je hebt alles losgetrokken, het laken teruggeslagen en de dekens over ons heen gelegd. We hebben nog steeds onze kleren aan, hoewel mijn spijkerbroek rond mijn knieën zit. Je hebt de dekens opgetrokken om ons warm te houden. Ik denk dat ik weer een poosje geslapen heb.

Mijn dochtertje, zeg ik en ik schuif iets weg uit je armen om je gezicht te kunnen zien.

Mary?

Ja. Mary.

Met net zulke gekke ogen als jij?

Ik leg mijn hand op je mond om je te laten ophouden. Ik houd mijn hand daar en ik kijk in je blauwe ogen en mijn hart klopt zo hard dat het pijn doet in mijn borst.

Nee, zeg ik, en ik hoor dat mijn stem te luid mijn keel uitkomt. Niet over haar praten. Niet doen.

Je staart me aan en ik kan zien dat je er bijna bang uit begint te zien. En dan doe ik het: ik vertel je de waarheid.

Ze was een sterk meisje. Sterk en vastberaden, meteen vanaf het begin, altijd, zelfs als baby – je kon het opmaken uit de manier waarop ze met haar benen trappelde, haar manier van ademhalen, het open- en dichtdoen van haar plakkerige vingertjes.

En op de een of andere manier moet ze er die nacht genoeg van hebben gekregen alleen maar naar de kat te kijken die daar hing en misschien wilde ze hem het muziekje laten spelen. Daar moet ze voor in haar bedje zijn gaan staan en over de spijlen zijn gaan hangen en geprobeerd hebben zich zo ver ze kon uit te rekken om erbij te kunnen komen. Hoewel ze haar vingers niet echt op de kat kon leggen, slaagde ze er op de een of andere manier in, de ene hoek van het verluiertafeltje beet te pakken en die stukje bij beetje naar haar bedje toe te trekken.

Ze moet de hoek heel stevig met haar vingertjes hebben beetgepakt. Heel vastberaden. Loslaten en dan weer beetpakken, zonder het op te geven. Hij moet heel langzaam over het gladde melamine van de kast zijn geschoven – zwaar, maar toch in beweging. Ik vraag me af hoeveel minuten het haar heeft gekost.

Ik kan haar gezicht zien – opgetogen, vol concentratie, een lichte frons boven haar ogen en spuug glanzend op haar onderlip.

Toen het verluiertafeltje op een bepaald punt te ver over de rand van de ladekast was geschoven, moet het gekiept zijn en op zijn kant in het bedje zijn beland, precies boven op haar. Dat moet ongeveer drie seconden in beslag hebben genomen: kiepen, een schok en dat was het.

Er was geen klap of het geluid van iets wat valt, niets wat wij konden horen, omdat hij op de matras en de dekens belandde, met Mary eronder. Ze moet wel meteen omgevallen zijn, omvergegooid door het aanzienlijke gewicht. Ik gaf er de voorkeur aan te denken dat ze niet riep omdat ze het niet heeft voelen gebeuren, in ieder geval niet langer dan een seconde of twee.

Toen ik een angstige, jonge moeder was, placht ik te denken dat babyhoofdjes zo breekbaar als eierschalen waren en dat ze gemakkelijk barstten. Maar later leerde ik dat dit een misvatting was omdat eierschalen net als babyhoofdjes juist zo geconstrueerd zijn, dat ze sterk zijn. Ik zag eens op de tv een man een kippenei vanaf een bepaalde hoogte naar beneden gooien en het ei stuiterde, maar brak niet.

Haar longen klapten eerst in elkaar en toen kreeg ze als gevolg daarvan een hartstilstand. Later bleek haar schedel ook te zijn gebarsten, dus ook als we haar eerder hadden gevonden, was ze gestorven. Ze probeerden ons te troosten toen ze ons dit vertelden. Ze zeiden dat het waarschijnlijk heel snel gebeurd was. Ze wilden niet dat we zouden denken dat het een kwestie van tijd was geweest, dat we iets hadden kunnen doen, dat we haar hadden kunnen redden als we eerder waren binnengekomen. Ze wilden niet dat we gingen denken in termen van als dit of als dat.

Het verluiertafeltje was een zwaar voorwerp, van goed hard hout gemaakt, goed in elkaar gezet en solide. Het had ons al met al door drie baby's heen geholpen. De klap ervan zou wel een miljoen eieren hebben doen breken. Misschien was nog wel het ergst van al dat Mary eigenlijk bijna uit de luiers was – meestal trokken we gewoon de nachtluier uit en het was in die tijd soms gemakkelijker dat te doen op de plek waar zij zich bevond: op de vloer. Ik moest alsmaar denken dat we het tafeltje waarschijnlijk in een week of zo niet meer zouden hebben gebruikt.

Ik denk niet dat ik huil. Deze keer niet. Deze keer ben ik het huilen al ver voorbij en ik denk dat in plaats daarvan jij degene bent die huilt. Ik denk dat je me vasthoudt en ik voel je een beetje beven, je adem op mijn nek, en ik leg mijn handen op je gezicht en ik ontdek dat de tranen van jou zijn.

Het was mijn schuld, vertel ik je.

Dat moet je niet zeggen. Dat moet je nooit zeggen.

Maar het was het wel.

Je veegt de tranen uit je ogen en haalt diep adem.

Soms doen we dingen, zeg je. We doen allemaal wel eens iets.

Ik ga steeds weer dat ogenblik na, vertel ik je, ik herleef het moment in de nacht toen ik dat besluit nam –

Stil maar, zeg jij en het klinkt alsof je nog iets wil gaan zeggen, maar dat doe je niet, je zegt alleen maar nog eens: stil maar.

Tom was op weg naar beneden om de krant te halen en koffie voor ons te zetten, dus ging hij het eerst bij haar naar binnen. Hij zou haar haar luier uitdoen en haar naar mij toe brengen om haar in de badkamer op het potje te zetten.

Ze vond het leuk op het potje te zitten terwijl ik op de wc zat. Tom zei dat ik gevaar liep van haar een kind te maken dat alleen maar kon poepen als er iemand bij haar was.

Ze zou in alleen haar trui op het blauwe plastic potje in de vorm van een olifant hebben gezeten; de bleke huid van haar billetjes zou lichtrood zijn van de natte luier en ze zou met een ernstig gezicht en met haar ellebogen op haar dikke knieën, met mij hebben zitten praten.

Fant?

Ja. Olifant.

Fant?

Ja, dat is goed.

Het was niet bepaald een conversatie die ergens toe leidde, maar we voerden toch elke ochtend ons olifantengesprek.

Ze had misschien meteen wat in het potje kunnen produceren en dan had ik haar de hemel in geprezen. Of ze was zich gaan vervelen en dan had ze geprobeerd om overeind te komen en weg te lopen, uit ongeduld met de hele gang van zaken. Dan had ik moeten inschatten of ik haar moest aanmoedigen om weer te gaan zitten of dat het beter was haar niet te dwingen, maar het op te geven en te hopen dat ze zich op het juiste moment de procedure zou herinneren.

En daarna?

Ik neem aan dat ze daarna bij mij in bed zou zijn geklauterd en eens eventjes lekker met mij zou knuffelen, waarbij ik ervan genoot de kromming van haar rug en haar stevige dijen te voelen en haar warme slaperige haar te ruiken. Dan, als ze daar genoeg van had gekregen, was ze van het bed af gegleden en naar de overloop gelopen om in de speelgoedkist te kijken. Daar een beetje in rond rommelen. En naar alle waarschijnlijkheid was ze na een paar minuten met iets teruggekomen om aan mij te laten zien – meestal iets wat van de jongens was geweest. Ze had genoeg eigen spullen, maar vanzelfsprekend gaf ze de voorkeur aan het speelgoed van de jongens – vooral auto's, transformers, *Action Man*, alles waar beweegbare delen aan zaten. Wat het ook was, het zou iets zijn waaraan ik wat zou moeten prutsen. Ze hield ervan mij aan het werk te zetten – dingen losmaken, dingen ergens vanaf trekken, dingen vast klemmen.

Haar favoriete spelletje was allebei de groene rubber laarzen van *Action Man* uit te trekken en dan aan mij te vragen ze hem weer aan te trekken terwijl zij toekeek.

Man! Man! – ze gaf het bevel met een koninklijk gezicht, terwijl ze de pop ondersteboven vasthield en zijn voeten door de lucht zwaaide om me te laten zien wat de bedoeling was.

Of anders, en dat was nog leuker, wilde ze dat ik Action Man zijn wetsuit aantrok – een frustrerend kledingstuk dat een volwassene heel wat getrek en gesjor kostte om hem over de stijve plastic armen en benen heen te krijgen, vooral als die volwassene in bed lag en nog maar half wakker was.

Man! zei ze dan goedkeurend als hij eenmaal aangekleed was. Dan plofte ze op de grond en begon hem weer uit te kleden.

Maar op die zondag gebeurde niets van dit al.

In plaats daarvan hoorde ik Tom een schreeuw geven – een verschrikkelijke schreeuw zonder begin of einde, een schreeuw die ik nooit eerder had gehoord. Ik kan me niet herinneren dat ik uit bed ben gekomen maar ik heb een beeld dat ik me plotseling op de overloop bevond, daar stond en dat hij vreselijk zijn best deed mij ervan te weerhouden de kamer in te gaan.

Nee! hoorde ik hem roepen. Bel 999. Nu! Niet binnenkomen – doe het!

Ik neem aan dat hij lief wilde zijn. Hij wilde me beschermen tegen het verschrikkelijke wat in de kamer was. Misschien was het hem onmiddellijk duidelijk dat ze al een poosje dood was, dat het hopeloos was. Of misschien ook niet. Misschien dacht hij in de diepe schok van het ogenblik echt dat er iets was wat een medicus zou kunnen of moeten doen.

Maar hij wist natuurlijk dat niets mij uit die kamer kon houden. Hij had het verluiertafeltje van het bed getrokken, had de spijlen omlaag gedaan en hij knielde daar en probeerde het hoofd van zijn dochter vast te houden en haar pols te voelen zonder haar lichaam te verplaatsen. Een ogenblik dacht ik dat ik haar ademhaling kon horen maar toen zag ik dat het de zijne was die in zulke snelle, harde halen ging.

Nee, riep ik. Nee!

Pak de telefoon, zei hij en ik probeerde het maar ik kon niet wegkomen, dus sprong hij op en rende ernaartoe en ik hoorde hem het nummer draaien en huilen en weer het nummer draaien. Ik hoorde een paar woorden, ik wist dat hij met hen sprak en dus boog ik me naar haar toe en legde mijn handen op haar o zo koude hoofd. Ik zag dat haar gezicht er helemaal verkeerd uitzag, haar ogen stonden halfopen en helemaal op de verkeerde plaats en haar huid was aan de ene kant paarsig en lichter aan de andere kant.

Baby, fluisterde ik tegen haar, Baby, het komt goed – en ik bleef dicht bij haar en ik bleef haar maar bij haar naam noemen en haar vertellen dat alles goed was en almaar over haar o zo koude hoofd strelen.

De kamer is nu heel koud geworden. De lucht is grijzer, nog geen schemering, maar boven de stad, die nog steeds hard bevroren is, gaan de lichten aan. Jij zet je bril op en je loopt naar de rolgordijnen, trekt ze naar beneden en je probeert uit te vinden hoe je de verwarming hoger kunt zetten.

Ik ga rechtop op het bed zitten en kijk op mijn horloge. Kwart voor drie. Over een halfuur komen de jongens uit school.

In stilte help je mij mijn spijkerbroek weer op te hijsen en mijn laarzen weer aan te trekken. Je pakt mijn roze wollen jas van de stoel en legt hem om mijn schouders, trekt hem zorgvuldig en bedaard voor me recht, alsof ik je kind ben. Je legt je beide handen op mijn schouders en je kijkt me over de rand van je bril aan. Je glimlacht tegen me en ik glimlach terug maar het is niet dezelfde glimlach, niet als hiervoor.

Oké? zeg je.

Oké, lieg ik; dan huiver ik en je wrijft mijn armen voor me en dan houd je me eventjes vast.

Ik heb het verpest, zeg ik.

Wat verpest?

Dit alles. Dit.

O, lieveling, zeg je, maar je ontkent het niet.

Vanochtend, toen ik deze jas aantrok – op een andere plaats, in een huis dat naar wasgoed en katten en oude ramen rook, een huis waar ik jou durfde te vertellen dat ik van je hield – nu, dat leek al lang geleden. Een plek vol hoop.

Het is net of we hier eeuwig zijn geweest, zeg ik.

Ja, zeg jij. Ja.

Ik kan aan de bleke huid onder je ogen zien dat je moe bent.

Je bent moe, zeg ik.

Ja, beaam je, dat ben ik ook. Ik heb slaap nodig.

Op de een of andere manier geeft het feit dat jij dit gewoon toegeeft, mij een droevig en uitgeput gevoel, het gevoel dat ik buitengesloten word.

Je trekt een trui aan en je gaat met me mee in de lift naar beneden. Ik zeg tegen je dat je dat echt niet hoeft te doen maar jij zegt dat je dat wel moet doen, dat je het wilt doen. Er is niemand anders in de lift. De deuren sluiten zich. Het ruikt er muf. Je haar zit nog door de war, net als dat van een jongen. Ik vermoed dat je me nu niet zult aanraken en dat doe je ook niet.

Zien we elkaar nog eens? zeg ik en je kijkt naar de vloer en zegt: natuurlijk.

Wanneer?

Laat me eerst deze vergadering afhandelen. Ik bel je wel. Later, goed? Ik zal je bellen.

Jij kunt mij niet bellen. Ik bedoel, beter van niet.

Bel jij mij dan? Ik heb hier geen mobiel, bel maar naar mijn kamer.

Wat? Hier in het hotel? Ik sta op het punt ja te zeggen en dan bedenk ik me iets. Kan ik je schrijven? Als ik je een e-mail stuur, krijg je die dan? Vandaag, bedoel ik?

De lift komt op de begane grond als jij mijn gezicht aanraakt en zegt: natuurlijk. Natuurlijk kun je dat doen. Dat was ik vergeten. Schrijf me iets. Ja, doe dat. Dat zou ik fijn vinden.

Het zal niet lang en gek worden, zeg ik.

Dat weet ik, lieverd, dat weet ik.

We staan buiten in de vrieslucht en er ligt nog steeds sneeuw onder onze voeten.

Ga alsjeblieft naar binnen, zeg ik. Je vat nog kou.

Ik moet een uurtje slapen, zeg jij.

Meer dan een uur, zeg ik tegen je.

Een uur zal wel voldoende zijn, zeg jij. En daarna zal ik me moeten wassen, neem ik aan.

Je trekt een vies gezicht. Je probeert het licht te houden, maar daar slaag je niet erg in.

Ga nou naar binnen, zeg ik weer.

Je kijkt me een ogenblik aan en dan lijkt de vermoeidheid de overhand bij je te krijgen en je zegt: goed. Je plant een kus op je vingers, raakt heel eventjes mijn neus aan en dan draai jij je om en ik kijk toe hoe jij het hotel weer binnenloopt.

Ik vind het niet prettig je te zien gaan. Je loopt vermoeid, met gebogen hoofd. Van achteren zie je eruit als een doorsnee zaken-man van middelbare leeftijd – met licht overgewicht, haar dat eens blond was en nu vol grijze strepen, een onopvallende man, waarschijnlijk aardig, maar onopvallend. Ik probeer hier troost uit te putten.

Na het overlijden van Mary probeerden Tom en ik er het beste van te maken. We merkten dat we een tijdje een heel ander le-ven leidden. We waren zo'n zorgvuldig gezin geweest, een gezin dat ervan hield de dingen op de juiste manier te doen en een tijd lang lieten we onszelf gaan en deden we de dingen helemaal niet zoals het hoorde. Zonder bewust tegen elkaar te zeggen wat we aan het doen waren, lieten we een heleboel regels van het huis versloffen. We huurden dvd's en kochten afhaalmaaltijden. We brachten als gezin veel tijd met elkaar door en probeerden er niet over in te zitten of de afwas was gedaan. Een poosje leek het wel alsof er een euforische vakantiesfeer heerste waarin alles werd opgeschort. Het was alsof de lijm van het gezin had losge-laten en we uit elkaar waren gevallen en alsof we bijna blij waren met de brokstukken die we vonden. Als je een vreemdeling zou zijn geweest die even bij ons naar binnen keek, zou je nooit ge-dacht hebben dat we net ons kind hadden verloren.

Sommige dagen had ik het gevoel dat het allemaal een droom was geweest, een domme gedachte, een moment uit een afschu-

welijke fantasie en dat Mary elk moment zou kunnen terugkomen. Als ik de trap op ging of een vuilniszak buiten op het pad
zette, noemde ik zachtjes, in het geniep haar naam en dan voelde
ik een soort stiekeme overwinning dat ik in staat was me voor te
stellen dat ze op de een of andere manier nog in ons leven was.
Ik kon zelfs haar stoute lachje horen, overstemd door het geronk
van de stofzuiger. De meeste dagen leek de zoete dierlijke warmte van haar haar nog steeds op mijn kussen te voelen te zijn en
nu en dan meende ik zelfs een vleug warme ammonia van haar
natte luier op te vangen – Tom plaagde me er altijd mee dat ik
die stank lekker vond.

Maar toen de tijd verstreek en het leven weer normaal werd,
begon ik het pas echt moeilijk te krijgen. Het was alsof mijn
rouw alleen maar gedaan had alsof hij capituleerde en wegkroop,
maar hij stond gewoon om de hoek te wachten, klaar om me te
bespringen en me pijn te doen als ik er het minst op bedacht
was. Dus ik bracht Jack en Fin naar muziekles, deed boodschappen, maakte het huis schoon en kookte het avondeten. Maar er
hoefde maar iets te gebeuren – een blik of een woord, de vorm
van iets wat misschien helemaal niets met haar te maken had –
en dan was het mis; ik raakte verlamd en los van de wereld.

Het kon zijn dat Fin of Jack me aantroffen bij de wasmachine, niet in staat me te bewegen, met een mand vol nat wasgoed
in mijn armen, terwijl de tranen me over de wangen stroomden.
Ik stond een keer in de keuken die ik nauwelijks herkende, goot
appelsap over de cornflakes van Fin en hij schreeuwde tegen me.
Een andere keer reed ik door het rode licht en werd bijna door
een vrachtauto geraakt. Mijn hart sloeg over. Stel dat de kinderen in de auto hadden gezeten?

's Nachts klemden Tom en ik ons aan elkaar vast. Ik denk
dat we elkaar nooit zo veel hebben aangeraakt als toen. Hij had
's nachts verschrikkelijk last van zweetbuien. Ik raakte 's nachts
wel eens zijn arm of been aan en dat was dan helemaal bezweet
en gloeiend. Seks werd iets beestachtigs – een manier voor ons
beiden om uit ons hoofd te komen en in slaap te kunnen vallen
en ik denk dat dit de tijd was waarin we twee aparte mensen in
bed werden, twee individuen die niet hoefden te praten, die ge-

woon de routine konden afwerken en dan weer uit elkaar vlogen. We hadden onze manier van snel en effectief samensmelten, maar die had niet veel met liefde van doen.

Tom hield zich staande door haar zo min mogelijk te noemen, door zich op het heden te richten, op de kinderen die we nog hadden. Op een dag trof ik hem in de hal aan waar hij haar buggy in elkaar vouwde. Hij zat op zijn knieën om dit zorgvuldig te kunnen doen, maakte de beugeltjes aan de zijkanten los en schroefde ze weer vast. Er zaten nog een paar luiers in en een gebreid vestje dat ze had gedragen toen we hem voor het laatst hadden gebruikt, in de plastic zak achterop geprop. Ook een aangebroken pakje kaakjes, voor tijdens het tanden krijgen. Zonder ernaar te kijken haalde hij deze dingen eruit en legde ze op de trap.

Dit had ik weken geleden al moeten doen, zei hij. Er zat zweet aan de zijkant van zijn hoofd. Het viel me op dat zijn haar er niet al te schoon uitzag – schilfers van zijn hoofdhuid waren op zijn schouders gevallen, hier zat een man die aan het instorten was.

Ik zei niets, ik keek alleen maar. Hij zette de buggy in de auto en reed ermee naar de kringloopwinkel.

Toen hij weg was, bleef ik een ogenblik naar haar spulletjes op de trap kijken – het vestje, de kaakjes, de luiers – en ik wist dat ik ze moest opruimen maar ik merkte dat ik het niet kon. Ik kon letterlijk mijn hand niet optillen of me verplaatsen. Dus stond ik daar ter plekke vastgevroren, als een vrouw in een sprookje: betoverd, vastgenageld en in steen veranderd.

Ik nam een taxi naar huis om er zeker van te zijn dat ik op tijd thuis zou zijn voor de jongens. De taxi reed slissend door straten die bruin en glad van de sneeuwbrij waren. Ik kon nog steeds de hitte voelen kloppen waar je mij had aangeraakt – het voelde alsof op de een of andere manier het klaarkomen nog steeds aan de gang was. Ik zat als verdwaasd in de taxi, blij dat de chauffeur geen praatje met me probeerde aan te knopen, verbaasd en bijna gegeneerd dat mijn gedachten weigerden zich op iets anders te richten dan mijn lichaam, mijn bloed, het idiote ritme van mijn hart.

Toen de taxi stilhield, lukte het me, hoe weet ik niet, het juiste bedrag uit mijn portemonnee te pakken. Maar toen ik eenmaal achter de voordeur stond, moest ik mezelf dwingen te blijven staan, een paar keer diep adem te halen, om mezelf hoe dan ook terug te krijgen in deze heel andere dag, deze andere plek, dit huis waarin ik woonde.

Fin had onderweg naar huis sneeuwballen gegooid. Zijn handschoenen waren doornat, evenals zijn sjaal en blazer en zijn grijze schoolbroek.

Ik liet hem zich uitkleden tot op zijn ondergoed, zodat ik sommige dingen in de wasmachine kon stoppen en de rest op de radiator kon leggen. Toen ik dit gedaan had, dronk ik een glas water zo uit de kraan. Ik bedacht me dat ik niet had geluncht. Plotseling had ik razende honger. Ik pakte een banaan van de schaal en bood er Fin eentje aan; hij weigerde en pakte in plaats daarvan een biscuitje.

Jij bent een dorstige vrouw, merkte hij op. Dorstig en hongerig – en ik lachte en beaamde: ja, dat is zo en toen probeerde ik me te herinneren waar ik was en ik vroeg hem naar de sneeuw.

Het was geweldig, zei hij terwijl hij op de keukentafel zat in zijn vest en onderbroek. Ik raakte Fred precies in zijn nek. Ha! Daarboven bij de, nee, de rand van de – je weet wel – lag het zo hoog, dat was helemaal te gek. Sommige kinderen duwden gewoon losse sneeuw bij elkaar onder het overhemd.

Ik probeerde te luisteren en enthousiast te kijken.

Was je niet bevroren? vroeg ik hem, en hij knikte, nam nog een slokje melk en veegde zijn mond af met de rug van zijn hand.

Ja, nou, ik vind het lekker om het koud te hebben, weet je, koud en nat, dat is geweldig, man, gaaf, cool.

O, Fin, zei ik en ik at de banaan op en raakte mijn wangen aan die nog steeds gloeiden.

Wanneer komt papa thuis? zei hij toen. Hij moet mijn laptop voor me maken. Ik moet op internet. Dat is dringend.

Gauw, later, zei ik en toen hoorden we de voordeur dichtslaan terwijl Jack binnenkwam. Toen ik hem vroeg hoe zijn dag was geweest, zei hij zoals altijd: goed.

Je ziet er moe uit, zei ik tegen hem, en het viel me op dat zijn broek te kort was.

Wat had je dan gedacht? zei hij en liep naar de gootsteen voor een glas water. Hij zei shit toen het water de kraan uit spoot, tegen het raam.

Jack, zei ik, let op je woorden.

Wanneer wordt die kraan nou eens gemaakt? vroeg hij met een nors gezicht.

Je weet dat hij lekt.

Dat weet ik, maar wanneer wordt hij gemaakt? Waarom doen de dingen het hier nooit eens gewoon? En waarom zie je er zo opgedirkt uit?

Ik zie er helemaal niet opgedirkt uit, zei ik terwijl ik naar mijn spijkerbroek keek.

Wel waar. Je haar glanst en je hebt een ketting om en oorbellen in. En hoge hakken.

Je ziet er wat anders uit, beaamde Fin. Niet vuil of slordig, bedoelen we.

Nou, jullie worden bedankt, zei ik, liep naar Fin, kneep hem in zijn schouders en zoende hem op zijn wang, iets wat hij verafschuwde.

Mam, alsjeblieft, zei hij.

Ik moet wat gaan werken aan mijn bureau, vertelde ik hen en Jack keek belangstellend.

Wat voor werk?

Gewoon wat werk.

Zelfs toen ik de trap op liep, kon ik me vanbinnen voelen bruisen en het was alsof mijn bloed nog steeds klopte en sprongetjes maakte.

Tom stond niet toe dat ik ook maar een schijntje van de schuld op mij nam. Ik probeerde hem meteen op de eerste ochtend te vertellen wat ik had gedaan, maar hij wilde het niet horen.

Daardoor valt jou niet meer te verwijten dan mij, zei hij rustig. Ik heb dat verdomde verluiertafeltje gemaakt, begrijp je dat niet? Ik heb dat stomme ding gemaakt.

Niemand kan jou verwijten dat je dat ding gemaakt hebt, zei ik tegen hem terwijl hij zijn armen om me heen sloeg.

Een lieve vriendin van verderop in de straat kwam de jongens ophalen, nam ze mee naar haar huis en zorgde ervoor dat ze het naar hun zin hadden en niets in de gaten hadden. Hoewel: ze hadden wel iets in de gaten – Jack bleef voortdurend vragen waarom hij niet terug naar huis mocht. Nadat de politie was geweest – want die moest nu eenmaal komen – werd Mary per ambulance naar het mortuarium van het ziekenhuis gebracht. Wij gingen met haar mee. Ze gebruikten de sirene, ook al was ze overleden.

De vrouw die met de politie meekwam, was ongelooflijk aardig. Ze had lang zwart haar en ringen aan alle vingers, zelfs aan haar duimen. Ze stond in onze keuken en zette thee voor ons in een pot die we normaal nooit gebruikten; we lieten de thee koud worden.

Ze sprak zachtjes en ze vertelde ons wat we al wisten: dat we in shock waren. Ze vertelde ons dat ouders het meeste zeiden: als we maar. Dat dit volstrekt normaal is, de impuls om alsmaar om de tragedie heen te draaien, de tijd terug te zetten en te kijken hoe het had kunnen worden voorkomen. En negen van de tien keer had het niet kunnen worden voorkomen. Je hebt het moment voordat het gebeurde en je hebt het moment erna en je kunt op geen enkele manier tussen die momenten in komen.

Om vijf uur kwamen de jongens terug en het was donker en koud buiten. Zondagavond. Jack keek boos, Fin keek bang. We gingen met hen aan de keukentafel zitten; ik wachtte tot Tom iets zou zeggen en toen hij dat niet deed, begon ik te praten. We hadden niet gerepeteerd wat we hen zouden vertellen, want het leek ons toe dat er geen juiste manier van vertellen bestond. Toch, terwijl we daar zo zaten, schoten me dingen te binnen. Ik zei dat er een verschrikkelijk dom ongeluk was gebeurd en dat Baby was overleden.

Ik beschreef wat er die nacht met het verluiertafeltje was gebeurd en ik slaagde erin het eerlijk te vertellen, zonder ook maar iets in mijn stem te leggen dat het een enorme blunder zou zijn of dat iemand de schuld kon worden gegeven. Ik wist dat Tom wilde dat ik het op deze manier vertelde. Ik probeerde te zeggen dat soms de mensen van wie we houden dingen overkomen, toevallige dingen die we niet of nauwelijks kunnen voorkomen en dat het leven ten dele zo de moeite waard wordt gemaakt, door te leven met dit risico. Ik probeerde ook te zeggen dat Baby wist hoezeer we allemaal van haar hadden gehouden en hoe goed en liefdevol en speciaal haar korte leventje was geweest.

Fin huilde en huilde maar Jack keek me niet eens aan, hij hield zijn ogen naar beneden gericht en zijn vingers speelden met een elastiekje dat hij op de tafel had gevonden. Een ogenblik later zag ik dat Tom een hand op de zijne legde en hem daar liet liggen, om zijn gefriemel te stoppen maar ook om hem te troosten.

Jouw e-mail moet heel kort nadat ik van je weg was gegaan, zijn geschreven. Je kunt niet lang hebben geslapen; in feite, nu ik erover nadenk, kun je helemaal niet hebben geslapen.

Baby? Ben je daar? Ik mis je nu al zo erg – ik houd van je, ik heb je nodig, kun je op de een of andere manier vanavond terugkomen? Schrijf me als je dit leest. Alsjeblieft. Schrijf me nu als je kunt. Het spijt me. Maar – alsjeblieft?

Ik staar naar deze woorden op het scherm en het hele moment – de kamer, het licht, de duisternis buiten – verandert helemaal, alles schuift een tandje van geluk hoger. Ik voel me weer glimlachen, ik voel dat alles wat goed is, begint te gebeuren – enorme golven van mogelijkheden springen van alle kanten op.

Ik druk de toetsen vlug en gedreven in.

Ik ben hier, ik ben zo verliefd op je, ik ben – zeg eens, is je vergadering al afgelopen?

Hij is al afgelopen, schrijf je terug. Alles is afgehandeld. Alles is goed. Ik ben ook waanzinnig en hopeloos verliefd op jou. Ik weet niet wat ik moet doen, mevrouw Rosy. Ik moet je zien. Ik verlang zo naar je. Het spijt me van zonet. Toen je weg was, werd ik overspoeld door een golf van droefheid. Ik heb – zeg me maar wat ik moet doen. Ik heb me gewassen, ik ben uitgerust, ik ben hier, ik wacht op je. Wanneer kun je komen? Kom je? Zeg alsjeblieft dat je komt?

Ik kom, schrijf ik. Dat zal niet eerder dan tegen zeven uur zijn, misschien eerder tegen achten, dat hangt van mijn gezin af en hoe snel ik weg kan komen, maar ja, ik kom.

Ver weg, in een andere wereld, hoorde ik Fin tegen Tom schreeuwen. Ik hoorde Tom terug schreeuwen. Ik hield even op en knauwde op mijn vingers terwijl ik probeerde na te denken.

Het spijt me, schrijf ik nu langzaam, wat ik je moest vertellen, bedoel ik. Ik had een slecht tijdstip uitgekozen en ik wist niet hoe het moest maar – als ik wil onderzoeken wat dit is, dit van ons, dit tussen ons, moet ik je alles vertellen, het goede en het slechte. Dat begrijp je toch? En het is zo'n groot deel van wat ik geworden ben – het heeft me zo verward gemaakt over dingen –

Stil maar, komt het antwoord, zoals ik nu al wist dat het zou komen. Lief schatje, gek meisje. Houd er nu meteen mee op. Je denkt te veel. Houd op met denken. Het zit goed, alles komt goed, ik zweer het. Ik houd van je. Ik wil voor je zorgen. Ik heb je zo hard nodig. Kom zo gauw je kunt, goed? Ga nu maar voor je kinderen zorgen en kom dan naar me toe. Neem een taxi en kom hierheen. Ik zal op je wachten.

Ik houd ook van jou, schrijf ik en ik verzend het per ommegaande.

Ik ook, komt het antwoord, ik ook van jou.

Ik zat daar achter mijn apparaat voor mijn gevoel dertig seconden te wachten terwijl de jongens ver weg op de achtergrond nog steeds aan het schreeuwen waren. Toen kon ik het niet laten, ik drukte nog eens op 'ontvangen'.

Een rij x-jes vult het scherm.

Ik ga uit, zei ik tegen Tom vanachter de veiligheid van het alles overstemmende douchewater. Vind je dat erg?

Hij stond in de deuropening van de badkamer. Ik kon door het glas van de douchedeuren zijn vage en aarzelende contouren zien.

Natuurlijk vind ik dat niet erg, hoorde ik hem zeggen, maar ik kon voelen dat hij probeerde te beslissen wat hij me vervolgens moest vragen. Hij was ertoe overgegaan zich omzichtig om me heen te bewegen, alsof mijn handelingen overweldigend en onvoorspelbaar waren, monsters van impulsiviteit die hij op elk moment moest kunnen overmeesteren en zo goed mogelijk moest zien te beteugelen.

Ik besloot zo openhartig te zijn als ik durfde.

Ik ga dineren, vertelde ik hem toen ik mijn handdoek van het rek pakte, met een vriend – die van vroeger over wie ik je heb verteld, weet je nog?

Niet die van Parijs?

Ik haalde diep adem. Nee, zei ik tegen je, die niet. Die andere.

Naam?

Ik vertelde hem jouw naam.

En hoe ziet hij eruit? vroeg Tom me. Hij borg wat schone was op, sloot de la wat harder dan nodig en trok toen het rolgordijn naar beneden. Hij werd er gek van dat ik er nooit aan dacht het rolgordijn in de badkamer dicht te doen voor ik me ging wassen.

Nou, hij heeft grijs haar, van onze leeftijd. Een beetje te zwaar, zei ik naar waarheid en hij lachte.

Nou, dan is het goed.

Ik stond met mijn handdoek om me heen mijn borsten, benen en armen af te drogen. Tom keek toe.

Je ziet er mooi uit, zei hij.

Dank je.

Ik meen het.

Dat weet ik.

Wat doe je aan?

Ik weet het niet, zei ik. Is dat belangrijk? Iets leuks maar niet al te leuk.

Zolang je maar niet zo gaat, zei Tom en gewoonlijk zou ik dat grappig hebben gevonden maar ik wist dat het deze keer helemaal aan mij lag dat ik het niet grappig vond.

Je zit in de verste hoek van de hotelbar te wachten – precies dezelfde bar als vanochtend, alleen is het nu een totaal andere plek, vol lachende, rokende, pratende mensen, voor het merendeel mannen. Ergens achter hun lawaai speelt een piano, gewoon zo'n nietszeggende cocktail van hotelmuzieknoten, door elkaar geschud en achteloos de ruimte ingestuurd.

Je hebt een krant opengevouwen voor je liggen maar je doet niet eens of je hem leest. Er liggen twee nauwelijks gerookte sigaretten uitgedrukt in de asbak. Je schuift die vlug weg naar de andere kant van de tafel als ik binnenkom.

Sorry, zeg ik. Heb je lang zitten wachten?

Ik glijd in de stoel naast je. Het is niet zozeer dat ik dat moet weten, maar dat ik me nu verlegen en niet op mijn gemak voel en dat ik snel iets, wat dan ook, moet zeggen. Ik kan mijn hart in mijn borst tekeer horen gaan. Ik probeer wat lucht naar binnen te happen om hem tot een normaal ritme terug te brengen. Het lukt niet.

Niet zo lang, zeg jij en als ik van je weg kijk, kan ik voelen dat je naar me kijkt, naar mijn haar, mijn gezicht, mijn zwarte jurk met de paarse en groene stiksels langs de halslijn. Net lang genoeg voor twee grote wodka's met ijs.

Dat meen je niet?

Eigenlijk wel. Ik heb het je verteld, Rosy, ik loog niet toen ik zei dat ik in alles te ver ga. En hier is die van jou, zeg je als de barman naar ons toe komt met nog twee glazen.

Maar – dan word je lazarus.

Lazarus? Weet je, mevrouw Rosy, dat is een heel gek woord.

Dat betekent dronken.

Bezopen?

Ja.

Waar ik vandaan kom, betekent dat idioot. Hé Baby, laat me eens naar je kijken – je hebt je mooi aangekleed. Hé, je ziet er mooi uit.

Jij ook, zeg ik en jij lacht.

Ik heb gedoucht en een schoon overhemd aangetrokken, dat is alles.

Je blijft naar me kijken. Je laat me mijn hoofd omdraaien zodat je de achterkant kunt aanraken waar ik mijn haar heb gedraaid in iets als een chignon. Ik voel je vingers op mijn nek en daar smelt iets. Je werpt een blik onder tafel naar mijn voeten in hun hoge hakken. Mijn stampschoenen, noemde Fin ze. Ik voel je hand eventjes op mijn knie.

Moet je jouw volwassen haarstijl en je nette schoenen en je oorbellen zien. Hé, ik meen het, je ziet er verdomd aantrekkelijk uit, Rosy.

Ik probeer iets goeds en grappigs te verzinnen maar mijn nek en knie zijn nog steeds bezig bij te komen van jouw aanraking.

Waarom is het zo, vraag ik, dat er telkens als jij je handen op me legt, iets geks gebeurt?

Je glimlacht.

Ik meen het, zeg ik.

Wat voor geks?

Ik doe een poging te omschrijven wat ik voel. Het is – ik krijg een soort heet en smeltend gevoel, alsof iets me direct naar je toe trekt.

Deze keer lach je.

Dat wordt seks genoemd, lieveling.

Nee, zeg ik, nee, ik bedoel het serieus. Ik weet hoe seks voelt en het is meer dan seks, het gaat aan de seks voorbij. Het is alsof – het is bijna iets medisch, of natuurkundigs. Het is net alsof – Ik aarzel een ogenblik en voel mezelf blozen.

Je buigt je hoofd naar het mijne en legt je hand weer op mijn knie. Mijn bloed klopt.

Waar lijkt het dan op, Baby?

Nergens op, zeg ik en ik voel mijn hand stompzinnig naar mijn gezicht gaan. Ik schaam me.

Je strekt je andere hand uit en trekt zachtjes mijn hand weg.

Nee, zeg je, ik meen het. Ik houd van de manier waarop je bijna naadloos op precies hetzelfde moment denkt en praat. Probeer me alsjeblieft te vertellen hoe het is.

Nou, zeg ik langzaam, wat ik wilde zeggen is – en de reden waarom ik denk dat het geen seks is – dat de enige andere keer dat ik dit echt voelde, was met mijn kinderen, met hen allemaal, toen ze baby waren – alsof ze ervoor gemaakt waren door mij te worden aangeraakt. En dat gold ook voor mij, hen te voelen kon mij kalmeren en troosten alsof – ik kan het niet zo goed beschrijven. Het was alsof de verbinding die onze aanraking tot stand bracht veel meer was dan iets normaals of iets menselijks. Het voelde – spiritueel is het verkeerde woord, ik verafschuw dat woord, maar – onaards. Hé – maar dan denk ik dat dit niet zo vreemd is als je in aanmerking neemt dat ze uit mij kwamen –

Is het nu hetzelfde? Als met de kinderen, bedoel ik?

Ik denk hierover na.

Ja en nee. Ik voel nu hetzelfde wanneer ik hen aanraak, bedoel ik – maar niet zo sterk, of ik merk het niet zo erg. Misschien omdat ze zich in de buitenwereld begeven en ik me ervan bewust ben dat ze bezig zijn hun eigen weg te zoeken, van mij vandaan. Ik voel het nu meer bij Fin maar – Jack is ook zo los van me komen te staan. Ik stel me zo voor dat als Mary er nog was, nou, dan –

Zou je bij haar dat gevoel hebben?

Ja. Met haar omdat ze klein zou zijn, ja.

Je raakt mijn hand met de jouwe aan en dan word ik stil en ik merk dat ik je niet echt in de ogen kan kijken. Het was een lang antwoord vol dingen waarvan ik niet zo wist dat ik ze dacht tot ik ze uitsprak. Ik ben bezorgd dat je het gek zult vinden.

Het heeft niets met liefde te maken, voeg ik er snel aan toe. Mijn liefde voor Jack is nog even groot en sterk als hij altijd was. Maar het is net of het touw dat ons verbindt, erg los is geraakt.

Je staart me strak aan en er is een blik in je ogen die ik nooit eerder heb gezien.

Dat begrijp ik, zeg je.

Echt waar?

Je beschreef het zo-even perfect. Ik houd van de manier waarop jij je woorden kiest, mevrouw Rosy, je bent echt een dichter – ik houd ervan hoe ik bijna kan zien hoe de gedachten zich vormen in je hoofd en je ogen.

Ik schiet in de lach, ik kan het niet helpen.

Kun jij dat?

Ja, en ik heb hetzelfde gevoel, alleen kan ik het niet zo onder woorden brengen. Maar ik voel het precies zo – dat heb ik altijd zo gevoeld – wat mijn zoon betreft, vanaf het begin, zelfs in het ziekenhuis, zelfs al was zijn geboorte verre van volmaakt omdat zijn moeder en ik toen al elkaars bloed wel konden drinken.

Maar – tja, toen ik hem voor het eerst vasthield, ik kan het niet zo goed verwoorden als ik zou willen, niet echt – maar het was alsof er in mij een cirkel werd rond gemaakt. Een stroomkring werd aangesloten. Net zoals jij zei, het voelde natuurkundig, bijna chemisch aan.

Ik glimlach.

Eigenlijk voel ik dat nu niet meer zo erg, zeg je dan. Maar dat is omdat Zach zo groot is geworden en wij mannen zijn – we zijn nu bijna hetzelfde, zie je, dus sluiten we het gevoel uit. Maar ik denk dat dat typisch iets voor mannen is.

Je glimlacht naar me en je neemt een grote slok van je drankje. Ik glimlach terug en pak mijn glas op.

Vind je het niet sentimenteel klinken als een man dit zegt? vraag je me dan, denk je dat ik dronken – sorry – bezopen ben?

Helemaal niet, zeg ik, ik dacht eigenlijk het tegenovergestelde. Ik zat te denken hoe goed het me doet met een man te praten die het over gevoelens durft te hebben.

Dat heeft toch niets met durven te maken, zeg jij.

Nou, misschien is dat wat ik er zo prettig aan vind.

Hier geef je geen antwoord op. In plaats daarvan staar je me aan alsof je me zo-even voor de eerste keer hebt gezien.

Sorry, zeg je, maar ik moet je per se aanraken. Nu meteen, bedoel ik.

Je laat je hand over mijn knie glijden en vanbinnen spring ik ietsje op.

Dat gevoel had ik bij jou ook, zeg je dan.

Bij mij?

Ja. De eerste keer dat ik je weer zag, hier in het hotel, na al die tijd, ook al was ik verdomde zenuwachtig, aan het kettingroken, dat wil je niet weten, toch was het alsof – jou zien was als me iets herinneren wat ik helemaal vergeten was. Het was alsof de bedrading al op zijn plaats lag en iets de verbinding tot stand bracht – zjoef. En ik wist dat ik rustig kon worden omdat het helemaal goed voelde.

Ik ook, zeg ik, precies hetzelfde. Ik had dat gevoel ook.

Dat weet ik, Rosy. Ik weet dat je dat gevoel ook had.

Je vraagt me of ik mee uit eten wil gaan.

Waar houd je van? Houd je van Indiaas? Chinees? Thais? Waarvan? Zeg me waar je van houdt. Wat is jouw lievelingseten, Rosy? Zeg het me en ik zal het voor je bestellen. Ik wil je te eten geven en dan wil ik nog meer met je praten en dan wil ik je weer zoenen.

Ik zucht.

Wat is er? zeg je, wat?

Wat bedoel je met wat?

Die grote schaduw die over je gezicht trok – wat is dat? Wat is er aan de hand? Moet je zien, zo gaaf, ik ben nu rijk. Ik heb al dit Engelse geld – ponden, penny's, alles –

Ik schud mijn hoofd en je legt je hand op de mijne.

Jezus, ik kan er niet tegen als je zo'n gezicht trekt.

Hoe dan?

Bedroefd. Teleurgesteld. Als een klein kind dat geen vishengel kreeg.

Dit maakt me aan het lachen.

Ik ben niet teleurgesteld. Ik ben volmaakt gelukkig – meer dan gelukkig. Ik ben – het is alleen, nou ja, er is zo weinig tijd.

Hoe laat moet je thuis zijn?

Ik kijk op mijn horloge.

Niet te laat.

Wat is te laat?

Nou, twaalf uur op z'n laatst? Ik heb gezegd dat ik uit eten ging.

Met mij?

Met een vriend. Ja, met jou.

Je hebt je man over mij verteld?

Ja. In zekere zin. Ik bedoel, ik heb hem heel weinig verteld, natuurlijk, maar – hij weet van je bestaan af. Dat leek mij het beste.

Ik aarzel. Ik sta op het punt je te zeggen dat ik het haat om te liegen, vooral tegen Tom, maar in het licht van de afgelopen vierentwintig uur is het langzamerhand een beetje belachelijk geworden om dat te berde te brengen.

Je kijkt me strak aan.

Nou? Wat is er dan zo moeilijk? Zoals ik al zei, het is gaaf.

196

Ik hoor mezelf weer zuchten en ik kijk op mijn horloge.

Wil je weggaan? Heb je geen trek?

Ik wil helemaal niet bij je weg. Het is alleen – o, nee, ik kan het niet zeggen.

Mijn handen bevinden zich weer op mijn gezicht en weer haal jij ze weg.

Dommerdje, wat kun je niet zeggen? Je kunt me alles vertellen – dat meen ik. Je kunt als het moet hier en nu tegen me zeggen dat ik moet oprotten, je weet dat je dat kunt doen.

Ik haal diep adem.

Ik houd van je, zeg ik.

Je slaat je armen om me heen.

O, schatje, ik ook van jou. Ik houd zo veel van je. Ik kan het je niet zeggen – toen je deze middag weg was, weet je hoe lang het duurde voor ik je miste?

Nou?

Maar vier kloteminuten. Ik probeerde te douchen, maar ik moest het heel snel doen. Ik had het stomme gevoel dat je misschien meteen terug zou komen en op mijn deur zou kloppen, of van beneden uit de lobby zou opbellen en dat ik dat niet zou horen. Ook al wist ik dat het onmogelijk was, ook al wist ik dat je dat niet zou kunnen doen omdat je terug moest zijn voor je kinderen. Daarna ging ik achter de pc zitten en bleef als een gek mijn berichten controleren. Toen kon ik niet langer wachten en schreef je die e-mail.

Deze keer ben jij degene die zucht en je gezicht ziet er plotseling moe uit.

Ik ben verliefd op je, Rosy. Ik wilde helemaal niet dat dit zou gebeuren en ik ga er kapot aan, als je het wilt weten.

Schat, zeg ik.

Ik pak jouw beide handen in de mijne en deze keer glimlach ik.

Stil maar, zeg ik tegen je en ik gebruik jouw eigen woorden nu tegen jou, waardoor je inwendig moet lachen. Stil maar, domme jongen, het komt wel goed, echt waar. Oké, wil je de waarheid? Nou, je hebt gelijk, ik heb geen trek. Dat is omdat – wat ik echt wil, is met jou op bed te gaan liggen.

Je begint te lachen.

O, mevrouw Rosy –

Naakt en liggen. Ik wil met jou in een bed liggen. Nu meteen.

Echt? Is dat echt wat je wilt?

Dat is wat ik wil. Bloos ik?

Ja, heel erg.

O, god –

Je schuift dichterbij en je legt je arm om me heen, trekt me naar je toe, zoent me op de zijkant van mijn hoofd, en ik ruik je huid en haar en jouw adembenemende zoete geur.

Wil je doen wat we eerder deden?

Nee, zeg ik, meer dan dat, ik wil dat we het helemaal doen.

Helemaal? Bedoel je –

Ja.

Je lacht nog steeds. Nu zet je je glas neer, pakt mijn jas en legt hem om mijn schouders. Je doet de bovenste knoop dicht hoewel hij helemaal niet zo geknoopt hoort te worden. Dan zoen je me op mijn neus.

Oké, oké, het is gaaf, het is allemaal gaaf, daar kan voor gezorgd worden, maar – zeg me één ding – sorry dat ik het je moet vragen – hebben we, heb ik iets nodig –

Ja, zeg ik. Dat heb je. Dat hebben wij.

Je zegt dat het oké is, dat je naar het herentoilet zult gaan, dat ze daar vast die dingen verkopen. Maar je komt bijna meteen weer terug en vertelt me dat de automaat kapot is.

Stom rothotel, waarom hebben ze me hier geplaatst?

O, hemeltje, zeg ik. Het is zo lang geleden sinds ik –

Stil. Ik denk na. Oké, ik heb een plan.

Je drinkt je glas leeg en pakt me bij de hand. Goed, we gaan wandelen en we gaan op zoek naar twee dingen: een fles wijn en – voorbehoedsmiddelen. Daarna, als we geslaagd zijn, gaan we als de wiedeweerga naar mijn kamer en – nou, dan ga ik jou tot grote hoogte brengen, goed?

Oké, zeg ik lachend en dan kijk ik weer snel op mijn horloge.

Maak je geen zorgen, fluister jij, je bent op tijd thuis.

Er ligt buiten veel sneeuw, fluister ik. Weet je dat wel? Ben je nog buiten geweest sinds je vandaag bent aangekomen?

Nee.

Dat dacht ik al.

Waarom fluisteren we? vraag je mij en ik zeg tegen je dat ik dat niet weet.

Ik had gelijk. Buiten op straat ligt de sneeuw hoog opgetast, een stilte over de wereld, een verstilling, een fluistering. Het doet zo vreemd aan dat ik even niet weet waar ik ben, waar ik vandaan kom of waar ik geweest ben. Nu ik zo plotseling in de kou sta, lijkt jouw aanwezigheid naast me een beetje minder zeker.

Ben je wel echt? vraag ik je, met Parijs in gedachten, opeens; je pakt mijn koude hand met jouw warme hand beet en je stem lijkt van elders te komen.

Hoe moet ik dat weten, zeg je, en ik kan van jouw gezicht niet aflezen of je een grapje maakt of niet. Ik weet alleen dat ik dat op dit ogenblik heel graag wil zijn.

Niets van dit al is echt, zeg ik, maar ik zeg dat vooral tegen mezelf en ik ben verbaasd dat me dat niet erg raakt.

We lopen behoedzaam langs de grote brede straat waar de bussen heel langzaam door de ijzige nacht rijden, maar alle apotheken zijn gesloten. Ik stel voor op zoek te gaan naar een supermarkt. Ik ben er vrij zeker van dat er verderop eentje is.

Jij legt je arm om me heen en ik nestel me tegen je aan. Het is gemakkelijk op deze manier met jou te lopen, want we passen precies.

Hé, wij passen precies, zeg jij.

Dat weet ik.

Mevrouw Rosy?

Ja.

Zal ik je iets heel grappigs vertellen?

Wat dan?

Ik wed dat een van onze kinderen – ik bedoel Zach of Jack – ons er een hadden kunnen verschaffen, als ze hier waren. Ironie ten top, toch?

Ik kijk je van onder mijn wenkbrauwen aan en om de een of andere reden vind ik dit geen prettige gedachte.

Hemel, ik hoop echt dat Jack dat niet zou kunnen.

Maar hij is toch zestien?

Hij heeft nog nooit gevreeën.

Nee? Hoe kun je daar zo zeker van zijn?

Ik denk aan Jacks kamer met zijn geverfde oorlogsfiguurtjes, zijn Nirvana-posters, half leeg gedronken mokken met chocolademelk op zijn bureau, strips op de vloer, lakens verfrommeld om een aftandse Gameboy heen waar hij nog steeds 's avonds laat mee speelt. Door de gedachte aan zijn kamer schiet er een steek van bezorgdheid door me heen.

Hij heeft zelfs nog nooit een vriendinnetje gehad, zeg ik.

Nou – voorzover jij weet.

Oké, goed, ik kan er niet zeker van zijn. Maar het lijkt me sterk.

Denk je dat hij het je zou vertellen?

Dat weet ik niet zeker. Ik denk van wel. Ik denk niet dat hij vreselijk zijn best zou doen dit voor me verborgen te houden.

Jij voelt je heel verbonden met je kinderen.

Dat heb jij ook met jouw Zach.

Nee, ik bedoel, jij bent het op een andere manier. Deels omdat jij een moeder bent, natuurlijk, maar het is ook iets Rosy-achtigs, iets dierlijks.

Ik lach. Ben ik net een dier?

Jij bent heel instinctief, heel zintuiglijk, ja.

Ik denk hier over na en vraag me af of het waar is.

Ik kan het merken aan de manier waarop jij praat, zeg jij. Reuk en tast zijn heel belangrijk voor jou.

Nou, toen ze veel jonger waren, zeg ik, kon ik ze alleen al aan hun geur van elkaar onderscheiden. De kruinen van hun hoofden hadden elk een volkomen andere geur. Ik zou nooit kunnen zeggen hoe dat kwam, maar ik kende die geuren uit elkaar. Tom geloofde me nooit, dacht dat zoiets niet mogelijk was, en we hadden altijd het voornemen dat hij me een keer voor de grap zou blinddoeken en me zou testen. Maar we namen er natuurlijk nooit de tijd voor en toen –

Toen wat?

Nou, toen – overleed Mary, zeg ik.

Je blijft midden op de besneeuwde straat staan en je houdt me stevig in je armen vast.

Lieverd, zeg je, lieverd.

Het geeft niet, zeg ik.

Ik wilde dat ik het goed kon maken voor je.

Dat doe je ook. Dat heb je al gedaan.

Ik adem je in en voel je armen dicht om me heen. We blijven daar nog een paar minuten zo staan en ik luister naar het geluid van onze voeten die nauwelijks een afdruk op de nieuw gevallen sneeuw lijken te maken.

Geen wonder dat je zo'n behoefte aan liefde hebt, mevrouw Rosy, zeg je na een poosje. Dat verrast me.

Heb ik dat?

Je houdt mijn gezicht in je handen en kijkt me aan. Je eigen gezicht is vaag en bleek in het witte licht en heel eventjes zie je er echt als een geest uit.

Moet je dat echt nog vragen?

Ik zeg niets, ik staar je alleen maar aan.

Daarvoor ben ik hier toch? zeg jij.

Is dat zo?

Je trekt je schoenen uit, zet voorzichtig je bril af en legt hem op het nachtkastje. Dan ga je op het hotelbed zitten en maakt de rood-wit-blauwe boodschappentas open waar condooms, een fles wijn en twee zakjes gedroogde limabonen in zitten. Ik gooi mijn jas op de stoel, haal de haarspeld uit mijn haar, schud het los en plof naast jou op het bed neer.

Wat zijn dit verdomme nou weer? zeg jij en houdt de limabonen omhoog.

O, sorry, zeg ik en ik druk me een beetje dichter tegen je aan op het bed. Dat heb ik gedaan, ik heb ze erin gestopt. Om het een beetje gewoner te doen lijken –

Bonen? Om het gewoner te laten zijn?

Nou, huishoudelijker, zeg ik en begin te lachen als ik hoor hoe idioot dit klinkt. Ik voelde me gewoon zo gegeneerd – om hoe duidelijk het was.

Duidelijk?

Nou, als de boodschappen van twee mensen die op het punt stonden om – je weet wel.

Om wat te gaan doen?

Je kwakt de bonen op de vloer, duwt de tas opzij en trekt me naast je naar beneden op het bed en ik hoor hoe ik begin te giechelen.

Ik moet naar de wc, zeg ik en ik probeer het als een Amerikaanse uit te spreken.

Nee, zeg je, jij gaat helemaal nergens heen tot je het me vertelt – om wat te gaan doen?

Ik lach weer en je duwt jezelf op me en je zoent me op mijn lippen. Zo'n zachte kus en toch schiet de hete sensatie ervan meteen naar beneden, helemaal tot aan de achterkant van mijn knieën.

Fijn is dat, zeg jij terwijl jij mijn haar tot een bal in je hand vormt.

Wat?

De manier waarop je lippen zo gemakkelijk uiteen gaan als ik je kus.

Mm.

Het is net – het is een geschenk, dat jij je openstelt voor mij, zonder enig gedoe. Dat vind ik fijn. Maar je hebt geen antwoord gegeven op mijn vraag. Om wat te gaan doen?

Ik open mijn mond voor weer een zoen maar je drukt alleen je tong zachtjes tegen mijn onderlip en dan haal je hem weer weg, om me te plagen.

Bedoel je om te gaan neuken? zeg jij zachtjes, terwijl jij je verder boven op mij werkt. Bedoel je dat?

Ja, fluister ik terug, hoewel mijn adem nauwelijks naar buiten kan komen om het woord te vormen.

Nou, zeg het dan.

Dat kan ik niet.

Zeg het.

Ik ben moeder. Ik kan dat niet zeggen.

Ik zou je het kunnen laten zeggen.

O ja?

Ja. Dat kan ik, mevrouw Rosy, geloof me.

Je ligt nu helemaal boven op me. Ik verschuif mezelf ietsje onder je en ik kijk in het ironische, lichte blauw van je ogen. Ik realiseer me dat ik je er nu anders uit vind zien, niet meer zoals jij maar als iemand die ik nog in mijn hoofd heb van lang geleden – misschien meer als de jongen van de nacht met het parelsnoer.

Kun jij dat voelen? vraag je me.

Mm.

Kun je dat? Wat kun jij voelen?

Ik kan jouw – voelen.

Mijn wat?

Ik giechel weer en probeer lucht te krijgen.

Ik kan het niet zeggen, fluister ik.

Waarom niet?

Ik weet het niet. Ik – ik weet gewoon niet wat het is.

Je weet niet wat het is?

Ik weet niet hoe jij hem noemt.

Mijn pik. Ik noem hem mijn pik.

O. Oké.

Maar kun je hem voelen? Kun je mijn pik voelen?

Ik glimlach en ik probeer je oren en je haar te zoenen maar je houdt me steeds tegen ook al probeer ik je dichter tegen me aan te trekken.

Ja, zeg ik en ik lach weer, oké, ik kan hem voelen, oké? Je pik. Ik kan je pik voelen.

Hij wil jou.

Dat weet ik.

Maar nu nog niet.

O – alsjeblieft.

Alsjeblieft wat?

Alsjeblieft, doe het.

Jij lacht.

Doe wat?

Alles. Alsjeblieft – ga door met mij te zoenen.

Maar je gaat een beetje van me af, leunt op je elleboog en kijkt me aan.

Rosy?

Ja.

Vind jij het lekker als ik een beetje schunnig tegen je praat?
Ik huiver want er is plotseling te veel ruimte tussen ons.
Mmm, ja, nee, ik weet het niet.

Deze keer laat je mij jou uitkleden. Je laat me je zwarte wollen
sweater over je hoofd trekken en je houdt je twee armen als een
kind omhoog om mij er de kans toe te geven. Als hij uit is, probeer je vlug je haar glad te strijken maar dat sta ik niet toe, ik
haal het weer helemaal door de war – omdat ik de leiding heb en
omdat het op deze manier zit zoals het moet zitten en jij eruit-
ziet als jij.

Dan begin ik je witte T-shirt uit te trekken, maar voordat ik
dat doe, vraag je mij het licht uit te doen.

Waarom?

O, Rosy, omdat ik dik ben. Omdat ik een paar kilo te veel weeg
en ik wil niet dat jij dat ziet.

St, zeg ik terwijl ik met de belachelijk stijve gesp van je riem
worstel en dan je spijkerbroek en onderbroek langs je dijen omlaag laat glijden. Gekke vent, domme jongen, heb je dan geen
flauw vermoeden hoeveel ik van je houd?

Je kreunt maar ik gebied je je mond te houden, of anders doe
ik nog meer lichten aan.

Ik laat een schijnwerper op je richten, fluister ik terwijl ik op
mijn knieën ga zitten, je stijf wordende pik vastpak met mijn ene
hand en je ballen met mijn andere, en met mijn lippen je borst
en buik van boven naar beneden met kussen overlaad. Ik meen
het. Als je niet doet wat ik zeg, laat ik je van boven en onderen
verlichten – en dan – dan laat ik je oneindig vergroten zodat de
hele wereld je kan zien.

Uiteindelijk bedrijven we twee keer de liefde, maar de eerste
keer gaat gespannen en moeilijk. We lijken het maar niet goed te
doen. Telkens als we het condoom proberen om te doen, glijdt
hij af en ten slotte moet je hem met je ene hand vasthouden als
je bij mij naar binnen gaat. Dit maakt mij aan het lachen en jij
gaat ervan vloeken.

Doe hem af, zeg ik uiteindelijk; je kijkt me aan en je arme gezicht is heet en rood. Doe maar, doe dat stomme ding af.

Maar – dat kan ik niet doen, zeg jij en ik kan de mengeling van spanning en opwinding in je stem horen.

Het is goed, zeg ik. Ik zoen de voorkant van je schouders en laat mijn handen over je rug glijden, naar de zachte plooi waar je billen beginnen. Kom maar gewoon in me. Hier –

Je hoeft niet – zeg jij.

Dat hoef ik wel.

Ik trek je naar me toe en ik gebruik mijn handen om je klaar te laten komen. Dat is niet moeilijk, daar zijn maar een paar seconden voor nodig en als het voorbij is liggen we daar samen, warm en nat en we lachen een beetje. Het is tussen mijn borsten helemaal glibberig en onze lichamen glijden wat heen en weer maar telkens als ik te ver weg van je glijd, lach jij en je trekt me weer tegen je aan.

Jij maakt me zo gelukkig, mevrouw Rosy, zeg jij na een minuut of twee. Zo gelukkig heb ik me nog nooit gevoeld. Weet je dat?

Ik laat me iets onder je vandaan glijden; er volgt een soppend geluid en ik voel mijn adem met een zucht mijn lichaam verlaten.

Ik weet het, zeg ik, ik houd van je, ik weet het.

Ik begrijp het niet, zeg jij dan.

Ik begrijp het ook niet, beaam ik.

Wat gebeurt er met ons?

Ik heb geen idee.

Ik bedoel, ik weet niet wat ik ermee aan moet, dat bedoel ik.

Ik ben een ogenblik stil als jij dit zegt en dan zeg ik tegen je: doe nu maar voorlopig niets.

Aan de andere kant van het raam is de stad koud en hij wordt bestookt met neonflitsen. Het is weer gaan sneeuwen.

Ik denk dat we toen een paar minuten sliepen. Ik word met een schok wakker omdat mijn baby in mijn armen ligt – niet alleen haar warme, buigzame vorm, maar ook is er de volmaakte, beschermende tevredenheid die ik voelde als ik haar vasthield. Ik nam haar zo dikwijls mee in bed, ook al was Tom ertegen, als ze 's nachts onrustig of zeurderig was en in een paar tellen, althans zo voelde het, kwamen haar ledematen tot rust en vielen tegen me aan en dan voelde ik de zachte vorm van haar ademhaling op mijn wang. Mijn dochter.

In plaats daarvan word ik wakker en ik voel de stevige warmte van jouw borst en je armen om me heen en een seconde lang voel ik verwarring en paniek.

Baby?

Als ik mezelf omhoog duw in bed en een keer diep ademhaal, maak ik jou ook wakker.

Wat is er? zeg jij en je schrikt een beetje, wat is er?

Niets, het is niets. O, ik dacht – ik voelde iets raars, dat is alles.

Je voelde wat?

Niets aan de hand. Het was een droom of zo – het zat in mijn hoofd.

Je geeuwt, wrijft over je gezicht en je houdt je bril voor je ogen zodat je op je horloge kunt zien hoe laat het is; dan pak je een fles water en drinkt ervan. Je biedt hem mij aan en ik neem dorstig een paar slokken. Ik had me niet gerealiseerd dat ik zo dorstig was.

We hebben niet van de wijn gedronken, zeg ik dan.

Het blijkt dat we die niet nodig hebben, zeg jij. We hadden de parels ook niet nodig, voeg je er dan zachtjes aan toe.

Ik glimlach maar Mary is nog heel erg aanwezig, tegen me aan, binnen in me.

Hoe laat is het?

Maak je geen zorgen over de tijd, ik heb de verantwoordelijkheid voor de tijd en we hebben nog tijd genoeg.

Maar –

Kom hier, zeg jij en je zoent mijn gezicht op het kussen, je steekt je tong in mijn mond en dan leg je je handen overal op me, op elk stukje van me en dan, als laatste, in mij.

Deze keer verloopt volkomen tegenovergesteld aan de vorige keer. Deze keer herinner ik me niet eens of je een condoom hebt gepakt, of je hem hebt omgedaan of wat dan ook. Er komt geen moeilijk gedoe aan te pas en het lijkt net of we dit in onze hoofden al zo vaak hebben gedaan, want het gaat zo langzaam en gemakkelijk als in een droom.

Al wat ik weet is dat ik je vertrouw en dat ik me zo lekker en ontspannen voel, dat wanneer je me recht in de ogen kijkt en bij me naar binnen gaat, er een snelle, onverwachte schok volgt, maar dat is niets vergeleken bij de volgende ogenblikken als je mij binnenstebuiten haalt, me door elkaar schudt en me ergens mee naartoe neemt waarvan ik niet eens wist dat ik erheen wilde.

Het is harder gaan sneeuwen en de stad wordt wit. Nu op dit ogenblik zijn de vlokken zo dik, dat je nauwelijks naar buiten kunt kijken. Ik rol op mijn buik en kijk op je horloge. Dan kijk ik weer. Er is helemaal geen tijd verstreken. Hoe is dat mogelijk?

O, god, je horloge staat stil, zeg ik.

Ik denk van niet.

Maar – hoe kan het dan nog steeds pas negen uur zijn?

Je lijkt je geen zorgen te maken. Je reikt naar de afstandsbediening en zet de tv aan op zoek naar de tijdsweergave.

Het is negen uur, zeg je. Kijk maar, schatje, daar staat het. Negen uur. Ik zei je toch al: zeeën van tijd.

Je doet de tv met de afstandsbediening uit en de lucht in de kamer knispert eventjes. Ik staar je aan.

Ik begrijp het niet, zeg ik. Na wat we allemaal gedaan hebben.

Wees maar niet bang, zeg je tegen mij.

Ik ben niet bang. Ik ben alleen –

Jij staat op, loopt naar de badkamer en je doet de deur dicht. Ik hoor je gebruikmaken van het toilet en dan hoor ik water lopen. Dan hoor ik je je tanden poetsen.

Als je weer in de kamer komt, ruik je naar mondwater. Je trekt je onderbroek en je spijkerbroek aan en gaat even voor het raam staan. Zodra je iets van me vandaan bent, zie je er zo vreemd uit. Ik realiseer me dat ik me alleen als je vlak bij me bent, op mijn gemak voel bij je.

Kom terug, zeg ik. Alsjeblieft. Kom dichterbij. Ik kan het niet geloven dat jij het bent als je daar staat.

En je doet het. Je draait je om, je glimlacht naar me en je komt meteen terug en zodra je me weer vasthoudt, is het goed.

Het is net of ik in een toneelstuk zit en ben vergeten wie ik moet zijn, fluister ik tegen je.

Ik ook, fluister je terug, en je grijnst, trekt de dekens om me heen, legt je handen aan beide zijden van mijn gezicht, je kust me en je kijkt me met zoveel nieuwsgierigheid en liefde op je gezicht aan, dat ik vanbinnen weer begin op te krullen.

Meende je dat? zeg ik. Over het geniale plan?

Natuurlijk wel, zeg jij. Ik dacht, als ik haar nu een keer zover kan krijgen dat ze me zoent, een hele nacht lang, terwijl ik zo mager en een wrak en blut ben, dan heb ik het gemaakt. Ik heb twintig jaar voorbij laten gaan, ik word rijk en dik en van middelbare leeftijd – en ik kom terug om haar op te eisen, klaar is kees.

Ik kijk in je ogen en ik lach.

Klaar is kees zeg ik.

Klaar is kees zeg jij, behalve –

Behalve wat?

Nou, ik denk nu dat het achteraf gezien misschien helemaal niet zo'n geniaal plan was.

O? Waarom niet?

Nou, omdat, zoals je eerder al zei, die twintig jaar min of meer verspild zijn – de scheidingen, het verdriet en de eenzaamheid –

De vrouwen met wie je naar bed moest, zeg ik snel en je lacht en kijkt een ogenblik verdrietig.

Wat voor soort jongen was jij? vraag ik je dan, ik bedoel toen je een kleine jongen was?

Ik was heel mager, zeg jij.

Nee, ik ben nu serieus. Hoe was jij?

Je denkt hierover na.

Ik denk dat ik verantwoordelijkheid op me nam. Ik droeg de wereld op mijn schouders. Ik moest voor mijn moeder en mijn broers zorgen. Ik zorgde voor zowat iedereen maar ik denk dat ik hen dat diep vanbinnen kwalijk nam.

O ja?

Ik was een jochie, Rosy. Het was te veel. Ik geef niemand de schuld, maar – daarom was ik zo'n stomme idioot toen jij me kende, zat ik zo in de knoei, bedoel ik. Het was buigen of barsten. Ik moest op de een of andere manier uitbreken.

Ik draai me om, om naar je te kijken en je glimlacht naar me. Er komt plotseling een beeld in mijn gedachten – van een mager blond jongetje dat van dak naar dak sprong. De daken zijn nat, de lucht is zwart, de botten van de jongen zijn broos en breekbaar. Ik huiver.

Wat is er?

Niets.

Nee, er was iets, dat weet ik zeker. Er schoot een of andere vreemde gedachte door je hoofd – een Rosy-gedachte.

Ik lach.

Ik kan de gedachte dat jou iets kan overkomen, niet verdragen, dat is het.

Mij overkomt niets.

Je had heel gemakkelijk kunnen vallen. In die tijd. Het was heel gevaarlijk om dat te doen.

Ik viel niet, zeg jij. En moet je me nu zien, niet langer een superheld. Ik denk dat het niet erg waarschijnlijk is dat ik nu zoiets weer zou gaan doen.

Zou jij tegen me liegen? vraag ik je dan. Ik bedoel ooit eens?

Terwijl ik deze woorden uitspreek, komt de dag, nog niet zo heel lang geleden, waarop Tom me precies hetzelfde vroeg, aanstormen in mijn geheugen en ik krimp vanbinnen iets ineen.

Ik zou niet tegen je liegen, Rosy. Ik heb je alles verteld wat ik weet.

Heb je dat?

Dat heb ik, zeg je bedroefd. Echt waar. Ik meen het, Rosy, er is niets meer.

Je staart me aan en je blauwe ogen zijn zo zwart geworden, bijna transparant in het halve duister. Ik ben plotseling bang omdat het net is alsof je er niet echt meer bent.

Stop, zeg ik. Niet weggaan!

Je lacht.

Ik ga nergens heen. Waar zou ik heen gaan? Bovendien, weet je wat? Je blijft maar doorgaan over wat echt is en wat niet, maar ik zal jou eens iets zeggen, ik denk dat jij niet echt bent. Wil je weten waarom? Omdat je nooit iets eet. Jij leeft van de lucht, Ro-şy. Heb je nu ook geen honger? Na al dat geneuk?

Heb jij honger?

Hé. Je moet mijn vraag niet met een vraag beantwoorden.

Ik zucht.

Ik weet het niet, zeg ik.

Er gaan minuten voorbij; jij trekt je broek uit, je komt naast me liggen en ik voel dat je met je handen mijn dijen streelt.

Dat is zo'n lekker gevoel, zeg ik. Houd er alsjeblieft niet mee op. Doe het wat hoger en aan de binnenkant, alsjeblieft – en ik schuif je handen iets naar boven tot ze bijna tussen mijn benen zijn – doe het daar.

Lief meisje, zeg jij, lief, dwaas, gek meisje. Waarom heeft niemand ooit genoeg van je gehouden?

Je gaat ermee door en ik doe mijn ogen dicht; dan houd je op en je haalt je hand weg.

Hé, misschien zou ik een eerzame vrouw van je moeten maken, zeg je opeens.

Hoe bedoel je?

Nou, je bent toch alleenstaand? Je bent niet getrouwd, toch? Ik ook niet, niet meer. Dus ik zou met je kunnen trouwen. Een eerzame vrouw van je maken, wat zou je daarvan vinden?

Ik voel hoe mijn gezicht gaat gloeien en mijn maag zich omdraait.

Hemel, zeg ik, zou je echt met mij trouwen?

Vind je dat geen leuk idee?

Ik kan me niets mooiers bedenken, maar –

Maar wat?

Dat kan ik niet doen. Ik heb een gezin.

Schatje, Baby, dat weet ik. Dat is de enige hindernis. Laat me erover nadenken. We hebben deel B van het geniale plan nodig.

Er gaat een tijdje voorbij. Ik zeg tegen je dat ik denk dat ik misschien toch wel een klein beetje honger heb.

Geweldig, zeg jij, ik ook. Ik heb altijd honger. Laten we de roomservice bellen.

Er heeft nog nooit iemand met me willen trouwen, zeg ik zachtjes.

Nou, dan zijn ze allemaal gek. De wereld stikt van de zieke, dwaze gekken.

Jij bent gek, zeg ik. Je bent een dwaze gek.

Dat kan zijn, beaam je. Maar ik ben niet ziek, en bedenk maar, Rosy, als jij een aardige, gezellig getrouwde vrouw was en je at als andere mensen, nou, ik denk dat je dan bijna voor normaal kon doorgaan.

Het beste wat de roomservice te bieden heeft, zijn sandwiches met ham. Dikke, aan de zijkanten omkrullende plakken ham op wit brood. Ze worden op een grote zilveren schaal met een papieren onderleggertje en wat waterkers en gelige halve tomaten geserveerd. Ik haal het vlees eraf en geef dat aan jou terwijl ik alleen het brood met mosterd eet. Jij vindt een kurkentrekker in de minibar en we trekken de rode wijn open.

Als je wilt weten hoe ik me echt voel, zeg jij, over het punt wat echt en wat niet echt is, hoe wat er tussen ons is, eruit kan zien, dan denk ik dat dat ook te maken heeft met toen ik een klein kind was, toen ik mijn vader verloor, en zo, en ook met jouw kleine dochtertje, Rosy, in feite heeft alles ermee te maken –

Ik kijk naar je, zet mijn glas neer en ik wacht.

Ja?

In die tijd dat we met elkaar omgingen, was ik er beroerd aan toe. Dat weet jij nu, ook al wist je het toen niet. Ik had zoveel verdriet te verwerken gehad en ik had zoveel drugs gebruikt en toen ik jou tegenkwam, op mijn negentiende of twintigste of hoe oud ik ook was –

Twintig, zeg ik. Jij was twintig en ik was negentien.

Goed dan, twintig. Toen ik jou tegenkwam, was ik veel te stom en in mezelf gekeerd om te kunnen zien wat een kostbaar iets jij was, hoezeer jij de moeite waard was om te hebben.

Je had me hoe dan ook kunnen krijgen – begin ik, omdat ik jou graag wil laten weten wat de nacht met het parelsnoer voor mij betekende. Maar je snoert me de mond.

Stil, liever. Dat bedoel ik helemaal niet. Ik probeer je te vertellen hoe stom ik was. Maar ook hoe er vreemde dingen gebeuren in de wereld, Rosy, die gebeuren echt. Ik ben nu anders naar het leven gaan kijken en ik weet uit ervaring dat iets waarvan je denkt dat het maar één kant uit kan gaan, soms ook de andere kant uit kan gaan of beide kanten uit – dat er een tweede kans kan zijn. En ik denk dat rouw – die rouw en dat verlies waar ik het over heb – een kracht ten goede kan zijn, net zoals verdriet. Er kunnen letterlijk dingen uit rouw ontspringen, uit het zout en het zweet van de echte tranen die je huilt.

Ik verstijf en ga rechtop zitten en jij wrijft je in de ogen en glimlacht naar me. Je lacht kort.

Ik weet het, zeg het maar niet, het klinkt idioot.

Nee, zeg ik, dat doet het niet. Maar, hoe bedoel je dit precies?

Ik bedoel, denk ik, dat wij dit misschien hebben laten gebeuren, jij en ik, dit – alles, dit tussen ons.

Waarom? vraag ik en ik weet niet waarom de moed me in de schoenen zinkt terwijl jij praat.

Waarom? Nou, dat weet ik niet. Omdat we het allebei nodig hadden? Jij had het nodig dat ik kwam en jou vond, precies op dit punt van je leven, en ik had jou nodig.

Ik staar je aan.

Dat zou genoeg kunnen zijn, zeg jij.

O ja?

Verlies, zeg jij. Dat doet rare dingen met een mens. Dat hoef ik jou toch niet te vertellen, Rosy.

Ik duw de schaal weg omdat ik opeens geen trek meer heb. Ik hijs mezelf omhoog tegen het hoofdeinde van het bed, trek mijn knieën tegen mijn borst en ik denk hier hard over na. De lucht in de kamer is heel koud geworden en alsof je dat aanvoelt, leg jij je zwarte sweater om mijn schouders. Ik zit te rillen, we rillen allebei, maar dit keer kom je niet naar me toe om me vast te houden, je zit me alleen maar scherp aan te kijken. Je lijkt opeens zo ver weg en je gaat per minuut verder bij me vandaan.

Grotere waarheden wellen in mijn gedachten op en ik hoor hoe ik begin te praten.

Toen het net gebeurd was, zeg ik zo rustig en langzaam mogelijk. Toen ze – nou, dat was zo'n schok. Niet dat we haar verloren maar – de vaart waarmee dat gebeurde, de – zonder enige waarschuwing. Ik zat almaar alle dingen te bedenken die ik met haar had gedaan, gewoon dingetjes, zonder te weten dat het de laatste keer was – zelfs die nacht in haar kamer, toen ik haar vasthield en tegen haar praatte

En ik hield mezelf de hele tijd voor de gek. Dat was de enige manier. Dan kon ik haar zien en voelen – haar zelfs ruiken, bijna elke seconde van de dag. Ik zei dan tegen mezelf dat ze niet echt weg was, dat ze weer terug zou komen. Ik wist wel dat dat niet reëel was, niet echt. Ik wist dat het een trucje was, waarschijnlijk gewoon mijn manier om te kunnen omgaan met wat er gebeurd was. Maar daar waren Tom en de jongens niet echt mee geholpen. Ik leefde een poosje in een andere wereld. Ik bedoel, ik kwam daardoor heel ver van hen af te staan.

Ik haal snel adem en ik veeg met mijn mouw een traan van het puntje van mijn neus.

Ik denk dat ik Tom heel erg in de steek heb gelaten, vertel ik jou. En ik voel me daar afschuwelijk onder, heel schuldig.

En toen, nou, de tijd verstreek – zoveel tijd, veel te veel tijd – en er werd van me verwacht dat ik de draad weer zou oppakken – het was alsof de hele wereld zei: Rosy, oké, nu is het genoeg! En ze verwachtten van me dat ik dit en dat ging doen, dat ik over haar ging praten in de verleden tijd, al die dingen.

En dat wilde je niet?

In bepaalde opzichten wel, natuurlijk wel, ik zag in dat het nodig was voor mij, dat het voor ons allemaal het juiste zou zijn, vooral voor de jongens, maar –

Je gaat op het bed zitten en je kijkt me nog steeds aan, maar plotseling ben je ook heel dichtbij; dat moet waarschijnlijk betekenen dat je me vasthoudt en misschien huil ik harder dan ik in de gaten had hoewel ik dat niet kan voelen, ik kan haast niet meer voelen dat ik in de kamer ben.

Het gaat nu beter met me, hoor ik mezelf zeggen, ik doe het niet meer, ik zweer je dat ik het niet meer doe, maar –

Baby, hoor ik je zeggen, Baby, Rosy, lieverd, het is oké, stil maar, het is oké, ik ben hier.

Ga niet weg. Ga alsjeblieft niet weg.

Ik ga niet weg.

Er verstrijken minuten en ik kan de sneeuw langs het raam zien stuiven en ik zie dat jij en ik opgesloten zitten in deze kleine ruimte in het midden van een wereld die volkomen wit is geworden.

Ik vraag me af of we hier veilig zijn, hoor ik mezelf zeggen.

We zijn veilig, antwoord jij, hoewel je stem nog steeds van verre komt, uit een droom.

Ik denk steeds dat we in Parijs zijn, zeg ik en je lacht zachtjes alsof je weet waar ik het over heb.

Maar – maar soms, zeg ik uiteindelijk, voel ik me weer helemaal uit elkaar vallen. Het is dan net of ik een beetje gek word, niet erg verantwoordelijk of ook maar een beetje vriendelijk doe, zeker niet erg moederlijk en dan, daar word ik wel eens bang van, die liefde die ik nog steeds voor haar voel.

En dan denk ik dat ik er alles voor over zou hebben – letterlijk alles. Ik zou mijn hele leven geven met alles erop en eraan waar ik het meest van houd en wat ik het meest waardeer, om haar alleen maar te voelen en te zien, niet voor altijd, gewoon eventjes, gewoon haar te kunnen oppakken en haar levend in mijn armen tegen me aan te voelen. Het is een soort begerigheid, naar – nou, gewoon nog een kans te krijgen – zo voelt het – een uur met haar. Ik zou elke ruil aanvaarden, hoe slecht of gek ook. Ik zou mijn hele leven weggeven als dat nodig was voor gewoon een uur of tien minuten waarin ik haar kan vasthouden. Of zelfs maar voor tien seconden. Voor wat dan ook, eigenlijk. Geen prijs zou te hoog zijn, niet als ze het echt was, mijn baby, niet als zij het was en het als echt zou aanvoelen.

Jij zegt niets. De lucht tussen ons verstrakt en valt weg.

Zo erg mis ik haar, zeg ik, denk er dan eventjes over na en dan voeg ik eraan toe: dat is toch idioot? Ik bedoel, dit is niet normaal. Het is knettergek.

Je pakt me dan beet en je houdt me zo stevig vast dat ik denk dat ik niet langer kan ademhalen tot er eindelijk iets in me zachtjes ontploft en mijn hele lichaam zich ontspant.

Misschien gek, zeg jij. Misschien ook gewoon liefde.

Ik kwam ruim voor middernacht thuis, ook al had ik het gevoel dat ik een aantal dagen of weken van huis was geweest. De tijd bleef telkens stilstaan, begon dan weer te lopen, wachtte op mij tot ik hem had ingehaald en rekte zich vervolgens uit om zich aan te passen aan welke gevoelens dan ook die ik nodig had. Ik wist niet meer wat ik ervan moest denken.

Toen de taxi me dit keer thuis afzette, moest ik mijn ogen wijd openhouden en me goed concentreren terwijl ik het geld voor de rit bij elkaar zocht. Ik sloot het portier en zei goedenavond tegen de chauffeur die niets had gezegd over het feit dat ik huilde – en toen liep ik in mijn roze jas het pad op. Eén voet voor de ander. Het is niet moeilijk, zei ik tegen mezelf, gewoon nog een paar stappen en dan ben ik bij de deur.

Het was vreemd – het pad was een beetje ijzig, maar er lag nauwelijks sneeuw rond ons huis, alleen wat kristallen dons op de vuilnisbakken en op sommige auto's. Niet te vergelijken met de dichte zachtheid en witheid die zich rond jouw hotel had genesteld.

Ik veegde mijn ogen af, keek omhoog en zag dat ons slaapkamerraam donker was. Tom had waarschijnlijk de moed opgegeven en was naar bed gegaan. Ik kon hem dat niet kwalijk nemen. Maar toen vertelde een beweging bij de gordijnen op de bovenste verdieping me dat Fin wakker was en controleerde of ik terug was gekomen. Hij had drie uur geleden al moeten slapen. Ik voelde me onmiddellijk bezorgd en schuldig.

Het huis rook naar eten, een risotto die Tom voor de jongens had klaargemaakt. Lex de Tweede, die in de loop van een enkele avond veel dikker leek te zijn geworden, wreef hard tegen mijn benen aan terwijl ik de voordeur afsloot en het buitenlicht uitdeed. Toen liep ze met me mee naar de keuken en trippelde zo vlak op mijn voeten dat ik onvermijdelijk op haar trapte. Nadat ik wat voer voor haar uit een zak had geschud, liet ze me met rust.

In de keuken lepelde ik, eindelijk met droge ogen en plotseling zo hongerig als ik nog nooit was geweest, staande bij het fornuis de resten van de risotto naar binnen. Rijstkorrels vielen op de voorkant van mijn jas en ik moest naar de gootsteen lopen om ze eraf te vegen.

Omdat ik mezelf er nog niet toe kon zetten naar boven en naar bed te gaan, schonk ik een glas koude melk in, ging aan tafel zitten en dronk het langzaam op, staarde naar buiten naar de donkere beijzelde tuin en drukte mijn lippen en neus tegen de manchetten van mijn jas in de hoop dat er nog een enkel spoor van jou aan mij was blijven hangen.

Boven klonk een geluidje en ik verstrakte en luisterde, in de gedachte dat Tom me wellicht had gehoord en op weg naar beneden was. Ik dronk de melk op, zette het glas in de afwasmachine en controleerde snel mijn gezicht in de grote wandspiegel; gelukkig was er geen spoor van tranen te zien. Ik stond op het punt het licht uit te doen, toen Fin in de deurpost verscheen, rillerig, blootsvoets, met blote borst en alleen zijn blauwe flanellen pyjamabroek aan.

O, lieverd, zei ik, je maakte me aan het schrikken.

Hallo, zei hij en hij keek me glazig en bezorgd aan.

Wat doe je hier? vroeg ik hem. Je had al uren geleden moeten slapen.

Hij staarde me even recht aan en toen keek hij met zo'n verwilderd, ongelukkig gezicht de keuken rond, dat mijn hart ineenkromp.

Ik zag jou, zei hij.

Zag je mij?

Ja. Zonet. Ik zag je thuiskomen.

Nou, je had helemaal niet wakker moeten zijn, begon ik te zeggen, maar ik hield weer op toen ik zag hoe bang en van streek hij was.

Waar is Baby? zei hij; ik verstrakte weer vanbinnen en haalde gauw adem.

Wat zeg je?

Ik zag jou, zei hij weer.

Maar lieverd, wat zag je dan van me?

Met haar. Ik zag jou met haar.

Met wie?

Baby! schreeuwde hij haast tegen me, ik zag Baby –

Jij – wat?

Zonet, met jou. Toen je thuiskwam. Ik zag je haar dragen.

Ik staarde naar mijn zoon en ik wist gewoon niet wat ik moest zeggen. Ik kon hier geen woorden voor vinden.

Ik dacht dat je haar thuisbracht, zei hij en toen barstte hij, zonder dichter naar me toe te komen, in snikken uit.

De volgende ochtend was de sneeuw bijna weg, maar de lucht was donker en beladen met kou. Ik kookte een ei voor Fin, zocht een schone onderbroek en een das voor Jack en had kort ruzie met hem of hij al dan niet fruit mee naar school moest nemen. Fin en ik zeiden niets over gisteravond; hij leek het eigenlijk helemaal vergeten te zijn. In plaats daarvan zeurde hij om een plastic tas om zijn oude, vieze voetbal in te doen.

Ik heb liever niet dat je een bal mee naar school neemt, zei ik tegen hem toen hij in het gootsteenkastje scharrelde op zoek naar een geschikte tas.

Waarom niet?

Omdat ik bang ben dat je je niet op je werk kan concentreren als je steeds aan voetballen zit te denken.

O, mama. Anderen mogen altijd een bal meenemen, wat is er met je aan de hand? Wil je dat ik geen vrienden heb?

Toen de deur dichtknalde achter Jack, die altijd een volle tien minuten na Fin het huis verliet, liep ik de trap op met de bedoeling meteen onder de douche te gaan, maar in plaats daarvan liet ik me weer op bed vallen en trok het dekbed om me heen. Toms krant gleed op de vloer.

Tom was al gedoucht en aangekleed. Hij liep met zijn tandenborstel in zijn mond door de kamer, terwijl hij zo nu en dan op zijn horloge keek. Ik vertelde hem wat Fin afgelopen nacht had gezegd.

Duidelijk een droom, zei hij. Praat er maar niet over met hem. Sorry – ik bedoel, maak er geen heisa over, Nic, laat hem maar betijen.

Goed, zei ik en ik legde mijn hand op de plek tussen mijn benen waar de jouwe de nacht tevoren hadden gelegen.

Maar wat?

Ik zei geen 'maar'.

Nicole. Ik hoorde het in je stem.

217

Goed, maar – maar niets. Echt, ik meen het, ik zou niet weten wat.

Ik bewoog mijn hand ietsje, deed mijn ogen dicht en wachtte of er iets zou gebeuren.

Is alles goed met je? vroeg Tom.

Mm.

Sta je niet op?

Straks, zei ik en ik geeuwde, draaide me op mijn zij zodat mijn hand op zijn plaats kon blijven zonder dat hij het zag. Ik probeerde mijn ogen dicht te doen en aan jou te denken.

Oké, zei Tom, raapte zijn krant op en boog zich vooover om me een zoen te geven. Ik moet gaan. We praten later, goed?

Eventjes proefde ik de scherpe smaak van zijn tandpasta. Toen verliet hij de kamer en ook mijn energie vloeide weg. Ook al bewoog ik mijn hand op de plek waar jij de jouwe had bewogen, ook al spande ik me enorm in het magische gegons en de hitte terug te brengen, er gebeurde niets en na mezelf drie of vier minuten te hebben aangeraakt, gaf ik het op en huilde in plaats daarvan in mijn kussen.

Er wacht een e-mail op me.

Waar ben je, Baby?

Ik ben hier, schrijf ik. Ik ben hier. Ik mis je.

Kun je vanochtend hier komen? schrijf je per ommekeer terug.

Dat kan ik, maar – heb je geen vergaderingen?

Ik ben om elf uur vrij, dan heb ik er een gepland staan voor twaalf uur of halfeen, ik weet niet precies voor hoe lang. Ik moet een soort presentatie voor die man houden, maar dat zal niet lang duren. Ik moet je zien, mevrouw Rosy.

Goed, ik kom.

Hé, Baby, hé, Rosy?

Ja?

Ik houd van je. Ik ben zo verliefd op je. Weet je dat?

Ik ook, ik voel zo veel voor jou, zo heb ik me nog nooit gevoeld, het is idioot. Mag ik je iets gênants vertellen? Zo-even, eerder, verlangde ik zo naar je, ik probeerde te doen wat jij doet

– ik probeerde mezelf daar aan te raken, je weet wel, zoals jij dat doet. Ik probeerde het een tijdje met mijn hand, maar uiteindelijk gaf ik het op, het lukte niet.

Hé, maar ik heb het ook geprobeerd, schrijf je terug. En weet je, ik dacht aan jou en het lukte.

We zitten op een bank in het park tegenover jouw hotel. Je hebt een schoon grijs pak onder je jas aan, een smalle donkere das, glanzende zwarte schoenen. Je hebt je geschoren en je ruikt naar een geurtje dat ik niet kan thuisbrengen. Ik heb een spijkerbroek aan en een rood wollen vest en mijn haar ziet er niet uit omdat ik geen tijd had het te wassen voor ik wegging. Ik heb een dik blauw elastiek om mijn rechterpols dat Jack mij eens gegeven heeft omdat hij er veel van heeft. Er staat 'sterk' op, maar ik voel me niet sterk, integendeel.

De zon schiet tussen de wolken door maar het licht is zwak en koud. Er zijn maar een paar mensen in het park en er ligt nog steeds sneeuw op de grond onder de kale zwarte bomen, maar de bredere paden zijn met grind bestrooid en een man met een kruiwagen is aan het vegen. Er trippelt een hondje langs dat een jasje draagt op zijn bruine, harige rug. Zwijgend kijken we ernaar. Jouw hand ligt warm om de mijne.

Ik vraag je hoe laat je weer weg moet.

Voorlopig nog niet, zeg jij. Ontspan je, schatje.

Ik moet het weten.

Waarom? Zodat je jezelf kunt pijnigen door alvast te beginnen met afscheid nemen?

Ik schiet bijna in de lach omdat hij de spijker op de kop slaat.

Zodat ik me kan voorbereiden, zeg ik. Op het moment dat ik moet toezien hoe je wegloopt.

Je legt beide armen om me heen en je trekt me dichter naar je toe op de bank.

O, Baby, zeg je, en ik voel je mond op mijn nek. Ik loop niet weg. Ik loop nooit weg.

Er springen tranen in mijn ogen.

Dat moet je niet zeggen, omdat je dat wel zal doen, je weet dat je dat zult doen. Je moet weer terug naar huis. Je moet morgen toch weer weg?

Stil. Denk daar nu niet aan. Kun je vannacht bij me komen?

Ik weet het niet, zeg ik. Ik denk van wel – en ik vraag me af wat ik in vredesnaam tegen Tom zal zeggen en dan besluit ik dat het er niet meer toe doet, dat ik het niet lang meer kan uitstellen, dat ik het hem vroeger of later zal moeten vertellen.

Je pakt mijn beide handen in de jouwe en je kijkt ernaar.

Zeg eens eerlijk, Rosy, wordt het een probleem voor je, om vanavond bij me te komen?

Nee, lieg ik.

Je zwijgt even alsof je me niet gelooft.

Wat gaan we doen? vraag je me dan.

Vanavond?

Nee – wat gaan we hiermee doen?

Ik moet bij Tom weg, hoor ik mezelf zeggen, ook al is het voor het eerst dat ik deze gedachte heb en ik word er helemaal koud van vanbinnen.

Zou je echt bij hem weggaan?

Ik moet wel. Wat kan ik anders doen?

Hij is een goede man, Rosy, en jullie hebben samen kinderen.

Ik neem deze gedachte in me op, draai hem om en leg hem ondersteboven zodat ik hem niet kan zien.

Jij bent bij je vrouw weggegaan, zeg ik.

Dat was anders. Wij waren niet gelukkig. Ik bedoel, we zijn nooit echt gelukkig geweest. Wij vlogen elkaar vanaf het begin naar de strot.

Tom en ik – ik denk niet dat we elkaar nog gelukkig maken.

Maar ik denk dat je van hem houdt. Echt waar. Het doet pijn om het te zeggen, maar ik denk dat je van hem houdt.

Ik kan dit niet, zeg ik rustig, en terwijl ik deze woorden uitspreek, begin ik te voelen dat ze waar zijn. Ik kan niet bij hem zijn en zo veel van jou houden. Ik kan het niet – een verhouding hebben. Ik had nooit gedacht dat dit zou gebeuren en – maar, nou, het is niet eerlijk tegenover hem, of mij, of de kinderen – of wie dan ook, voeg ik eraan toe en ik vind dat mijn woorden stom klinken, als van iemand in een slechte film.

Je zwijgt een tijdje. We kijken allebei hoe de man de bladeren aan het opvegen is.

Ik kan niet zonder jou, zeg ik. Zo eenvoudig ligt het. Ik kan het gewoon niet.

Ik kijk naar je gezicht en ik kan zien dat je koortsachtig nadenkt.

Wat zou er zijn gebeurd, vraag je me, als dit er nooit was geweest, als ik niet in je leven was gekomen?

Als je me nooit geschreven had?

Ja.

Waarom?

Denk je dat Tom en jij gewoon gelukkig waren doorgegaan?

Ik denk hierover na. Ik denk aan Baby en dan denk ik aan Parijs en een grote verwarring slaat toe.

Ik weet het niet, zeg ik. Hoe kan ik dat ooit weten?

Raad eens, zeg jij.

Dat kan ik niet, zeg ik tegen je. Dat is onmogelijk. Het is precies zoals je zei, je laat dingen naar je toe komen als je ze nodig hebt. Ik had jou nodig en jij kwam. En ja, na al die jaren laten we iets merkwaardigs gebeuren en ik begrijp er geen snars van maar ik denk dat we het nodig hadden. We hebben gevonden wat we allebei nodig hadden.

Zei ik dat? zeg jij.

Ja, zeg ik, dat zei je. Dat weet je best.

Ik zou ergens een huis voor je kunnen kopen, vertel je me een poosje later.

Doe niet zo gek.

Ik meen het. Voor jou en jouw jongens.

Dan kan je niet.

Ik ben rijk, Rosy. Ik zou tien huizen voor je kunnen kopen en het nog niet merken.

Idioot. Ik wil jouw geld niet.

Ik weet wel dat je dat niet wilt hebben. Maar – ik zou mijn baan kunnen opzeggen en hierheen komen. Dat kan ik best. Ik zou alles morgen kunnen opgeven.

Zou je dat voor mij doen?

Geloof je me niet?

Dat wel, maar – ik wil niet dat je dat doet. Je baan is alles voor je.

Dat zie je helemaal verkeerd. Het betekent niets voor me.
Dat weet ik, maar –
Maar wat, Rosy?

Toentertijd had je zo weinig geld dat er een handgeschreven lijst
hing op het afbrokkelend pleister van de keukenmuur waarop
stond wat je alle anderen in huis schuldig was. Dit voor bier;
dat voor de rekening van de melkboer die je nooit kon betalen,
dat bedrag dat je had toegezegd voor de huishoudbeurs voor
schoonmaakmiddelen enzovoorts, enzovoorts. We hadden nauwelijks in de gaten dat je voortdurend achterstand in betalingen
had, ook al werkte je harder dan een van ons – je nam vakantie-
baantjes, werkte elk weekend en de hele kersttijd, inclusief de
kerstdagen, in een pub.

Weet je waarom ik je nooit echt mee uit vroeg? vraag je me later. Ik meen het, wil je de echte reden weten, Rosy?

Je vond me niet leuk.

Dommerdje. Gekkie. Neem me niet kwalijk, maar ik vond je
gewoon fantastisch. Nee, de echte reden was dat ik er geen geld
voor had.

Maar – ik had helemaal niet gewild dat je geld voor mij zou
uitgeven.

Begrijp je het niet? Ik was zo verdomde trots. Maar ik kon het
me niet eens veroorloven een rondje te geven in die klotepub.
Moet ik je echt vertellen hoe moeilijk dat was?

Toen jij het huis uitging en bij L introk – je liet ons in de steek
zodat wij snel iemand anders voor jouw kamer moesten zien te
vinden – dachten we allemaal dat het was omdat je stapel op
haar was en misschien ook wel een beetje egoïstisch.

Ik kon de huur niet betalen, zeg je me. Ik kon het letterlijk
niet, ik zat volkomen aan de grond. De hospes – herinner jij je
hem nog? – was met zijn ronde bezig en ik had het geld niet. Ik
moest vluchten en L was er toen ik haar nodig had. En ik verafschuwde het. Ik verafschuwde het dat ik liefdadigheid moest accepteren, verafschuwde het dat ik spullen moest aannemen van
mensen die ik niet aardig vond. Ik verafschuwde het te veinzen
dat ik haar aardiger vond dan ik in werkelijkheid deed – het was

niet eerlijk tegenover haar en ik verafschuwde mezelf erom. Uiteindelijk waren we zover dat we elkaar verachtten en dat was allemaal mijn schuld. En ik zag jou regelmatig in de buurt over straat lopen, met die grappige, springerige manier van lopen. Je scheen me nooit op te merken. Ik bevond me altijd aan de overkant van de straat en ik vermoed dat je dacht dat ik stoned was of gek of nog steeds met L of zoiets.

Ik wist niet waar je woonde, zeg ik dan. Ik zag jou nooit op straat. Ik wist niet eens dat je nog in de buurt was.

Er was een keer een feestje – in een van die bouwvallige rijtjeswoningen, die voorbij de brug naar beneden glooien – en dat meisje met de bel op haar fiets en met enorme borsten, ze droeg altijd paars –

Emma! zeg ik. Emma uit het jaar boven ons, ik herinner me haar.

Nou, zij was er ook en nog een paar anderen en we zaten allemaal in haar kamer stoned te worden; we waren met heel veel, ook een stel meisjes, en ik herinner me dat de kamerdeur plotseling wijd open werd gegooid en daar was jij – je was binnengekomen op zoek naar iemand en ik lag daar te roken en te drinken en ik voelde me een beetje betrapt, denk ik, maar ik riep bijna je naam –

Waarom deed je dat niet? Ik denk dat ik me dat feestje kan herinneren. Allemaal mensen die op de trap bij elkaar stonden? Heleboel fietsen in de hal?

Je lacht en knijpt me in mijn knie.

Rosy. Dat is een beschrijving van bijna alle feestjes in al die huizen.

Maar waarom zei je op z'n minst niet hallo? Dat had je moeten doen. Waarom zei je niet iets? O, zeg ik, terwijl de herinnering aan die naargeestige tijd plotseling bovenkomt, ik was zo blij geweest om je weer te zien.

Je denkt hierover na.

Je zag er zo verdomd mooi uit. Je had een jurk aan. Iets met bloemen. Het viel me op omdat het zo zelden voorkwam – je was voor een keer echt als meisje gekleed –

Dat was een oude jurk, zeg ik weemoedig. Hij kwam van de

antiekmarkt. Ik had ervoor gespaard. Hij was zo oud dat hij uiteindelijk uit elkaar viel.

Ik was degene die uit elkaar viel. Ik was een wrak die nacht. Ik was die hele plek spuugzat. Ik was er aan toe verder te gaan. En jij zag er niet uit –

Zag er niet uit?

Als iemand die ik nog kende.

Ik had het heerlijk gevonden met je te praten, zeg ik weer, en je bent een ogenblik stil, je laat je vingers over mijn knie glijden en omhoog naar mijn dij en ik voel mijn botten verstijven.

Nou. Ik wist dat toen toch niet.

Domme, domme jongen.

Dommerdje.

En ik bezwoer mezelf ter plekke dat ik geld zou gaan verdienen, dat ik rijkdom voorop zou stellen. Op die manier koos ik mijn carrière, Rosy. Mijn oom, met wie ik helemaal niet kon opschieten maar die medelijden met me had vanwege mijn vader, denk ik, had een vage kennis bij de bank zitten en die zei dat ze wellicht een baan voor me hadden. Mijn eerste baan was het optellen van kolommen getallen bij een zaak in Chicago – alleen maar kolommen en nog eens kolommen van getallen. Ik had er geen idee van wat die getallen betekenden of waar ze voor stonden, ik wist alleen dat ik daar moest zitten en ze optellen.

Dus deed ik dat, ik stortte me erop en ik telde ze op. Ik telde en controleerde en ik telde en ik controleerde weer. Op sommige dagen was ik zo druk bezig met het optellen van getallen dat ik als enige in het gebouw over was nadat alle anderen naar huis waren gegaan. Het was een vreemde tijd. Ik leerde alle schoonmakers bij naam kennen.

En ik deed dat optellen zo goed dat ik promotie kreeg. Dat was het – de getallen hadden met geld, met financiën te maken – ik was niet helemaal achterlijk, dat had ik allemaal wel uitgedacht. Ze mochten me wel en voor ik het weet ben ik bankier. Er zit een headhunter achter me aan, maar deze zaak betaalt me meer om me te houden en dat gaat zo maar door: plotseling verdien ik genoeg om mijn eigen appartement te kopen. Plotseling raken vrouwen in me geïnteresseerd – ze willen zelfs met me naar bed. Dat is alles, Rosy, ik kijk nooit echt terug. Nu moet je me eens zeggen: waarom kan ik in vredesnaam geen huis voor je kopen?

Baby is weg, vertelde ik Fin. Ze is weg en ze kan niet terugkomen. Dat weet je toch wel?

Hij zei niets. Hij keek me alleen triest aan met zijn groenige wijd uiteenstaande ogen die hem soms veel jonger deden lijken dan de twaalf jaar die hij was. Toen, zonder maar te knipperen of eens diep te zuchten, begon hij op zijn nagels te bijten en trok hard met zijn tanden aan de nagelriemen tot er een heldere druppel bloed tevoorschijn kwam.

Ik nam zachtjes zijn kleine vuile handen in de mijne. Zelfs op afstand kon ik de geur van school in zijn haar ruiken – gangen en buskaartjes en gekookt eten.

Niet doen, lieverd, zei ik. Doe dat alsjeblieft niet.

Hij keek naar zijn vingers waar het bloed uit kwam zetten en veegde ze aan zijn broek af. Toen beet hij op zijn lip, haalde diep adem en ik zag zijn borstkas opzwellen.

Mam, zei hij uiteindelijk. Je moet naar me luisteren.

Goed, ik luister.

Eerst, zei hij langzaam en zorgvuldig alsof hij er zeker van wilde zijn dat ik hem kon volgen, geloofde ik het ook niet. Eerst toen ik jou met haar zag, dacht ik dat ik droomde, dat dacht ik echt. Maar toen – toen drukte ik mijn voorhoofd tegen het raam en het was zo koud en dat voelde ik, dus ik wist zeker dat ik wel wakker moest zijn en toen – toen keek je omhoog en je zag me.

Lieverd, zei ik zo geduldig en voorzichtig mogelijk, dat deed ik in je droom. Zelfs toen was je aan het dromen.

Jij zag me. Ik zag je het pad op komen. Het sneeuwde een beetje. Je had je roze jas aan.

Dromen kunnen volkomen echt lijken, wist je dat? Daar is een naam voor, ik ben vergeten hoe het genoemd wordt – een soort dromen dat je hebt als je heel, heel zeker weet dat je wakker bent – papa weet dat wel.

Fins stem begon te kraken.

Maar ik zag je thuiskomen –

Ik ben die nacht ook thuisgekomen, maar, weet je, omdat je wist dat ik zou komen, omdat je wist dat ik weg was en jij me terug verwachtte, begon je dat te dromen.

Hij keek me aan of ik gek was geworden.

Dat gebeurt, zei ik. Ik heb dat ook gedaan. Schatje, ik verzeker je dat dit soort dromen bestaan.

Waar ging jij dan naartoe? Waar was je?

Ik ben gaan dineren – met een vriend.

Wat voor vriend?

Gewoon een man die ik van heel lang geleden kende, toen ik veel jonger was.

Papa zei dat het je oude vriendje was.

Zei hij dat? Nou, dat was hij niet. Ik bedoel, het was een oude vriend, maar geen vriendje, nee, dat is iets heel anders.

Tom staarde me met koude, verbaasde ogen aan.

Ga je uit? Alweer?

Ja, ja, ik ga. Waarom niet?

Twee avonden achtereen?

Het is zijn laatste avond hier in dit land. Het is de laatste keer dat ik hem in lange tijd zal zien. Misschien wel voor altijd.

Dus?

Dus – ik wil nog een avond met hem doorbrengen. Wat is daar mis mee?

De jongens waren beneden aan het tv-kijken. Tom stond op en duwde de slaapkamerdeur dicht.

Is hij getrouwd? zei hij en zijn stem was hard en scherp.

Nee. Niet meer. Waarom?

Omdat je over hem praat alsof hij je minnaar is.

O, Tom, in hemelsnaam –

Nicole, ik meen het – hoor je dat zelf niet?

Ik had het gevoel dat mijn hoofd overliep en toen besefte ik dat ik in feite hoofdpijn had. Ik ging naar de badkamer, zocht tussen de flesjes en pillendoosjes naar een pijnstiller. Achter in het kastje stond nog steeds een roze flesje *Calpol* voor baby's; ik kon me niet herinneren dat ik dat in tijden had gezien. Het zag er plakkerig en oud uit en mijn hart brak door er alleen al naar te kijken. Ik wist dat ik het weg moest gooien maar in plaats daarvan deed ik het kastdeurtje dicht.

Tom, zei ik toen ik met een glas water in de slaapkamer terugkwam en ondertussen de pijnstiller doorslikte, het is een erg aardige man en ik geef toe, ik vind hem erg aardig. Maar kennelijk niet op die manier. En twee diners met een man die ik van lang geleden ken, heeft niet bepaald veel te betekenen.

Ik hoorde hoe mijn stem dit allemaal zei en ik geloofde het bijna en ik was geschokt. Ik kon me niet herinneren wanneer ik over de scheidslijn tussen waarheid en leugen was gestapt. Was dat van lieverlee gebeurd of was er een enkel koud moment geweest dat ik de keuze had gemaakt? Ik was nog meer geschokt toen ik besefte dat het me niets kon schelen.

Ga dan niet, zei Tom rustig.

Wat zeg je?

Als het zo weinig te betekenen heeft, ga dan niet.

Ik keek hem aan en voelde paniek.

Meen je dat echt? Je wilt me echt tegenhouden om te gaan?

Zijn stem klonk traag – traag en kil.

Ik weet het niet. Misschien. Als het zo weinig betekent als je beweert, bewijs dat dan maar.

Ik staarde hem gekwetst aan en ik realiseerde me dat ik me ook echt gekwetst voelde.

Zit onze relatie dan zo in elkaar? zei ik. Is het mijn taak dingen aan jou te bewijzen?

Hij haalde zijn schouders op en keek me aan.

Ben je jaloers?

Misschien, zei hij. Mag dat?

Ik keek hem recht aan en voelde mijn hart zo snel verkillen, dat het pijn deed.

Ik weet het niet, zei ik. Ik ben ook niet getrouwd, weet je nog?

Wat bedoel je daar verdomme mee?

Alleen maar – laat me met rust, dat is alles.

Nou, krijg de klere, zei Tom luid en duidelijk.

Krijg zelf de klere, zei ik nog harder en toen kromp ik ineen, voor het geval dat de jongens, ondanks de gesloten deur, dit wellicht hadden gehoord.

Ik weet niet precies – dit is heel moeilijk voor me om te zeggen – wanneer het verhaal van jou en mij zich begint te ontrafelen. Het is nog moeilijker voor me die nacht op een rustige manier na te vertellen – de nacht die nu komt, onze laatste nacht, de nacht van rouw en liefde, van parels en sneeuw. Het is moeilijk voor me te vertellen hoe het is, hoe het was – er zijn zoveel andere dingen die er steeds weer tussendoor komen.

Het begint met sneeuw, natuurlijk begint het daarmee, het moet ook op die manier beginnen. Rond jouw hotel valt dichte sneeuw door de koude lucht van die donkere, laatste avond. Beneden is de bar vol van muziek, snerpende melodieën die er nauwelijks lijken thuis te horen en mensen die door de mist van sigarenrook en goedkoop parfum heen dingen tegen elkaar zeggen. Jij zit in dezelfde hoek op me te wachten en deze keer houd je niet eens de schijn op dat je geen sigaret rookt en je ziet er opeens geweldig moe uit, omhuld door vermoeidheid, alsof je het wel gehad hebt met deze dag – voor het eerst, mijn lieveling, kun je jouw leeftijd van je af zien.

Het is al die seks, grap jij. Die begint me te veel te worden.

Ik zeg dat ik wilde dat ik je niet altijd in bars en hotels hoefde te ontmoeten. Ik wens dat ik je naar een echte plek zou kunnen meenemen, een huis met lampen en wijn en dichtgetrokken gordijnen. Een huis met een bed en onze eigen gewone spulletjes. Ik wens dat ik ervoor zou kunnen zorgen dat je bij me op je gemak zou kunnen zijn.

Je zegt daar niets op.

Ik sla mijn armen om je heen en leg mijn polsen op jouw nek en oren om ze op te warmen. Jij drukt kusjes op de binnenkanten van mijn ellebogen.

Mooi meisje, waarom zie jij er nooit moe uit? Je lijkt nooit te eten of te slapen en toch zie je er altijd precies hetzelfde uit, waarom is dat?

Omdat ik van je houd, zeg ik en dit keer merk ik dat de woorden me nog nooit zoveel pijn hebben gedaan.

Deze keer denken we niet eens aan eten. Deze keer ben ik al met grote, zachte tranen aan het huilen, als je me meeneemt naar je hotelkamer. Als je me uitkleedt en me tussen jouw lakens legt, ben ik vanbinnen al aan het verscheuren – zodat het niet veel voorstelt wanneer je bij me naar binnen komt, ik ben er klaar voor, ik ben kapot, ik ben er.

We komen bijna in fasen klaar, ieder apart en ook samen, we hijgen en houden elkaar vast en gaan tot het uiterste – twee mensen die weten dat ze alles opgebruikt hebben, die weten dat hierna niets meer komt.

Je ligt naast me en het blijft (natuurlijk) maar sneeuwen aan de andere kant van het raam, hetzelfde raam waar ik langzamerhand het gevoel van krijg dat ik er al mijn hele leven doorheen kijk – grote volle vlokken tegen de duisternis van de stad. En dan is er jouw plakkerigheid over mijn hele buik en de binnenkanten van mijn dijen, ook op jou, in het haar rond je lieve, vermoeide piemel, op de lakens, de vochtigheid van ons tweeën, donker als tranen. Nu rust jouw hand op mijn borst, mijn gezicht is naar jou toe gedraaid. Je haalt langzaam en rustig adem, als een man die alles wat hij moet doen, gedaan heeft.

Waarom sneeuwt het altijd als we bij elkaar zijn? vraag ik jou en ik weet al dat je die vraag niet kunt beantwoorden.

Waarom heb ik jou niet eerder gevonden? is jouw treurige antwoord.

Je verschuift je iets op het bed zodat je mijn gezicht kunt zien en daar weet ik evenmin een antwoord op. Er lijken geen antwoorden te zijn voor hetgeen het leven te pas en te onpas met ons doet.

Ik glimlach, haal jouw hand van mijn borst en druk er een kus op. Je vingers ruiken metalig, ruiken naar mij, naar de metalige smaak van krankzinnigheid.

Ik heb dat gezegd, zeg je dan tegen mij.

Wat heb jij gezegd?

De metalige smaak van krankzinnigheid. Dat was een zin van mij.

Dat is zo, beaam ik, hoewel ik weet dat ik dit uitgesproken noch gedacht heb. Desondanks is het op de een of andere manier van jou, het is allemaal van jou.

Je kijkt naar mijn gezicht en je strijkt een haarlok uit mijn ogen.

Wat is verliefd worden? vraag ik je dan. Ik bedoel, in tegenstelling tot normale liefde. Ik bedoel, heeft het zin? Leg me eens uit waarom het nooit zo voelde met Tom, zelfs niet in het begin.

Tom is een goede man, zeg je rustig. Hij houdt geen enkel deel van zichzelf verborgen voor jou.

Ik zeg niets als ik dit hoor. Ik houd mijn adem in.

Hij is goed, zeg je weer. Dat weet ik, Rosy. Hij houdt van je. Hij heeft een groot hart.

Wat bedoel je daarmee? vraag ik je dan terwijl mijn hart ineenschrompelt.

Ik zeg dat jullie een toekomst samen hebben, jij en Tom. Jullie tweeën en jullie kinderen.

Ik zeg je dat dit niet bepaald is wat ik wil horen.

Wat, dommerdje, wat wil jij horen?

Ik wil over de liefde horen! Onze liefde.

Goed dan, luister maar. Passie, wat wij verliefd worden noemen, is een illusie. Hij wordt geheel en al geschapen door jou, begrijp je – door de minnaar. Liefde is gewoon hoe wij de gaten verkiezen op te vullen, de manier waarop we de onbeschreven stukken met ons inbeeldingsvermogen inkleuren. Jij hebt een groot inbeeldingsvermogen, Rosy. Maar dat weet je al.

Is dat dan niet iets goeds, vraag ik je, een groot inbeeldingsvermogen?

Ik weet het niet, zeg je, misschien wel. Niet altijd, wellicht. Hangt er, denk ik, van af wat je ermee doet.

Ik haal diep adem. Ik probeer niet naar je te luisteren. Ik ben bang voor wat je hierna gaat zeggen.

Ik wil niet dat dit afloopt, zeg ik tegen je.

Ik ook niet, antwoord je.

Er is zo veel wat ik niet van je weet, hoor ik mezelf zeggen.

Er is niets meer, zeg jij. Ik heb het je toch al gezegd. Jij hebt alle leemten opgevuld, Rosy.

Nee, zeg ik en mijn ogen vullen zich met tranen omdat dit weer eens iets is waarvan ik niet wil dat het tegen mij wordt gezegd. Nee, dat is niet zo, je hebt het mis. Denk aan al die woorden die we elkaar geschreven hebben –

Dat doe ik ook, zeg jij. Dat doe ik de hele tijd.

Zal je ze bewaren?

Altijd. Ze zijn me heel dierbaar.

Hoe laat is het? vraag ik je, en nu begin ik echt te huilen.

Baby, zeg je tegen me. Alsjeblieft, Baby, ga niet nu al afscheid nemen. Ik denk niet dat ik er op dit moment tegen kan.

Ik wil ook niet, maar vanavond staat de tijd niet stil, vanavond doet hij lelijk, hij gaat erg snel vooruit, hij laat ons struikelen, hij weet dat we ons onzeker en onveilig voelen.

En plotseling is het elf uur en ik maak aanstalten uit bed te stappen, maar jij strekt een hand uit om me tegen te houden.

Nee, zeg jij. Nee. Rosy. Ik meen het, nee. Het gaat niet goed met me in mijn eentje, zeg je.

Je hoeft niet alleen te zijn, zeg ik je.

Wel waar, zeg jij. Ik ben zo eenzaam. Je hebt er geen idee van hoe eenzaam ik ben.

Je neemt me in je armen, kijkt me diep in mijn ogen en met je hand doe je wat je die eerste keer deed. Je doet me eerst een beetje pijn en ik protesteer dat ik het niet nodig heb, dat ik eigenlijk denk dat ik het dit keer niet wil: ik weet dat alles plakkerig en loom is en bovendien zijn mijn gedachten ergens anders mee bezig, zoals hoe ik moet voorkomen dat ik jou kwijtraak, mijn liefste. Maar dan – dan gebeurt er iets binnen in mij, precies waar de spier en de vochtigheid het bot tegenkomen en er is een klik en mijn hele lichaam begint te schokken en de helling op te glijden.

Wanneer ik klaarkom, heb ik jou bijna ook zover.

Je lacht maar je moet ook huilen.

Mevrouw Rosy.

Ja? Ja?

Je hebt een goede ziel. Als ik het zou kunnen, zou ik jouw ziel inpikken. Dat zou ik echt doen, weet je. Ik zou hem stelen, in mijn zak steken, met me meenemen en voor mezelf alleen houden.

Zou je dat echt doen?

Ja. En ik zou het tegen niemand zeggen, maar ik zou hem zo nu en dan tevoorschijn halen om me beter te voelen.

De tijd verstrijkt en het kan ons niet langer schelen. Ik slaap een paar minuutjes in jouw armen.

Wat ik je niet verteld heb, is dat ik een beetje gek werd na Mary, zeg ik.

Stil maar. Dat weet ik.

Dat weet je niet. Dat kan je niet weten. Bijna niemand weet dat. Hoe kun jij dat nu weten?

Stil. Toch weet ik het. Geloof me nu maar, ik weet het.

Ben je zelf tot die conclusie gekomen?

Dat klopt.

Tom kreeg heel veel op zijn bord. Hij moest alles regelen. Dat was geen pretje, dat kan ik je wel verzekeren. Arme Tom. Aan mij had hij verdomd weinig.

Er gaat weer wat tijd voorbij. Hij gaat nu wat minder snel, het langzame tempo trekt ons dichter naar elkaar toe.

Je hebt mijn ziel toch al, zeg ik dan tegen je. Je hebt hem al in bezit, besef je dat niet?

O ja?

Ja. Dat weet je best.

Oké. Goed. Dan zal ik er goed voor zorgen.

Je moet me één ding beloven. Als ze je ooit achternazitten en je beschuldigen dat je hem hebt gestolen en eisen dat je hem teruggeeft, ontken dan alles, oké?

Oké.

Omdat ze het alleen maar zullen zeggen. Ze hebben hem niet echt nodig.

Nee? Wie zijn zij?

Ik weet het niet. Ik weet alleen dat ze hem niet nodig hebben.

Oké.

Ik heb liever dat jij hem in je bezit hebt.

Je bent veel te lief.

Dat ben ik toch ook? Dat ben ik. Ik ben lief.

Drie uur later zet je mij midden in de donkere vriesnacht in een taxi. Je houdt me maar een tel vast en dan zoen je mij en onder het zoenen overhandig je mij een pakje in met lint versierd wit papier, dat klein en nietig, maar plagerig zwaar aanvoelt.

Pas openmaken als ik weg ben, zeg je. Dat moet je me beloven. Niet openmaken voor morgen.

Dat kan ik niet beloven, zeg ik, omdat ik nu een meisje zonder ziel ben, weet je nog wel. Ik ben bang dat ik je niets kan beloven.

De tranen stromen langs mijn gezicht naar beneden en ik haal helemaal verkeerd adem.

Goed dan, beloof het me dan niet, beloof me maar helemaal niets. Maar, mevrouw Rooy, ik vraag het je heel vriendelijk. Bewaar het tot –

Je handen, die nu veel kouder zijn, sluiten zich om de mijne die op het pakje liggen en ik denk dat je iets wilde zeggen als 'morgen', maar je kon geen woord uitbrengen omdat je ook aan het huilen was, grote snikken met heftige uithalen. Het deed me pijn ze te horen. Toen deed je de deur van de taxi dicht en die sloot niet goed, zodat je het weer helemaal opnieuw moest doen.

Ik begon je naam hardop te zeggen maar voordat ik het raampje naar beneden kon doen om naar je te roepen, was de taxi vertrokken; de besneeuwde straat schoot langs het raam voorbij en ik kon alleen nog de zijkant van je gezicht zien – bleek en vertrokken en nietszeggend – terwijl jij je omdraaide, omdraaide, omdraaide.

Je draaide je om, om weg te lopen, maar voordat ik je zelfs maar naar het hotel toe kon zien lopen, versmolt je tot precies dezelfde kleur als de vrieslucht en zag ik alleen nog maar sneeuw.

De chauffeur liet de glazen ruit zakken en vroeg me de naam van mijn straat te herhalen en dat deed ik; hij knikte en sloot de ruit weer.

Mijn hart bonkte toen ik het pakje openmaakte, het lint losknoopte en de lagen vloeipapier wegschoof. Het cadeau in mijn hand was precies wat ik al wist dat het zou zijn – een parelsnoer, echte parels, zwaar en solide, romig, glanzend. Ik hield ze een ogenblik in mijn vingers en bracht ze vervolgens naar mijn lippen en toen proefde ik, als een baby, met mijn tong en tanden hoe koel en hard ze waren.

Als we die ochtend in elkaars armen wakker worden, is het koud en vreemd. Het gas is nu definitief op, onze nacht met het parelsnoer is voorbij en nu in het vermoeide ochtendlicht van de kamer zijn we te verlegen met elkaar, op van de zenuwen en behoedzaam.

Ik heb mijn tuinbroek aan met beide halsters los. Jij hebt nog steeds je corduroy broek en je trui aan. Ik ben negentien, jij bent twintig. Je haar zit door de war. Mijn make-up is rond mijn ogen uitgelopen. Jij geeuwt, strekt je uit en glimlacht tegen mij en ik staar terug en hoewel je glimlach me vanbinnen doet verstrakken, ben ik nog een heel dom meisje en ik vermoed dat ik niet terug glimlach, dat ik integendeel koel tegen je doe.

Ik ben zo bang je te verliezen dat een deel van me al is begonnen afscheid te nemen.

Nog steeds Londen

's Ochtends zei Tom geen woord tegen me, maar zijn gezicht zag er eerder bang dan boos uit. Ik kon niet tegen dat gezicht, het vrat aan me – de lange lijn van de mond en neus, de zware ogen. Hij trok een dikke sweater aan, deed zijn stukken in zijn koffertje en verliet het huis terwijl ik het ontbijt van de jongens nog aan het klaarmaken was. Terwijl ik de vuile borden in de afwasmachine zette, hoorde ik hem kort Jack en Fin gedag zeggen, maar hij vertrok zonder nog maar een blik op me te werpen. Ik hoorde alleen het gepiep van zijn fiets op het pad.

Waarom heeft iedereen zo'n klotehumeur vandaag? merkte Fin tegen niemand in het bijzonder op behalve misschien tegen Lex de Tweede die op haar rug met haar dikke ronde buik in de lucht, tegen een elastiekje lag te meppen. Ik deed net of ik hem niet hoorde omdat ik geen antwoord paraat had om hem te geven, nu niet. Ik omhelsde Jack, wat hij niet wilde, maar ik liet hem het huis uitgaan zonder zijn fruit. Ik was zelfs niet van plan Fin ervan te weerhouden een bal mee naar school te nemen.

Hij vertelde me dat hij al drie mensen uit zijn klas had gevonden die een katje wilden hebben als Lex de Tweede haar nest had.

Goed, hoorde ik mijn stem zeggen. Zolang hun ouders het er maar mee eens zijn.

Dat zijn ze, zei hij. Ik zei tegen hen dat ze dat aan hun ouders moesten vragen en zo en het zit goed, ik zweer dat ze het hebben gedaan.

Nou, geweldig, zei ik.

Je bent niet echt geïnteresseerd.

Fin, wel waar, natuurlijk wel.

Hij beet op een nagel en keek me zijdelings aan. Ik wil gewoon dat ze opschoot en ze nou eens kreeg, zei hij. Moet je eens zien hoe dik ze wordt – mam, raad eens, hoeveel denk jij dat ze er krijgt?

Ik weet het echt totaal niet, lieverd, zei ik, ging op een stoel zitten en ik keek naar de kat, die strak terugkeek, met een beschuldigende blik alsof ze in mijn hoofd kon kijken.

Ja, dat weet ik, maar raad eens.

Nou, drie of vier, denk ik.

Geen vijf?

Dat betwijfel ik. Nu moet je gaan, lieverd. Anders kom je te laat.

Nadat Jack en hij waren vertrokken, zat ik een poosje in de keuken. Ik dacht erover om koffie te zetten, maar ik wist dat alleen al de kleine inspanning van het vullen van de koffiepot en het gas aansteken me te veel zouden zijn. Ik zat zo stil dat ik de geluidloze trilling van de koelkast kon horen en ook het geluid van de sneeuw die buiten op het dak lag te smelten en naar beneden druppelde.

Het kostte grote moeite me uit mijn stoel te hijsen maar uiteindelijk deed ik het toch en werkte mezelf weer de trap op, waarna ik op bed ging liggen en door het gat in de rolgordijnen van het slaapkamerraam naar de vrieslucht keek. Het duurde even voor ik doorhad wat ik voelde en toen ik zover was, wist ik dat het angst was. Ik was heel bang.

Uiteindelijk deed ik het. Ik stond op en ging naar mijn bureau dat langzamerhand als een gevechtszone aanvoelde – het scherm, de muur, de stoel – en ik zette mijn pc aan. Ik opende mijn e-mail. Ik kon het opengaan ternauwernood verdragen en ik moest de kamer eventjes uit, ging er toen weer naar binnen. Net zoals ik had gevreesd, was er niets, geen opflikkering, geen woord. Geen nieuwe berichten. Dus stelde ik er zelf een op.

Baby? schreef ik. Ben je er nog? Zeg me alsjeblieft dat je er nog bent –

Ik verzond hem maar er kwam niets terug. Weer: geen nieuwe berichten.

236

Toen wachtte ik eventjes en drukte weer op verzenden/ontvangen. Deze keer kwam mijn eigen e-mail terug en mijn hart bonkte. Snel schreef ik een nieuwe – Baby, wat is er aan de hand? Geef alsjeblieft antwoord als je er bent – en ik verstuurde hem. Hij kwam onmiddellijk terug met een verklaring van de server waarin stond dat de verzending mislukt was omdat de geadresseerde onbekend was.

Ik zat met mijn hoofd in mijn handen en ik begon te beven.

Ik ging terug naar bed. Dat was de enige plek. Ik stopte mijn koude ledematen onder het dekbed en ik keek een tijdje naar de muur. De zon gleed door de opening in de rolgordijnen en een paar tellen stroomde het licht de kamer binnen. Maar om me heen was de lucht zwaarder geworden en er kwamen spleten, dat merkte ik. Precies hier in onze slaapkamer. Ik kon ze voelen. De zon kon dan wel schijnen en mensen zeiden wellicht dat daarbuiten in de wereld de dooi inzette, maar ik maakte daar geen deel van uit. Ik was ergens anders, ik stond huiverend op een ijzige richel en zou zo meteen vallen.

Ik had het koud, zo vreselijk koud, maar ik voelde me ook merkwaardig waakzaam en op mijn gemak.

Na nog een paar tellen toegekeken te hebben hoe het licht zijn langzame baan over de muur vervolgde, begreep ik uiteindelijk wat er was gebeurd, wat er nu gebeurde. Ik besefte dat ik niet langer alleen in de kamer was.

Ze stond op zo'n vijftig centimeter van me vandaan op het kleed. Eerst schrok ik ervan haar zo onverwachts te zien, maar toen ik haar eenmaal duidelijk kon zien, realiseerde ik me dat ik had geweten dat dit zou gebeuren, dat ze er zou zijn, dat ik in feite al die tijd op dit moment had gewacht. Ik denk dat ik zelfs had uitgedacht welk gevoel me dat zou geven – haar daar op dat stukje van het blauwe slaapkamerkleed te zien staan, door de koude zonneschijn verlicht en met een stralenkrans omgeven. Het was echt een helder, enerverend ogenblik. Ieder detail klopte, precies zoals ik had gehoopt. Ik glimlachte in mezelf, ik kon het niet laten. Iemand heeft dit precies goed uitgedokterd, dacht ik.

Haar voeten, met hun vorm en kleine maat die mijn hart altijd deden krimpen, waren bloot zoals ze ook moesten zijn – haar tenen licht gekruld terwijl ze heen en weer schommelde. Ze had alleen een luier aan, aan de achterkant ietsjes zwaarder van het vocht, en een t-shirt dat ze de laatste zomer veel had aangehad – lichtgeel met een roze vlek op de voorkant. Ik wist wat voor vlek het was. Frambozen uit blik. Ze zat in een fase waarin ze kommen met eten over zich heen kiepte. Uiteindelijk ging Tom ertoe over, omdat het toch zomer was, haar uit te kleden voor een maaltijd. Hij zette haar met alleen een luier om in haar kinderstoel, en hij spreidde op de vloer een krant uit, helemaal om haar heen.

We hoeven haar na afloop alleen nog maar af te spuiten, had hij tevreden aangekondigd terwijl hij haar zo liet zitten en zelf met iets anders doorging.

Nu wachtte ik – stil – omdat ze hier was, mijn lieve, vieze baby, weer bij me teruggekomen.

De lucht in de kamer was helemaal tot rust gekomen en ik was zelfs bang om adem te halen, voor het geval dat ik iets verstoorde. Ik wilde niet dat dit voorbijging, ik wilde er niets aan veranderen of degene zijn die een eind maakte aan wat er gebeurde. Ik had me er gelukzalig en in aanbidding aan overgegeven. Ik wilde gewoon dat het zo door zou gaan, precies zoals het nu was.

Dus ik keek haar heel aandachtig aan en hield mijn ogen op haar bleke, ronde gezichtje gericht. In haar linkerhandje had ze een drinkbeker met een deksel erop, een van de oude verkleurde blauw met groene bekers, die ik al een poosje niet meer had gezien. Er zat mogelijk water in, of misschien wel melk. Het zou geen sap zijn, ik gaf haar nooit sap. Ik zag dat ze hem een beetje heen en weer schudde om te zien wat er zou gebeuren, maar er kwam gelukkig niets uit.

Gek genoeg deed het me nog het meeste pijn haar oude gevlekte t-shirt te zien. Omdat dat op de een of andere manier precies bij me opriep hoe ze was, hoe ze aanvoelde, mijn dochtertje van lang geleden. Ik kon aan de wat vermoeide hang van het t-shirt, aan de flodderigheid, aan de manier waarop het tegen haar schouders lag, opmaken dat het niet pas uit de wasmachine was gekomen, dat het heerlijk naar haar zou ruiken – naar haar onstuimige warmte en haar plooien. Wat verlangde ik ernaar die geur op te zuigen. Het was soms moeilijk te begrijpen dat liefde zo fysiek kon zijn, dat hij je zo in beslag kon nemen, al je zintuigen lamlegde.

Ik hoorde mezelf mijn adem inhouden omdat ze naar me keek, rechtstreeks naar mij, haar mama. Haar gezicht – die wijd van elkaar staande zwarte ogen, die platte neus, de bovenlip die van de onderlip opkrult als de snavel van een eendje in een tekenfilm – ik had die details zo lang al niet in me opgenomen. Je denkt dat je het je herinnert, maar je vergeet zo veel, zo veel. Mijn hele lichaam voelde slap van de hunkering.

Mam!

Ze hield nu haar armen omhoog. Ze wilde dat ik haar optilde.

Mam! Ze zei het weer, dringender deze keer; er trok een schaduw over haar gezicht en ze strekte zich zo vol verlangen naar me uit dat ik mijn adem inhield. Ik wilde dolgraag naar haar toe gaan maar – hoe waren de regels precies? – ik was bang dat als ik me te veel bewoog, ik op de een of andere manier de dingen zou verstoren, de betovering zou verbreken en het enige waar ik absoluut niet toe in staat was, was dit ogenblik loslaten, dit ene waar ik zo sterk naar had verlangd en al zo lang over had gedroomd. Dus staarde ik gretig naar mijn baby. Laat me alstublieft dit moment niet loslaten, hijgde ik, laat me dit alstublieft niet laten gaan.

Mam!

Toen hoorde ik, bijna tegen mijn wil in, mijn adem in een fluistering naar buiten komen: Baby! Kom maar bij mamma.

Een tel verstijfde ze en leek te luisteren, met haar hoofd ietsje opzij en een verbluft gezicht. Het was alsof ze me al met al helemaal niet kon zien, alsof ze vanaf een volkomen andere plek stond te luisteren, zojuist een flard van mijn stem had opgevangen en alsof dat haar enigszins van haar stuk had gebracht.

De tranen stroomden langs mijn gezicht, in stromen – omdat ze nu niets anders kan doen dan luisteren en haar armen uitstrekken en nu trilt haar lip een beetje alsof ze op het punt staat te gaan huilen en ze haalt met korte teugen adem, dat ken ik zo goed van haar, op een manier die gewoonlijk de voorloper van een huilbui is.

Maar uiteindelijk is het mijn schuld dat het bed kraakt en het dekbed opzij wordt geduwd omdat ik haar daar niet zo kan laten staan, ik moet mezelf begeven naar waar zij zich bevindt. En midden op het vloerkleed houd ik haar tegen me aan en adem haar gedurende drie of misschien vier secondes in, voor het licht de kamer wordt uitgezogen en mijn handen leeg zijn en ik, duizelig van verdriet en verlies, haar voel gaan.

Dat is het ogenblik dat ik het deed. In dat moment van duisternis belde ik eindelijk Tom op zijn mobiel.

Ik ben het, zei ik.

Hallo, zei hij en hoewel hij niet bepaald verrast klonk, kon ik hem toch naar adem horen snakken. Is het goed met je?

Nee, zei ik. Nee, Tom, nee, het spijt me, maar het gaat niet goed met me.

Hij lag op bed, ons bed en hij hield me vast. Zomaar in het karige, koude daglicht: jij weg, Baby weg, de kinderen op school, de laatste sneeuw smeltend op de grond buiten. Alles stond op het punt weg te gaan.

Hij hield me vast en ik liet hem begaan; zijn kleren roken naar kou en buiten, zijn kin zat tegen me aan en die was ook koud, zijn gezicht was koud. Ik keek naar zijn handen die om me heen lagen – slanke, bleke handen met lange vingers. Ik keek ernaar en ik vroeg me af waarom ik er niet eerder goed naar had gekeken – wat had hij slanke handen voor een man – zoals ik ook tot nu toe niet had gezien hoeveel schaduwen er over zijn gezicht lagen.

Ik kon hem niet aankijken.

Ik vertelde hem zo veel ik kon. In feite bijna alles. Alles over jou en mij, het hele verhaal. Ik had uiteindelijk geen andere keus, er zat niets anders op – en ik hoorde hoe ik me alles liet ontvallen – Parijs, Londen, jij en ik, alles. Het enige wat ik voor me hield, was wat ik niet kon verklaren, ook niet voor mezelf – het vreemde en de betovering. Ik zei tegen mezelf dat dit kwam omdat Tom dat misschien stom en idioot zou vinden en bovendien wilde ik hem niet kwetsen. En hoewel ik dat ook niet deed, ben ik er nog steeds niet zeker van of dat de echte reden was. Ik denk dat de reden dat ik iets achterhield, met hebzucht te maken had, dat ik op de een of andere manier wat voor mij alleen wilde houden. Ik denk dat ik bepaalde dingen wilde bewaren zodat ik er later een verklaring voor kon zoeken, omdat ik nog niet besloten had wat ik er echt van dacht.

Ik vertelde hem niet over de parels.

Tom luisterde naar alles wat ik hem te zeggen had en ik voelde hoe hij mij steviger vasthield en ik was blij dat ik zijn gezicht niet kon zien.

Ik wist dat je dit zou gaan doen, zei hij rustig, toen ik uitgesproken was. Ik kon het zien aankomen, weet je. Ik wist dat je een verhouding zou beginnen.

Een verhouding? echode ik, verbaasd om het woord.

Dat is het toch? Je hebt een verhouding gehad.

Ik zei niets. Ik probeerde hierover na te denken.

Jij – wist – dat ik dat zou doen? zei ik, terwijl deze gedachte nu pas tot me doordrong. Ik kon voelen hoe zijn lichaam tegen het mijne aan trilde. Ik kon zijn gespannen ademhaling in zijn borst voelen en horen hoe dit zijn stem deed trillen.

De gedachte eraan spookte almaar door mijn hoofd, het gevoel dat ik – jezus, ik ben zo verdomde stom geweest. Ik had iets moeten doen, waarom deed ik niets?

Wat had je kunnen doen? vroeg ik hem rustig.

Hij keek me aan.

Nou, wat dan? zei ik.

Ik ken jou, Nicole, je vergeet – al die jaren, wat denk je wel? Wat verwacht je? Wat moeten die jaren anders voorstellen? Niemand kent jou beter dan ik.

Maar – wat had je dan precies moeten doen? vroeg ik hem weer, nu iets koeler.

Ik voel hem zijn hoofd schudden.

Ik weet het niet. Ik weet het gewoon niet. Ik had je moeten tegenhouden.

Me tegenhouden?

Ja, je tegenhouden.

Hoe had je dat willen doen?

Ik weet het niet. Je zou het niet leuk hebben gevonden. Je zou me hebben gehaat.

En jij? vroeg ik hem. Zou jij jezelf niet gehaat hebben?

Hij nam mijn hand in de zijne en zuchtte diep.

En ik? Het gaat toch nooit om mij, niet echt, Nicole?

Minuten verstreken en we zeiden niets. Hij liet mijn hand los, liet hem liggen op de plek waar hij gevallen was tussen de plooien van het dekbed. De telefoon ging maar we deden er niets mee; we lieten hem gaan en uiteindelijk hield hij op. Op straat blafte eventjes een hond hard, toen sloeg een autodeur dicht.

Jij denkt dat het allemaal om mij draait, zei ik ten slotte tegen hem. Maar jij praat nooit tegen me, Tom. Ik meen het, je hebt er geen idee van – ik ben zo eenzaam geweest.

Hij keek me emotieloos aan.

Nu, bijvoorbeeld, zei ik tegen hem. Wat denk je nu op dit moment?

Als je het echt wilt weten: ik vraag me af waarom ik niet bozer op je kan zijn. Ik vraag me af waarom ik je niet kan haten.

Wil je me kunnen haten?

Ik zit te denken dat het misschien beter voor me zou zijn als ik dat kon.

Je zou het ook moeten doen. Je zou me moeten haten en je zou razend moeten zijn. Ik zou het begrijpen als het zo was.

Zou je dan meer respect voor me hebben?

Ik weet het niet. Nee, ik denk van niet. Ik vraag het me af. Maar ik zou het op z'n minst begrijpen.

Tom draaide zich om, om me nauwkeurig te bekijken.

Ik kan niet boos op je zijn, Nicole. Ik kan je ook niet haten.

Ik heb jou wel gehaat, vertelde ik hem, maar terwijl ik deze woorden naar buiten hoorde komen, begon ik in te zien dat ze niet helemaal waar waren.

Ik weet het, zei hij, ik weet dat je dat hebt gedaan.

Tom –

Ik ben zo ongerust over je geweest, zei hij, hoewel zijn stem nog steeds hard en kil klonk, ik had er geen idee van – ik had letterlijk geen flauwe notie van wat je aan het doen was.

Ik ook niet, zei ik naar waarheid.

Geweldig, zei hij. Dat is nou eens een lekker verantwoordelijk antwoord.

Het spijt me, zei ik tegen hem, en ik vroeg me af of dat zo was.

Je houdt niet van deze man, zei hij toen, ik geloof geen moment dat je van hem houdt. Dat kan niet.

Dat meen jij te weten?

Ik denk dat ik dat weet, ja.

Maar – Tom, neem me niet kwalijk, hoe kun jij dat nu zeggen, als je er niets van weet?

Jij hebt me er net een heleboel over verteld. En ik weet dat er niets echt is.

Wat ik ondervonden heb, de gevoelens die ik ondervonden heb waren echt, zei ik tegen hem.

Ik kan me niet voorstellen wat jij ondervonden hebt, zei hij koel.

Maar, zei ik, en ik dacht aan jou en plotseling maakte mijn hart een sprongetje en werd warm bij de gedachte aan jou, hoe dan ook, je hebt geen gelijk, Tom, zo is liefde niet. Hij is niet echt of onecht – hij is echt voor de persoon die liefde voelt en daar gaat het om. Je kunt niet kiezen of je hem wel of niet voelt, je voelt de liefde of niet, hij is er gewoon. Zo eenvoudig is het.

Tom probeerde te lachen.

Je klinkt als een tiener, weet je dat, Nicole? Je klinkt nog kinderachtiger dan Jack.

Ik zweeg. Ik dacht aan jou en mij als tieners, met parels in onze monden en ik koesterde die gedachte in de hoop op wat troost.

Tom haalde diep adem. Hoe kon je me dit aandoen, Nicole? zei hij. Ik meen het. Hoe kon je zo'n kille, berekenende keuze maken?

Ik staarde hem aan.

Het was geen – keuze, vertelde ik hem.

O, in godsnaam, zei hij.

Nee, zei ik, je kiest er niet voor om al dan niet verliefd te worden, Tom. Het spijt me, maar ik heb het je gezegd, het gebeurt gewoon – je wordt het gewoon.

Hij lachte weer, een verdrietig, boos lachje.

Nee, zo gaat het niet, dat is een mythe, ik geloof daar niet in. Op onze leeftijd is het een weloverwogen keuze die je maakt. Je besluit om het te doen – je besluit ervoor te gaan. Natuurlijk, als je eenmaal een besluit hebt genomen, dan is het gemakkelijk. Zoiets heeft, daar ben ik zeker van, zijn eigen momentum, dan gaat de rest vanzelf. Maar je moet zelf iets doen – je moet je ogen opheffen, je moet vlak naast een afgrond lopen, je moet de waarschuwingstekens negeren en dan, weet je, moet je besluiten er jezelf in te laten vallen.

Ik zei niets.

Dat kan iedereen, voegde hij eraan toe. Iedere dwaas kan zijn klote-evenwicht op zo'n verdomd onverantwoorde manier verliezen. Goed, noem het vallen als je wilt. Maar kom me niet vertellen dat het echt is. Het is niet echt. Niets kan in feite zo gevaarlijk onecht zijn als dit.

En ik zal je zeggen wat echt is, zei hij, als je dat wilt weten. Onze kinderen. Wat we samen allemaal hebben meegemaakt. Jack, Finlay en Mary – ja, zelfs Mary, zelfs dat.

Het klonk zo vreemd hem zo haar naam te horen zeggen, zo gemakkelijk, en ik deed een tel mijn ogen dicht.

Ik wilde dat het niet echt was, zei hij, dat deel ervan, maar het was het wel.

Toen, zei ik langzaam, was het dat ik begon te vallen.

Dat weet ik, zei hij. Ik weet het. Ik voelde hem zijn greep op mij verstevigen. Maar Nicole, de jongens zijn er nog en zij zijn echt – en ons gezin en heel onze gezamenlijke geschiedenis, alle liefde die we hadden, denk je ook niet dat die echt zijn?

Ik dacht hierover na en we zwegen allebei een poosje. Hij was van me vandaan geschoven en hij had zijn handen achter zijn hoofd gevouwen. Hij keek omhoog naar de zoldering, dezelfde zoldering waar de zon nog overheen bewoog en zijn gekke schaduwen en patronen op produceerde. Schaduwen en patronen die hij, zo wist ik, nog zou blijven maken lang nadat wij allemaal verdwenen waren. De kamer voelde bijna warm aan.

De sneeuw is weg, dacht ik toen. Hij zal nu niet terugkomen.

Houd je van me? vroeg ik hem na ongeveer tien minuten.

Ik denk van wel.

Ben je daar niet zeker van?

Ik weet toch niet of het echte liefde is, die ik voel? Ik denk – ik kan me niet voorstellen dat ik niet van je houd, Nic.

Maar je vindt me niet aardig?

Ik weet het niet. Ik vind het moeilijk iemand te respecteren die tegen me heeft gelogen.

Dat kan ik me voorstellen. Dat was het ergste ervan: tegen jou te liegen. Ik had nooit gedacht dat ik dat zou kunnen.

Maar je deed het wel.

Inderdaad.

Ik moet erover nadenken of ik je nog aardig vind, Nicole, zei hij. Maar laat ik je één ding zeggen, ik benijd je, Nicole, echt waar. Ik benijd je jouw zekerheid.

Mijn zekerheid? zei ik verbaasd, omdat ik mezelf de minst zekere persoon op de hele wereld vond.

Ja, zei hij, ik benijd je om de manier waarop je 's ochtends wakker wordt en naar de lucht en de wolken en de vogels en bomen kijkt en je zuigt het allemaal in je op en jij bent volkomen zeker van jouw plaats in de wereld.

Ik glimlachte.

Dat klinkt wel grappig, zei ik.

Maar je weet wat ik bedoel.

Ik denk van wel. Misschien, zei ik een beetje onzeker. Maar ik klink er een beetje, nou ja, gek door.

Je bent een beetje gek, zei hij zo snel dat ik lachte. Dan ben je. Daarom houdt iedereen van je, weet je, zei hij en zijn stem klonk nu serieus, bijna bitter. Daarom kan niemand jou weerstaan. Vanwege die zekerheid op de rand van gekte. Vanwege de manier waarop jij er altijd uitziet alsof je erbij hoort.

Bij de wereld hoort? zei ik terwijl ik probeerde te luisteren en te begrijpen.

Nee, niet bij de wereld, niet bij deze wereld. Bij een wereld die je zelf geschapen hebt. Je hebt een bel om je heen, Nicole, maar je past erin. Hij zit je als gegoten.

Dat klinkt alsof je vindt dat ik daar niet bepaald een erg aardig mens van word, merkte ik op.

Nee, dat vind ik ook niet. En ik ben er ook niet altijd zeker van dat je daardoor gelukkig bent maar je wordt er –

Wat?

Tom dacht even na.

Je wordt er oogverblindend van, zei hij. Jij werkt begoochelend.

Er schoten eventjes tranen in mijn ogen.

Soms, zei Tom en zijn stem klonk bitter, kan ik nauwelijks naar je kijken vanwege je uitstraling.

Dat is niet iets goeds?

Daar ben ik niet zeker van, nee.

Ik veegde de tranen met mijn vingers en duim af. Omdat ik niet wist wat ik voelde over wat Tom had gezegd, omdat we nog nooit een dergelijk gesprek hadden gevoerd – niet een dat diep in ons groef tot aan de kern van wat we waren – niet echt, nog nooit. Ik keek naar de plek op het vloerkleed waar Mary had gestaan en ik wist dat ik ook nog steeds over mijn hele lichaam de plekken kon voelen waar jij was geweest, waar je me had aangeraakt.

Je praat nooit zo met me, zei ik tegen Tom. Nooit.

Dat weet ik.

Ik wilde dat je het wel zou doen. Ik wilde dat je al eerder zo met me gepraat had.

Dat weet ik ook.

Ga je bij me weg? vroeg ik hem toen.

Ik weet het niet. Misschien. Vind je dat ik dat zou moeten doen?

Ik weet het niet.

Ik zal er toch maar eens over na moeten gaan denken. Maar je hebt gelijk, misschien heb ik meer dan dit verdiend. Maar het punt is, Nicole, dat ik me niet voor kan stellen dat ik van iemand anders kan houden. Al wat ik ooit heb gehad, al wat ik heb bereikt, heb ik in dit gezin gestopt.

Lex de Tweede moest toch een beetje langer zwanger zijn geweest dan we ons hadden gerealiseerd, omdat ik midden in de nacht werd gewekt door Fin, die aan onze deur stond.

Mam, kom gauw! Ik denk dat er iets mis is met Lex.

Slaapdronken greep ik de eerste de beste trui en volgde hem naar boven. Zijn kamer was ijskoud en zijn nachtlampje was aan. De grond lag bezaaid met voetbalblaadjes en het gordijn was maar gedeeltelijk langs het raam dichtgetrokken, zodat een stukje zwarte nachtlucht en een koude, witte maan buiten te zien waren.

Fin stond te huiveren en aan de ene kant van zijn hoofd stond zijn haar stijf rechtop.

Waar is ze? vroeg ik hem en hij wees naar het bovenste bed.

Daar boven.

Hemel. Hoe is ze daar gekomen?

Daar gaat ze altijd naartoe. Ik werd ergens wakker van, zei hij klappertandend. Ik wist niet waardoor en toen keek ik op het bovenbed en het was Lex en ze maakte zo'n gek geluid en ik ging hoger staan en plotseling zag ik dat alles nat was en mam, het is zo gek, ik denk dat ze gepist heeft of zo.

Ik ging op mijn tenen staan en probeerde naar Lex te kijken die op het bed rond rommelde. Telkens liet ze zich door haar achterpoten zakken en kwam dan weer overeind. Haar bek stond open in een stomme miauw.

Is het wel goed met haar? vroeg Fin angstig terwijl hij probeerde de zijkant van het bed vast te pakken en zich op te trekken om te kijken.

Wacht even, zei ik tegen hem en ik zag dat het dekbed – een oud exemplaar dat we overhadden en dat we gebruikten voor kinderen die kwamen logeren – doorweekt was van iets donkers. Er is niets aan de hand met haar, maar weet je wat? Ik denk dat ze begonnen is haar jonkies te krijgen.

Fin hapte naar lucht.

Nu al!

Tom riep zachtjes vanaf de overloop en vroeg wat er aan de hand was terwijl Fin haastig schoolboeken op de grond gooide en zijn bureaustoel bijtrok zodat hij daar op kon staan om beter te kunnen kijken.

Ik denk dat ze weeën heeft, vertelde ik Tom toen hij binnen-kwam.

Wie heeft weeën?

De kat natuurlijk.

Nu al? sprak hij Fin na, maar voordat hij nog iets kon zeggen, trok Fin aan mijn hand en wees naar waar een bruine vorm on-der de staart van Lex de Tweede tevoorschijn kwam.

Ze krijgt er eentje! Pap, vlug, kom kijken, er komt er echt een-tje uit!

Tom had net tijd genoeg om te zien hoe Lex een paar keer ril-de en vreemd rasperig miauwde, voor ze zich rustig omdraaide en de natte vorm die net uit haar was gegleden, begon te likken.

Het kostte Lex de Tweede bijna twee uur om al haar vier jonkies te krijgen. De eerste was cypers, net als zij, de volgende twee wa-ren zwart met wit, voornamelijk wit. We zagen de kleuren lang-zamerhand sterker worden terwijl ze tussen de bevallingen door elk ervan met haar tong schoon likte.

Wat een zorgzaamheid, zei ik tegen Fin terwijl we toekeken hoe haar roze bek voorzichtig elk plukje natte, donkere vacht be-handelde. Moet je kijken hoe grondig ze dat doet.

Fin hurkte naast de kat op het oude dekbed en ik vroeg me af of hij er niet te dichtbij zat, maar het scheen haar helemaal niet te deren. Je kon in de kamer alleen zijn ademhaling en haar ras-pend gelik horen.

Ze weet precies wat ze moet doen, zei Tom. Ook al heeft ze het nooit eerder gedaan.

Hij lag op Fins bed te kijken en te gapen. We hadden het dek-bed van het bovenbed naar de vloer van Fins kamer verhuisd, zodat we allemaal wat gemakkelijker konden toekijken.

Het zit in haar genen, zei Fin. Net als hoe ze weten dat ze naar haar tepel moeten gaan voor melk en zo. Zijn wij er ook zo hele-maal bedekt met smurrie en van die troep uitgekomen?

Ongeveer wel ja, zei ik en herinnerde me de golf van opluch-ting aan het eind van de bevalling als de baby glibberig van het bloed eruit glijdt.

Behalve dat je moeder jou niet hoefde af te likken, zei Tom. In plaats daarvan veegde de vroedvrouw jou schoon.

Hm, zei Fin nadenkend. Klinkt nogal vies.

Helemaal niet, zei ik tegen hem, en plotseling kon ik Tom niet aankijken. Jullie waren het mooiste wat ik ooit had gezien, jullie roken en smaakten heerlijk. Ik had jullie gemakkelijk helemaal af kunnen likken.

Jezus, mamma, gruwelde Jack die precies op tijd voor de twee-de bevalling was gewekt, maar nu bijna weer in slaap was geval-len op de vloer. Moet je nu altijd zo alles tot in details vertellen?

Ik zag Tom in zichzelf lachen en eventjes was zijn gezicht het oude gezicht en het deed me pijn om mijn hart.

Ster! zei Fin toen, want hij had een witte vlek op het voor-hoofd van de derde boreling ontdekt. Ik noem die ene Ster.

Nou, geweldig, heel origineel, zei Jack.

Ze zien er net als ratten uit, merkte Tom wat later op. Vinden jul-lie niet? Kleine, natte ratten.

Fin giechelde.

Weet je nog van die rat? zei hij.

Die rat?

Ja, die ene een hele tijd geleden toen we thee dronken en – en, nou ja, Baby zag hem het eerste –

Een tel keek Tom mij aan.

Aha, zei hij, de beroemde rat die telkens verdween.

Het was maar een kleintje, waarschijnlijk een jonkie. Lex, de oorspronkelijke Lex, had hem 's nachts mee naar binnen ge-bracht en had hem met een vreselijk opgewonden huilgeluid op de overloop neergelegd. Maar het geluid dat de rat produceerde was nog erger – een ritmisch gepiep, bijna elektronisch. Tom en ik – half wakker en doodsbang – hadden met een cricket bat en een bezem gesjord en geport tot het ons lukte hem naar bene-den te drijven en in de keuken op te sluiten. Het leek ons beter tot de ochtend te wachten om er iets aan te doen.

Maar het werd ochtend en – hoewel we heel voorzichtig de keukendeur hadden opengezet, vervolgens de tuindeuren had-den opengegooid en met de bezem bij de hand zenuwachtig stonden te wachten tot het schepsel zich zou vertonen – er ge-

beurde niets, geen rat te zien. We zochten overal – onder de gootsteen, achter de kasten, maar vonden niets. Uiteindelijk gaven
we het verbijsterd maar opgelucht op.

Jij moest per se laarzen aan toen je ging zoeken, herinnerde
Fin me. Voor het geval hij over je tenen zou kruipen.

Bah, zei ik toen ik er weer aan dacht. Je hebt gelijk, ik kon de
gedachte eraan niet verdragen –

Jij dacht dat hij door het kattenluikje naar buiten was gegaan,
zei Jack op zijn beurt. Hij en Fin lachten samen. Maar – nee!

Ha! zei Fin. Maar Baby was degene die hem vond, weet je
nog?

Ik wel. Ik wist het nog. Wel acht of negen uur later, ik was bezig de kinderen hun thee met toebehoren te geven. Ze zaten alle-
drie rond de tafel, Baby in haar kleine aanschuifstoel en Fin was
me een lang en ingewikkeld verhaal over school aan het vertellen. Baby zat wat la, la, la te zingen, met haar hoofd te schudden
en net te doen of ze luisterde; ze had een lepel vol gebakken bonen naar haar mond getild en zat opeens als verstijfd met de lepel midden in de lucht. Toen brak haar hele gezicht in een grote
glimlach.

Ka! riep ze vol verraste verrukking en ze gooide de lepel weg,
die stuiterend tomatensaus over de hele tafel spetterde en ze
wees. Ka! Ka!

O, moet je kijken! riep Jack toen hij zich omdraaide.

Omdat daar, onder de grote canvas tas waarin we schone strijk-
was bewaarden, een dikke geringde staart uitstak. Hij lag op de
vloer gekruld te wachten.

Ka! zei Baby weer en bonsde met haar handen op de tafel en
gaf een gilletje van verrukking.

O, lieve hemel, zei ik tegen Jack, en ik kon het niet nalaten: ik
huiverde. Daar zit hij, daar, hij moet er al die tijd hebben gezeten.

Wat! zei Jack, bedoel je – de hele dag?

Fin vond het net als Baby heel grappig.

Niet 'Ka', Baby, vertelde hij haar en gaf haar de lepel terug.
Niet 'ka' maar 'ra'! Het is een rat! Zeg maar: rat!

Ra! zei Baby en sloeg met haar lepel op de rand van de tafel.

Nee, zei Fin. Ra-t!

Mama moest mij toen opbellen om te vragen thuis te komen, zei Tom lachend. Ze was zo in paniek. Jullie mochten niet eens meer je thee opdrinken. Ze evacueerde de kamer, zei Jack, zo verdomde bang was ze.

Maar als Baby hem niet had gezien, bracht Fin toen te berde, had misschien niemand van ons hem gezien en dan hadden we er allemaal gewoon mee moeten leven in het huis, misschien wel voor altijd.

Wat een onzin, zei Jack. Natuurlijk zouden we niet –

Maar ik keek naar Fin. Het was voor het eerst sinds lange tijd dat ik hem haar naam zo vlotweg hoorde noemen.

Het was toch heel knap van haar, zei Fin die nog steeds naar de pasgeboren katjes zat te staren. Ja toch, mam?

Dat was het zeker, zei ik. Het was heel knap van haar dat ze die staart eronder uit zag steken. Ze was – ze had alles heel goed in de gaten.

Dat had ze, zei Tom. Maar baby's zien de wereld anders. Ik bedoel, ze merken andere dingen op.

Ik keek hem aan en wist niet of hij dacht wat ik dacht – dat dit weer een van onze familieverhalen was, een van de verhalen die we aan elkaar vertelden en die we nog jaren en jaren aan elkaar zouden blijven vertellen. En hoewel de herinnering aan Baby, hoe zij wees en glimlachte en haar bonen over tafel gooide, nu zo ruw en hard was als een stomp in de maag, werd ik toch getroost door het feit dat haar naam zo'n groot deel uitmaakte van het verhaal.

Ik heb in geen tijden aan het verhaal van de rat gedacht, zei Fin toen. Ik denk dat een deel van mij het verhaal vergeten was en een ander deel niet.

Dat is bij mij ook zo, zei ik.

Zo zal het ook gaan als we over deze nacht praten, dacht ik. We zullen terugkijken en we zullen zeggen: weet je nog van die nacht toen we dachten dat Lex nog niet zo lang zwanger was en dat toen plotseling de jonkies werden geboren? Alleen zou Baby niet in dat verhaal voorkomen en ook niet in het verhaal erna. Ik bedacht dit allemaal en toen keek ik naar Tom en voelde tranen opkomen, dus draaide ik snel mijn hoofd om zodat niemand het zou zien.

Tegen de tijd dat het laatste katje tevoorschijn kwam – rood-bruin! Kijk! fluisterde Fin – had Jack de moed opgegeven en was weer naar bed gegaan, was Tom bijna in slaap gevallen op Fins bed en zat ik in de leunstoel.

Het is bijna drie uur in de ochtend, mompelde ik tegen Tom. Dit zal toch wel de laatste zijn?

Alleen Fin was nog klaarwakker, ook al waren zijn ogen klein van vermoeidheid. Hij keek toe hoe Lex luid spinnend haar jon-kies voedde op het besmeurde dekbed, met haar ogen stijf geslo-ten en haar buik vooruitgestoken.

Weet je wat ik net zat te denken? zei hij.

Nee, zei ik geeuwend, wat dacht je net?

Dat ze helemaal geen gebruik heeft gemaakt van de doos die we voor haar hadden klaargezet.

Tegen de tijd dat we weer in bed lagen, was het kwart over drie. Ons huis was vol katten en de wereld buiten was zwart en koud. Ik dacht dat Tom zich van me af zou draaien om te gaan sla-pen, maar dat deed hij niet, integendeel, hij trok me naar zich toe, kuste mijn hoofd en nek, trok mijn nachtjapon omhoog en streek met zijn vingers over mijn tepels.

Ik houd van je, zei hij, alsof dat iets was wat buiten zijn macht lag.

Ik houd ook van jou.

Je bent een gekke vrouw, weet je dat?

Ik zei niets.

Maar je hebt een paar aardige kinderen voortgebracht.

Vind je ze leuk?

Voor nu voldoen ze.

Ik probeerde me tegen hem aan te nestelen, maar hij ver-schoof en kuste me weer, lang op mijn mond. Hij smaakte lek-ker. Ik was vergeten hoe lekker hij smaakte.

Er zijn te veel katten in dit huis, vertelde hij me terwijl hij mij tussen mijn benen aanraakte.

Dat weet ik, fluisterde ik terwijl ik mijn dijen iets van elkaar haalde om hem zijn gang te laten gaan. Ik weet het en het spijt me.

Al die harten, zei hij, allemaal boven aan het kloppen.

Zes, zei ik, nee, zeven.

Dat klopt, zei hij, zeven kloppende harten.

Dierenharten, zei ik en dacht aan onze jongens in hun bedden, overgeleverd aan de slaap.

Hij liet zijn vingers in me glijden en ik haalde diep adem.

Haat me niet, zei hij, alsof hij degene was die vergiffenis moest krijgen.

Ik haat je niet, vertelde ik hem verward. Hoe heb je dat ooit kunnen denken?

Hij gaf geen antwoord; waarom zou hij ook? dacht ik.

We bedreven de liefde langzaam en voorzichtig, alsof er zich iets tussen ons bevond wat van een zo breekbare substantie was gemaakt, dat het elk moment kon verbrijzelen. En dat was er in zekere zin ook. Ik wist niet of het ons meisje was, dat we verloren hadden, of gewoon de ingewikkelde structuur van onze levens en verledens, maar het was er tussen ons, de hele tijd, zonder hoop, onwrikbaar, breekbaar als glas.

In eerste instantie dacht ik dat ik in het geheel niet opgewonden zou kunnen raken, maar dat deed er nu volgens mij niet zo erg toe; het was nu van belang Tom te volgen, te gaan waarheen hij ook maar wilde, hem te volgen in de warmte van ons oude, doorgezakte bed en te zien wat er gebeurde. De gevoelens waren eigenlijk niet anders dan de oude gevoelens – de jaren en jaren dat we onze lichamen gebruikten om elkaar te plezieren en te troosten – maar het was fijn dat hij dit keer wat langzamer deed en ik veronderstel dat het ook fijn was dat ik ontdekte toen hij bij me naar binnen ging, dat ik hem daar iets dringender wilde hebben dan ik had gedacht.

Ik hapte naar adem terwijl ik me openstelde om hem binnen te laten.

Dat is goed, zei hij, en hij streek het haar uit mijn gezicht en ik voelde hoe hij me recht in de ogen keek, iets wat hij tot nu toe nooit had gedaan.

Toen ik klaar begon te komen, kwam dat als een verrassing

– een langdurige, lage pijn die bij mijn voeten begon en zigzag door mijn centrum heen trilde, door het centrum van mijn lichaam. Mijn kalme centrum. Mijn kalme centrum.

Snel verban ik jou uit mijn hoofd, ik duw alle gedachten aan alle andere dingen weg en als ik klaarkom heb ik het gevoel dat ik deeltjes van mezelf over de hele kamer, over het bed, overal rondstrooi. Voor het eerst in lange tijd denk ik ook niet aan Mary.

We liggen in elkaars armen na te hijgen en ik hoor ver weg op straat het vreemde elektrische gezoem van de melkwagen.

Nu al? zeg ik. Hij begint ook vroeg.

St, zegt Tom, en hij geeft in het wilde weg met zijn hand klopjes op mijn haar alsof hij me op die manier weer in slaap krijgt.

Het is gek, fluister ik, wat een orgasme vermag.

Tom zegt niets. Ik hoor zijn adem op het kussen.

Vind je ook niet? vraag ik.

Hij bromt wat en zijn slaperige hand strijkt weer over mijn hoofd.

Ik bedoel, zeg ik, als ik ben klaargekomen, is het net of het leven, in plaats van verticaal en grillig, plotseling glad en horizontaal is. Ik beweeg me gewoon over deze snelle horizontale streep...

Ik hoor hoe Tom dieper begint te ademen.

En de streep is zo glad en recht en lang dat het echt gemakkelijk zou moeten zijn om meteen in slaap te vallen, meteen daarna, zomaar, zonder meer. Maar het probleem –

Ik schuif mijn gewicht een beetje tegen Tom aan.

Het probleem is, ik ga zo snel langs de lijn dat het heel gemakkelijk is er zomaar af te glijden, alsof je haaks komt te staan, naar boven of beneden. En op zo'n moment maak ik mezelf vaak wakker – heb jij dat ook?

Tom zwijgt en zijn ademhaling is weer veranderd.

Ik wilde dat ik kon doen wat jij doet, fluister ik. Gewoon verdwijnen na de seks.

Zijn mond gaat een beetje open terwijl hij harder ademt. Ik breng mijn lippen vlak bij de zijne. Zijn adem ruikt schoon en zoet, als de adem van een kind.

Ik vermoed dat je geen snars begrijpt van wat ik tegen je zeg, zeg ik tegen hem. Is het niet belangrijk, wat ik net heb gezegd?

Ik zoen hem op zijn schouder en ik luister hoe de melkwagen dichterbij komt en uiteindelijk hoor ik het – het gerinkel van drie glazen flessen die op de stoep worden gezet.

Weer Parijs

Dit keer doen we alles anders. Dit keer is het niet onze jaardag en we gaan niet per Eurostar: dit keer gaan we vliegen. Ik ben niet zo dol op vliegen, maar om mezelf af te leiden heb ik op het vliegveld een dure Franse *Elle* gekocht.

Tom mag me graag plagen met mijn tijdschriften, maar hij vindt het ook leuk mij ze te zien lezen.

Je zult je Frans niet erg verbeteren door naar de plaatjes te kijken, zegt hij nu en grist het blad uit mijn handen terwijl ik door de glanzende pagina's blader.

Ik ben beter thuis in het Frans dan jij, zeg ik tegen hem en grijp het blad terug, en dat is waar. Er zijn een heleboel dingen die ik beter doe dan Tom en een van de ergste dingen die ik ons ooit heb aangedaan, was net te doen of dat niet zo was.

Tom zucht gemaakt en als het geluid van motoren verandert, het interieur van het vliegtuig begint te kraken en ik angstig naar de lange, wit glanzende vleugel kijk, legt hij zijn kin op mijn schouder en kijkt naar de modeplaten. Een onmogelijk jonge vrouw in een witte zonnejurk met *broderie anglaise* is bezig in de heldere zonneschijn frambozen in de monden van twee beeldige peuters te lepelen.

Dat zijn haar kinderen helemaal niet, zegt Tom. Ik bedoel, hoe oud is ze volgens jou – vijftien, zestien?

Ze zou twintig kunnen zijn, zeg ik. Ze had ze kunnen krijgen toen ze achttien was. Of ze zou de nanny kunnen zijn. Of hun oudere zus?

Goed, zegt hij, maar wie ze ook is, zo gekleed zal ze er niets van bakken. Binnen de kortste keren zit die jurk onder de viezigheid.

Mary's gevlekte t-shirt schiet door mijn gedachten. Frambozensap en de manier waarop dat iets verbleekt in de was, maar altijd te zien blijft.

Daar komen tranen van, beaam ik en ik sla snel de bladzijde om.

Ja, zegt hij, terwijl de eveneens onmogelijk jonge stewardessen zich vastmaken in hun stoelen voor we opstijgen. Daar komen ongetwijfeld tranen van.

Ik trek snel aan mijn riem om te controleren of hij is vastgemaakt. Het vliegtuig begint te rijden en het geluid verandert. Tom knijpt in mijn hand en ik knijp terug.

Het gaat goed, zegt hij.

Dat weet ik, zeg ik en ik probeer te glimlachen.

Voordat ik Tom ontmoette, toen ik jong was, toen ik een tuinbroek en plastic sieraden droeg, vloog ik zonder na te denken over wat ik aan het doen was. Ik legde mijn lot bewust in andermans handen. Ik liet mijn lichaam meeslepen door de lucht, door de wolken, boven deze platte donkere aarde en ik deed gewoon mijn ogen dicht, sliep en droomde van de plaatsen waar ik heen zou gaan. Mijn leven rolde zich voor me uit en ik wist dat ik snel grote afstanden moest afleggen, wilde ik alles kunnen zien.

Toen ik Jack had gekregen, veranderde alles. De eerste keer dat ik van hem weg vloog – voor wat bedoeld was als een lang en romantisch weekend in Dublin met Tom – begon het me plotseling te dagen wat ik aan het doen was: ik zat in een metalen doos die zich in dunne lucht in evenwicht hield, mijn baby had ik ver achter me gelaten, een donker vlekje op de koude aarde beneden me, dat door de afstand opgeslokt werd.

Ik raakte in paniek. De wereld kantelde en het vliegtuig ook. Ik liet me op handen en voeten op de vloer vallen en klemde me vast. Ik rook bruin karpet en zag de kruimels die onder stoelen van de passagiers waren gevallen. Tom – geschrokken en bezorgd – smeekte me weer op mijn stoel te gaan zitten en mijn riem vast te maken. Ik smeekte elke god die luisterde, me weer naar de aarde te brengen.

De stewardess moest me brandy geven. Andere passagiers staarden me meelevend, maar gegeneerd aan.

Daarna vloog ik ongeveer een jaar helemaal niet. Maar toen Fin klein was, overtuigde Tom me ervan dat voor altijd en eeuwig op de grond blijven niet echt een optie was, en omwille van de kinderen begon ik het weer te doen. Dus gingen we met ons allen een vliegtuig in en we vlogen door de bevroren blauwe lucht naar Griekenland – en ik ontdekte dat ik met mijn kinderen aan boord, dapper kon zijn. Als mijn hart snel klopte, glimlachte ik nog harder en sprak langzamer en opgewekt. Ik slaagde er zelfs in het eten van de luchtvaartmaatschappij naar binnen te werken. We vlogen met ons vijven naar Italië, toen Mary ongeveer vier maanden oud was. Ze gaven ons een speciaal uittrekbaar bedje voor haar en ze sliep de hele reis. Ik genoot er bijna van. Ik begon te denken dat we allemaal veilig konden zijn daar boven in de lucht. Naar het bleek, waren we dat ook, in de lucht.

Als het vliegtuig eenmaal los van de grond is en ik niet langer zo hard in zijn hand knijp, doet Tom zijn ogen dicht en laat zijn stoel iets naar achteren zakken. Het is koud, de kilte van airconditioning die je alleen in vliegtuigen meemaakt, de zachte, vriendelijke kou die van overal om je heen schijnt te komen maar nooit echt in je botten gaat zitten.

Ik huiver en probeer in mijn tijdschrift te lezen, maar zo nu en dan kijk ik stiekem even naar Tom. Met zijn gladde huid en donkere wimpers ziet hij er ook onmogelijk jong uit – hij zou bijna Jack kunnen zijn als die slaapt. Zijn verkleurde marineblauwe T-shirt is schoon, maar niet gestreken en zijn armen zijn overdekt met kippenvel; een massa kleine bultjes en ieder haartje op zijn onderarmen staat overeind.

Hij zucht diep en zijn mond ontspant zich. Ik kan zien hoe vocht zich verzamelt op zijn onderlip. Ik kan me nu absoluut niet voorstellen dat iemand in een vliegtuig kan slapen, maar de aanblik van hem – in slaap, met kippenvel en totaal van de wereld – vervult me met tederheid.

Ik blijf een hele tijd naar hem kijken.

Het hotel waar we dit keer logeren, had niet meer kunnen verschillen met de rozenroze techno mondaniteit van het eerste hotel. Het is een klein, wit, ouderwets hotel dat we hadden gevonden in de gids met 'Aantrekkelijke en betaalbare hotelletjes in Parijs' – afgebrokkelde blauw met bruine tegelvloeren, eenvoudige versleten vloerkleden, een oude, dikke dame die iets staat te eten achter de balie. Maar het is schoon en lief en alles doet het. Tom dankt God voor het feit dat er geen moderne snufjes zijn, terwijl ik mijn drie jurken in de oude walnoten klerenkast hang.

Hij ploft op het schone witte bed, dat vrij smal is – je kunt het al bijna geen tweepersoonsbed noemen terwijl ik door de kamer loop en de luiken opengooi. Het licht stroomt naar binnen. Het is buiten bijna warm – vroeg in april, de ene dag koud, de andere warm, alles pril en groen en vol sap, vastberaden om in knoppen uit te barsten. Buiten zit een vogel op een tak in zijn eentje te zingen, een stadsvogel. Als ik helemaal naar buiten leun, kan ik hem net zien; hij heeft zijn gele poten om de tak gekruld en houdt zijn bruine kopje scheef.

Zeg alsjeblieft tegen hem dat hij verdomme iets anders moet zingen, zegt Tom, maar zijn stem klinkt ontspannen en gelukkig en het valt me op dat hij voor een keer de tv niet heeft aangezet. Dan besef ik dat er geen tv is.

Ik kijk naar de vogel en de vogel kijkt terug.

Dat is het enige wat hij kan zingen, zeg ik en ik weet dat Tom zal glimlachen en ik realiseer me dat ik het feit, dat ik hierop kan vertrouwen, prettig vind.

Kom eens hier, zegt hij en dat doe ik, ik ga bij hem op het bed liggen, we doen niet aan seks of zoenen, we doen eigenlijk helemaal niets, we liggen er gewoon, mijn hoofd in de kromming van zijn arm en mijn hand op zijn buik, en we kijken naar de gepleisterde muren die in de hoeken gebarsten zijn en naar het schilderij van de Maagd Maria met kind. Ik weet niet wat Tom denkt, daar heb ik geen idee van, maar ik weet dat ik probeer niet te denken. Ik probeer heel hard te vergeten van hoe heel ver weg we zijn gekomen.

Soms ben ik nu nog bang om alleen te zijn, juist daarom, vanwege het feit dat ik zozeer geneigd ben te denken. Ik wil niet meer alleen over deze straten dwalen uit angst dat ik onverwachts gedwongen word te dicht bij mijn gedachten te komen of nog erger, dat ik ze – of jou – tegenkom, dat ik in botsing kom met wat er daarbuiten te wachten ligt, voorbij de nieuw verkregen, rustige veiligheid van mijn leven nu.

Tom stelt voor dat ik winkels ga bekijken. Hij voelt zich lui en gelukkig. Ik sta op het versleten karpet van de kleine slaapkamer te aarzelen en kijk hem aan. Kan hij echt de laatste keer dat hij dit voorstelde, vergeten zijn?

Ik ga veel liever samen met jou, zeg ik vlug.

Hij geeuwt en kijkt op zijn horloge. Ik kan zien dat hij in tweestrijd is.

Ik moet in bad.

Ga dan. Ik wacht wel. Laten we samen gaan. Alsjeblieft Tom. Er is niets aan om alleen te winkelen.

Dus lig ik op bed en ik probeer een artikel in de Franse *Elle* over schoenen te ontcijferen, terwijl hij in het grote maar ouderwetse bad op poten ligt en door de open deur tegen me praat. Zo nu en dan lees ik hem een moeilijk woord voor en we proberen ons te herinneren wat het betekent. Ik laat meestal Tom als eerste raden. Hij vindt het belangrijk om dingen te weten. Als hij uit bad stapt en zich afdroogt, kijk ik met genoegen toe hoe hij een schoon overhemd uitkiest, hoe hij het dichtknoopt, hoe hij sokken aantrekt en de veters van zijn schoenen vastmaakt.

Je lijkt op Jack, vertel ik hem.

Op Jack?

Ja. Toen hij pas geleerd had zijn veters te strikken, trok hij net zo met zijn mond.

Hij grijpt mijn haar en trekt me naar zich toe en ik voel zijn lippen op mijn voorhoofd.

Ik ben blij, begint hij, kijkt me dan aan en houdt op.

Blij?

Dat – je wilde wachten zodat ik met je mee kon gaan.

Ik kijk hem strak aan. Wat houd ik toch veel van zijn gezicht.

Het is belangrijk, vertel ik hem, en voor één keer weet ik dat het de waarheid is, het voelde gewoon – belangrijk.

Dat is het ook, zegt hij. Het is goed. Voor jou en mij –

Om samen te zijn?

Hij glimlacht alsof ik een open deur intrap, maar dat doet er niet toe want de glimlach zegt ja.

Ik wil het ook tegen hem zeggen – ik wil zeggen: ja, lieveling, ja, dat is het ook. Maar ik doe het niet – waarschijnlijk omdat alles er toch al is, al de onuitgesproken dingen liggen opgestapeld te wachten in de leemtes tussen de dingen die we uitspreken en de dingen die we niet uitspreken. Ik hoef hem niet te vertellen waar ik bang voor ben, want dat weet hij al. En als er leemtes zijn, ook goed. Het is alleen zo dat ik er niet zeker van ben of ik ze zonder Tom wil opvullen.

Dus gaan we samen, we slenteren over de drukke straten vol bloesem en kijken in etalages. We kopen een stel cadeautjes voor de jongens – een radiootje met oordoppen voor Jack, een groen met geel nylon voetbalshirt voor Fin, chocolade pastilles voor hen allebei en – het mooist van al – een knalroze kattenbed van namaakbont. Tom zegt dat hij nog nooit zoiets foeilelijks heeft gezien.

We hebben een cadeautje voor je gekocht, vertel ik Fin over de telefoon als we 's middags in een druk café zitten en Tom aan een *café au lait* nipt en ik met zijn vork stukjes van zijn gebakje af prik. Nou ja, het is niet voor jou persoonlijk, het is voor Ster. Iets wat ze heel mooi zal vinden. Raad eens wat het is.

Fin slaakt een zucht en ik schep wat slagroom van het onderleggertje op de vork. Tom grijpt me bij mijn pols en dwingt de vork naar zijn eigen mond toe.

Voor – Ster?

Ja, zeg ik terwijl ik Tom zijn vork teruggeef. Ja, voor Ster.

Betekent dat – ik kan horen hoe Fin zijn adem inhoudt en iets tegen Jack fluistert – is dat jouw manier om te zeggen dat ik haar – mag houden?

Ik schiet in de lach en ik zeg hem ja, dat we er ernstig over hebben gepraat, Tom en ik, en dat we, hoewel we het meenden toen we zeiden dat we een tehuis moesten vinden voor alle katjes, ook weten dat hij en Ster iets speciaals met elkaar hebben, en dat hij haar daarom maar beter kan houden.

Ik zweer dat ik alles zal doen, zegt Fin. Eten geven en borstelen en nog meer, ik zweer het.

Hier ga je spijt van krijgen, zegt Tom als hij het restje van zijn gebakje in mijn mond stopt. Hij heeft natuurlijk gelijk, daarom is het zo grappig. Dit bedenk ik me terwijl het laatste kloddertje room op mijn tong smelt.

Later, in een bizar, ouderwets restaurant met rood pluche in de wijk *Marais*, eten we tongschar en we drinken champagne. Tom neemt als voorafje twaalf oesters en hij wil dat ik er eentje proef, maar ik doe het niet. Ik kan er helemaal niet tegen hoe ze nat en grijs in hun schelpen ademen en kronkelen.

Ik had je de met slakken gevulde ravioli moeten laten bestellen, zegt Tom.

De serveerster zet een oude, met kaarsvet bespatte kandelaar op tafel; ik laat mijn sjaal van mijn schouders glijden en voel een zucht van plezier door me heen gaan. Schaduwen kruipen langs de muren omhoog. Je kunt de Franse keuken ruiken – beroete pannen en warme rode wijn en iets wat in ganzenvet wordt gebakken.

Mmm, ik vind het hier leuk, zeg ik terwijl Tom citroensap op een van die arme schepselen knijpt en ik moet snel wegkijken.

Afgezien van het eten, zegt hij.

Doe niet zo dwaas, ik vind het eten lekker. Ik vind hier alles leuk.

Nou – en jij staat erom bekend dat je moeilijk tevreden bent te stellen, beaamt hij en kijkt een tel op, oester in zijn hand, en hij glimlacht tegen me en ik bedenk me hoezeer ik houd van de uitdrukking op zijn gezicht als hij dat doet: als hij me aardig vindt, als hij me goedkeurt.

Nee, zeg ik tegen hem, ik vind het hier leuk omdat het een beetje smoezelig is, maar het is hier echt. Kijk, je kunt zien dat hier allemaal Fransen zitten, geen toeristen, geen Japanners of Amerikanen, geen een en –

Onmiddellijk betrekt zijn gezicht.

En?

Niets. Gewoon, je weet wel, toeristenplaatsen. Zelfs die plekken die maar een beetje toeristisch zijn. Die kan ik niet uitstaan.

262

Ja, zegt hij vlak en ik probeer te glimlachen en te vergeten dat ik dat woord had uitgesproken. Amerikaan.

Wat goed van ons, zeg ik tegen hem, of wat goed van jou om dit hier te vinden.

Hij kijkt op zijn bord.

Ik heb gewoon in de gids gekeken, zegt hij.

Ik herinner hem aan de vakantie met de kinderen toen ze klein waren – was het nu Kreta of was het Rome? – waar alle restaurants menu's met kleurenfoto's van Engels eten hadden. We werden er bijna gek van om een restaurant te vinden dat gewoon het plaatselijke eten serveerde.

Hij trekt een vies gezicht.

O, lieve heer, zegt hij, uitgebreid Engels ontbijt.

Hoewel hij probeert te lachen en ik naar hem reik om zijn hand aan te raken en hij de mijne optilt en hem zoent, zijn lippen op mijn vingertoppen drukt, wil hij mij toch niet aankijken. Hij kan het niet. Zo zal het altijd gaan, denk ik. Er zullen altijd dingen zijn die ik niet kan, niet moet zeggen. Ik zal mijn hele leven met hem op mijn hoede moeten zijn voor de woorden die ik gebruik. En dat komt door mij, ik heb ons dit aangedaan. Dit is de oneindige nasleep van wat ik heb gedaan.

Later in die nacht, midden in de warme aprilnacht, als de seks en het gepraat voorbij zijn en Tom in slaap is gevallen, doe ik heel hard mijn best niet wakker te zijn, dat doe ik echt. Ik wil het liefst van alles kunnen gaan waar hij heen is gegaan, maar ik kan het niet, het schijnt zo niet voor mij te werken.

Dus staar ik maar een tijdje naar de grijze, met maanlicht beschenen muur en al gauw, ja zeker, gaan mijn ogen dicht, maar terwijl ik weer in slaap val, doen mijn gedachten wat ze tegenwoordig vaak doen. Ze schieten terug in een patroon dat ze zich herinneren. Ze arrangeren zichzelf, ondanks alles, om jouw gedaante heen.

Drie weken of misschien een maand geleden, kreeg ik een e-mail van onze wederzijdse, verre kennis, Simon Riley. Ze hadden hem gevraagd, zei hij, mij te laten weten dat er een reünie van onze universiteit gepland was in een Londense pub. Hij organiseerde die reünie niet zelf, zei hij, maar het was hem gevraagd de boodschap door te geven.

Hij zei dat het de bedoeling was er elk jaar eentje te houden, maar vorig jaar was het niet doorgegaan omdat niemand eraan was toegekomen hem te organiseren. Maar nu de jaren verstreken, leken steeds meer mensen elkaar weer te willen ontmoeten. Iets van de middelbare leeftijd, zei hij. Dus gaf hij me het adres, de datum en het tijdstip op en zei dat ik echt moest proberen te komen, dat hij me graag weer zou willen zien om weer eens bij te praten, net als vele anderen, daar was hij zeker van.

Hij somde een aantal van de namen op van mensen die volgens hem hadden gezegd dat ze vast en zeker zouden komen en ik herkende er een paar van, hoewel het geen van allen mensen waren met wie ik bijzonder bevriend was geweest.

Ik e-mailde terug om hem te bedanken en te zeggen dat ik zou proberen te komen, hoewel ik al wist dat ik er tegen die tijd waarschijnlijk niet heen wilde gaan. Toen, om beleefd te zijn en omdat ik me herinnerde dat hij best aardig was, vroeg ik hem hoe het met hem ging en hij zei dat het goed ging – dat zijn fotografiewinkel goed liep en dat hij net voor de tweede keer was getrouwd, met een verpleegster, en dat er een baby op komst was, zijn eerste.

Ik geniet nu van mijn laatste beetje vrijheid voor de slapeloze nachten hun intree doen, schreef hij. Hij vroeg me hoe het met mijn kinderen ging – ik denk dat Fin drie jaar oud was toen we voor het laatst met elkaar hadden gecorrespondeerd.

Goed, schreef ik, het zijn nu tieners. Enorm lang, luidruchtig, moeilijk, onaangenaam.

Ik aarzelde, maar toen realiseerde ik me dat ik hem niet over Mary hoefde te vertellen.

Nou, Rosy, ik benijd je, schreef hij een dag later terug. Jij hebt de jouwe op jonge leeftijd gehad. Dat is ook de beste manier. Door de zure appel heen bijten met baby's, dan kun je daarna weer vrij zijn. Je kunt je niet voorstellen hoeveel van de mensen van ons jaar met wie ik contact heb gehad – toegegeven, meestal met de mannen – nu pas met hun eerste kind bezig zijn, net als ik. Dat is toch niet te geloven? Begin veertig en we zijn nu pas allemaal begonnen.

Wie dan, bijvoorbeeld, vroeg ik hem – en hij noemde een aantal namen waarvan ik dacht dat ik ze me vagelijk kon herinneren, hoewel het me niet echt lukte, hoe hard ik ook nadacht, me hun gezichten voor de geest te halen. Ik had gehoord van iemand dat hij in de reclame was gegaan en dat een ander een poosje videofilms had gemaakt. Het meest verrassende was degene die er altijd volkomen uit had gelegen en die zijn doctoraal niet had gehaald – een vriend van jou, dacht ik – hij had veel geld verdiend in het bankwezen, was toen hij veertig was gaan renteneren en had in Mozambique een basisschool gesticht.

Nu we het er toch over hadden, vroeg ik hem langs de neus weg of hij de laatste tijd ook iets van jou had gehoord.

Binnen een paar seconden kwam het antwoord terug.

Verdomme, ik geloof het niet. Ik dacht – dus dat betekent dat je het niet hebt gehoord? Wat er met hem is gebeurd?

In zekere zin kwam het niet als een schok of verrassing, helemaal niet. In zekere zin, Baby, wist ik het wel, wist ik het, ik denk dat een deel van mij het altijd al had geweten.

Dus toen ik de volgende paar zinnen van Simons e-mail las – de zinnen die me over het ongeluk vertelden dat ergens buiten Oregon had plaatsgevonden, over de dronken chauffeur (nog een kind, niet ouder dan jouw zoon) die ook omgekomen was, over de auto die in vlammen was opgegaan en zo lang bleef branden dat het hen veel tijd had gekost voor ze je konden identificeren en je arme zoon en je ex op de hoogte konden stellen – nou, ik begon niet te huilen of te trillen, ik werd niet duizelig van de schrik, nee, ik werd alleen maar heel stil vanbinnen. Stil en rustig. Mijn hoofd voelde aan alsof er net een mes doorheen had gesneden, een schoon, scherp mes dat mijn hoofd in tweeen kliefde, maar mijn lichaam was kalm, ik zweer je dat mijn lichaam kalm was.

Jezus, het spijt me, Rosy, schreef Simon. Dat ik degene ben die het je moet vertellen. Ik bedoel, ik dacht echt dat je het al gehoord had, ik dacht dat je het wist.

Wanneer? schreef ik terug. Alsjeblieft. Het spijt me. Alleen als je het kunt, schrijf me terug wanneer het gebeurde?

Januari, schreef Simon terug. Midden of achter in januari, in feite de laatste week van januari; dat weet ik omdat – en ik hoop dat dit het niet erger voor je maakt, Rosy, maar weet je, ik ben dit allemaal alleen maar te weten gekomen omdat hij van plan was hierheen te komen. Hij had me net ongeveer een week tevoren geschreven en gezegd dat hij zich dikwijls afvroeg hoe het jou was vergaan, dus heb ik hem jouw e-mailadres gegeven, vlak voor – nou, dat was letterlijk een dag of wat tevoren dus – ik vraag me af of hij ooit kans heeft gezien in contact met je te komen?

Ik bleef een hele tijd zitten toen ik dit had gelezen. Ik staarde en staarde maar naar mijn scherm, naar hoe vierkant en stom het was. Ik zat daar en ik kon de boiler luidruchtig aan en uit horen klikken en ik hoorde bouwvakkers in een huis verderop in de straat aan het werk met een radio die te hard stond en die een stompzinnig discoliedje uitbraakte. Drie of vier tuinen verderop kon ik een kind steeds maar horen roepen ook al was het duidelijk dat de ouder niet van plan was antwoord te geven.

Ik dacht aan jou – je handen op mij – de heldere warmte en de verrassende intensiteit van een relatie die ik heel lang geleden vanzelfsprekend had gevonden om nu tot de ontdekking te komen dat zo'n gevoel uniek was en niet meer terug zou komen, in ieder geval niet in dit leven.

En ik dacht aan de parels, die jij me had gegeven, veilig in hun wikkel in mijn bureaula – een plek waar niemand ooit zou kijken en waar, ook al deden ze het wel, zo'n klein vreemd ding niet noodzakelijkerwijs van uitleg hoefde te worden voorzien – en ik vroeg me af of ik moest controleren of ze er nog waren, of ze er ooit waren geweest.

Ik besloot van niet. Ik besloot dat ik daarmee zou wachten en het een andere keer zou doen, wanneer ik me sterker voelde en wanneer het er minder toe zou doen. En toen dacht ik aan de andere parels, die van plastic, verspreid over een karpet in een ijskoude januari die bij een andere wereld van lang geleden hoorden. Ze waren echt, zei ik tegen mezelf, die waren echt – en de zekerheid die ik daarbij voelde, maakte me bijna aan het glimlachen.

Ik schreef je toen bijna een e-mail, gewoon om te zien wat er zou gebeuren – gewoon om te zien of ik hem op de een of andere manier bij je kon laten bezorgen, gewoon om te zien of hij me op z'n minst het plezier zou doen zich ergens in het grote onbekende van cyberspace en tijd een plaatsje te zoeken en zich niet weer te laten terugsturen om me te kwetsen. Ik deed het bijna, maar uiteindelijk deed ik het niet, ik besloot mezelf te sparen.

Maar, weet je Baby, ik loog toen ik zei dat ik niet naar adem snakte of huilde. Dat deed ik wel. Ik was helemaal niet stil of kalm. Ik was er kapot van. Ik huilde en snikte ongeveer een halfuur lang, en toen veegde ik mijn gezicht af en hield mezelf vast, ik omarmde mezelf heel stevig om me te laten ophouden.

Stil, stop, wacht.

Toen bleef ik aan mijn bureau zitten en keek mijn oude gedichten door, de droevige, oppervlakkige en belachelijke dingen die ik het afgelopen jaar had geschreven; ik vroeg me af of ik daar ooit weer naar zou kijken en ik dacht dat ik dat waarschijnlijk niet zou doen.

Toen trok ik een streep onder alles wat ik tot dan toe had geschreven en daaronder schreef ik, *Het verhaal van jou.*

Londen

De lente gaat over in de zomer en het weer is zonnig en warm. Fin is blij. Hij is hier dol op. Dit is echt jongensweer. Hij noemt het 'zonder jasweer' en hij blijft zelfs op doordeweekse avonden tot de schemer invalt buiten in het gemeenteplantsoen voetballen met zijn vriendjes. Hij komt moe en bezweet thuis, met rode konen en schitterende ogen en hij maakt met grote tegenzin zijn huiswerk, Ster ondersteboven gedraaid op zijn schoot.

Jack is zo groot dat hij boven me uit torent. Zijn stem is zo laag dat ik soms opspring als hij de kamer binnenkomt. Hij heeft nog geen vriendinnetje, maar er is verderop in de straat een meisje dat hem alsmaar opbelt.

Waarom belt ze altijd wanneer ze net zo goed even langs kan komen? vraag ik hem en hij kijkt me aan alsof ik net van een andere planeet ben gekomen.

Telefoneren hoort erbij, zegt Tom. Dat of sms'en of e-mail. Besef je dat niet, Nic? Je kunt jezelf op die manier opnieuw uitvinden – zijn wie je maar wilt. Het is een veel te grote uitdaging een relatie in aanwezigheid van de ander te beginnen.

En Jack rolt met zijn ogen omdat hij denkt dat dit weer een van Toms gebruikelijke kritieken op zijn generatie is, maar ik weet wel beter, ik weet dat het eigenlijk een milde kritiek op mij is.

Ik denk dat Tom en ik nu gelukkig zijn – ons gezin voelt gelukkig aan – de meeste dagen ben ik volmaakt gelukkig, zolang ik maar probeer niet te veel stil te staan om dat geluk onder de loep te nemen. Niet te veel denken. Het heeft me heel wat tijd gekost om te begrijpen hoe tot in het diepst van mijn ziel ik Tom nodig had, maar dat had en heb ik wel. Uiteindelijk ligt het volkomen in je eigen handen – wat je besluit jezelf toe te staan om te voelen, daar gaat het om. Ook gaat het erom hoeveel liefde je besluit te geven, het gaat er niet om dat jij veel tijd verspilt aan je inbeelden hoeveel jij terug zou moeten krijgen. Ik denk dat ik dit geloof, in ieder geval probeer ik het te geloven. Ik geloof echt dat ik hem diep gekwetst heb en, hoewel ik denk dat ik toentertijd niet anders had kunnen doen, heb ik daar nog steeds erge spijt van, het spijt me dat een hard feit zoals dit voor altijd in ons gemeenschappelijk verleden zit vastgespijkerd.

Hij vroeg me onlangs of ik, als zijn vasectomie ongedaan kon worden gemaakt, het fijn zou vinden te proberen nog een kind te krijgen.

Ik was ongelofelijk geschokt dat hij hier zelfs maar over nadacht.

Maar – ik ben veel te oud, zei ik direct tegen hem en hij keek me verbaasd aan.

Doe niet zo gek, zei hij, strekte zijn hand uit en trok aan mijn paardenstaart. Dat heeft niets te betekenen. Veel vrouwen krijgen op jouw leeftijd of nog later een kind.

Ik dacht er een paar tellen over na – eigenlijk secondes – en ik besefte dat de gevoelens die me overspoelden, niet bepaald degene waren die ik verwachtte of die ik wilde voelen.

Ik wil niet nog een baby, zei ik zo vriendelijk mogelijk tegen hem. Ik denk niet dat we dat willen. Maar bedankt dat je het gezegd hebt.

Hij keek bijna teleurgesteld en misschien had ik het gesprek wat langer moeten voortzetten. Misschien had ik moeten proberen verbaasder of liever te zijn of had ik hem moeten zeggen hoeveel ik van hem hield, maar ik deed het niet, ik kon het niet, toen niet. Op dat ogenblik was het gewoon niet wat ik voor mijn gevoel wilde doen.

Op sommige dagen ben ik namelijk bijna in staat te geloven dat ze nog bij ons is, haar geest of haar ziel of hoe je dat ook maar wilt noemen. Het deel van haar dat overblijft, dat voor altijd door zal gaan. Ik zweer je dat ik niet zwartgallig ben, ik denk helemaal niet zo veel aan haar; maar zo nu en dan betrap ik me erop dat ik me ontspan, dat ik zachter word en dan is het net of ik een volmaakte korte seconde vergeten ben dat haar dood ooit heeft plaatsgevonden, alsof ik de werkelijke spleten van haar verlies heb bedekt en dat het opnieuw die koude zondagmorgen is en dat het nog steeds sneeuwt en alles rustig is en alles goed is en nog niets ervan is gebeurd.

Tweede kansen.

Ik word er altijd door overvallen, als ik dat gevoel heb, als dat gebeurt.

En zo nu en dan, een doodenkele keer, overval jij me ook. Het gaat dan goed met me, of op zijn minst denk ik dat en dan gebeurt er iets wat daar verandering in brengt – dat kan van alles zijn, een flard van een lief liedje, een flits van een ongebruikelijke kleur, de schone aftekening van een geschilde appel, de achterkant van het hoofd van een onbekende, de manier waarop de hemel op een vriesmiddag over zichzelf heen buigt – en ik word opeens een andere tijd in getrokken, naar het gevoel van jouw armen om me heen, je handen en gezicht vlak bij die van mij, en ik blijf een tel stokstijf staan, verlamd, niet in staat me voor- of achteruit te bewegen.

Lachen, kindje.

Ik zou willen dat ik op die ogenblikken kon huilen, maar meestal kan ik het niet. Meestal moet ik gewoon wachten tot het voorbijgaat. Dat doet het ook en dat zal het ook doen.

Ik stel me graag dingen voor die waarschijnlijk nooit gebeuren. Ik stel me graag voor dat ik een keer de kans zou krijgen jou, Baby, te vragen waarom het zo heeft moeten zijn, waarom je mij moest vinden en me zo erg van je laten houden en waarom je toen ons beiden zo moest kwetsen, waarom je moest gaan?

Ik zeg graag tegen mezelf dat ik je dan daar neerzet, tegenover me en dat je er dan niet onderuit kan me overal antwoord op te geven, dat je niet eerder weg mag voor je me het allemaal hebt uitgelegd.

En ik stel me graag voor dat het zo zal gaan: dat je mijn haar of mijn lippen of de plek op mijn wang waar de hete, droevige tranen al stromen, aanraakt en dat je zegt: Rosy, weet je niet dat het hart het laatste onontgonnen stukje van ons is? Alsof dat alles verklaart, alsof dat alles is wat een mens ooit hoeft te weten.

En ik stel me graag voor dat ik dan misschien wijs knik alsof ik weet wat je bedoelt, alsof ik je volkomen begrijp, ook al doe ik dat niet, ook al begrijp ik er geen snars van. Ik denk graag dat ik je op zijn minst de indruk geef dat alles goed gaat, dat het zo goed is, dat er niets vergeefs was, dat hoewel ik vanbinnen van verdriet verteer – desondanks de woestenij en het verdriet iets van betekenis voor mij hebben.

Houd ik nog van je? Hield ik ooit van je? Was het echt? Is het dat nog?

Het antwoord is niet eenvoudig. Ik houd van Tom, ik houd van mijn kinderen, ik houd van dit gezin dat we gesticht hebben. Maar er is een draad, een dunne, elastieken draad die me op de een of andere manier met jou verbindt. Op dit ogenblik hangt hij slap en dat is prima, ik hoop dat dat zo blijft. Maar ik vrees dat ik, als er maar enigszins aan getrokken wordt, weer op je zou kunnen vallen, steeds weer op je zou vallen, meer en meer en meer, altijd op je zou vallen, als je me daartoe in de gelegenheid zou stellen.

Want het gaat niet om het verhaal, maar om de manier waarop ik het vertel, de manier waarop ik het zal blijven vertellen, zolang als ik wil. Maar dat weet je toch wel, Baby? Ook al ben je niet meer hier, ook al lijk je weg te zijn, ook al ken je de strekking van het verhaal. Het is het verhaal over jou en het strekt beide kanten uit, naar het verleden en naar de toekomst, en het begint precies hier en nu, met sneeuw.